JN107261

短歌表現辞典
鳥獣虫魚編
〈新版〉

飯塚書店

はじめに

雄大な自然に生息する動物、身近に親しく接する小動物、生活を共にする家畜、ペットなどは、古より日本人に慈しまれ、多くの短歌に詠われ続けてきました。

最近、山林、湖沼、海浜などが著しく損われて、生息地を追われる動物が増えております。いま鳥・獣・虫・魚を詠うことは、生きとし生けるものを愛し、自然環境を守ることにほかなりません。

本書は、六三六項目をあげ、動物それぞれの環境と生態を詳しく説明し、鳥・獣・虫・魚を素材とした短歌表現の実際を、現代歌人の秀歌二四二二首を引例して示しました。

活潑な動物たちの活動から旺盛な生命力を感受して、美しさを表現する技法を学んで頂きたい。

例歌は項目に適する作品を引用させていただきました。改めて多謝いたします。なお、初めての試み故、不備の点も多いと思います。読者の御教示により、より完全なものに改めてゆきます。

飯塚書店　編　集　部

凡　例

見出し語

1　見出し語は動物名を、平がなと片かなにより、現代かなづかいを用いて表記した。

2　〔　〕内には見出し語に相当する漢字を入れて、歴史的かなづかいによる振りがなを付けた。

配　列

1　見出し語はアイウエオ順（五十音順）に従って配列し、清音・濁音・半濁音の順にした。

2　小文字で表わした促音・拗音は音順に入れ、長音は無視してある。

用字用語

1　説明文は漢字まじり、平がな口語文とし、仮名づかいは現代かなづかいに従った。

2　動物名は漢字と平がなおよび片かなを用いた。

3　説明文末尾の↓印は関連項目の参照を示す。

4　引用歌はすべて原文どおりとした。

短歌表現辞典　鳥獣虫魚編〈新版〉

あおうみがめ〔青海亀〕　ウミガメ科。太平洋、インド洋、大西洋に分布し、アマモなど海藻の豊富な浅海にすむ。正覚坊ともいう。長さ1メートルほどの甲は青みを帯びた黒褐色、腹は淡黄色。海藻がおもだが雑食性で、産卵のため回遊する。肉・卵は食べられるが、乱獲されたため保護が必要となっている。産卵に砂浜に来た亀に酒を飲まして帰す地方があり、好んで酒を飲むため、大酒飲みを正覚坊という。↓海亀

水底に正覚坊が嚙み散らせし常節づれがかけらきらめく　尾山篤二郎

あおがえる〔青蛙〕　アオガエル科に属する緑色の蛙。日本には森青蛙、シュレーゲル青蛙がいる。森青蛙は体長5~9センチ、雌の方が大きい。背には緑色の濃淡があり、個体により赤褐色の斑紋がある。腹面は白い。指の吸盤が発達し、樹にすむ。四~六月雌は水辺に突き出た枝に泡状の卵塊を産み、孵化したオタマジャクシは水中に落ちる。岩手県岩手郡松尾、福島県双葉郡平伏沼、愛知県鳳来寺山などの繁殖地が有名。シュレーゲル青蛙は体長4~6センチ、背は黄緑色。田のあぜの土中などに泡状の卵塊を産む。ともに本州、四国、九州に分布。↓蛙

庭のべの水づく木立に枝たかく青蛙鳴くあけがたの月　伊藤左千夫

五月の陽てれる草野にうらがなし青蛙ひとつ鳴きいでにけり　斎藤茂吉

青蛙はかいかいと鳴くにこの夜らの声沈めるを然おもはめや　尾山篤二郎

ともどちの追ひ及くときに現れしあり樹の枝に乗るモリアオガエル　森岡貞香

産卵の泡玉なればうつとりと樹上より沼へ落ちむさまなる　森岡貞香

あおさぎ〔青鷺〕　サギ科の鳥。北海道では夏鳥、本州・四国では留鳥、九州・沖縄では冬鳥。海岸近くや平野部の湖沼近くにある木の上に集団で巣を作り、小魚、蛙などを食べる。全長90センチでサギ類中最大、羽は灰色で頭頂と冠羽が青黒色、風切は黒色、嘴と足は黄色。翼は大きく、飛ぶときはゆっくりとはばたき、首をちぢめ、足を伸ばす。

グァー、グァーと濁った声で鳴く。→鷺

なよなよと靄のなかよりあらはれて青鷺づれの顔のしたしさ　吉植　庄亮

青鷺にしら鷺まじりあはれなり氷のひびの水に薄きを　北原　白秋

青鷺とまた五位鷺とこもごものこゑは真上か吾にか近し　岡部　文夫

青鷺の換羽一枚強靱の翼をここに得て帰るかな　安永　蕗子

うみぎしのたぶの大群ゆ次々と青鷺は翔つ朝の光に　川辺　古一

川霧に包まれしときあをさぎはこの動かざるかたちにゐたりや　黒田　淑子

蒼鷺は今日三羽ゐて三方に別れ行きたり小さきみづうみ　石川不二子

あを鷺の首やせやせて呑まむとすなべてこの世のかたちのままに　今野　寿美

あおじ〔青鵐(あをじ)・蒿雀(あをじ)〕　ホオジロ科の鳥。本州の中部以北の明るい林で繁殖し、冬は温暖地の林、やぶで過ごす。全長16センチ、背は暗緑褐色、腹は黄色に小さな黒斑がある。地上または低い枝に皿形の巣を作り、雑草の種子や昆虫を食べる。ツィッツィッ、チョッピーチュルルルチーチュルルリーンと美しく鳴く。

庭十坪(とつぼ)市に住まへど春されば蒿雀さへづり夏行々子　伊藤左千夫

しののめに蒿雀が鳴けば罠(わな)かけて籾(もみ)まき待ちし昔おもほゆ　長塚　節

斉墩(ちさ)の木の黄葉(もみぢ)あかるき谷の間になきゐるきけば蒿雀のこゑなり　尾山篤二郎

あおだいしょう〔青大将(あをだいしやう)〕　ヘビ科の無毒ヘビ。日本全国の平地や耕作地にすみ、ネズミ類をもとめて人家や倉庫にも入ってくる。鳥のひな・卵を食べるが、ネズミを捕食するので有益、農村では家の主ともいう。性質もおとなしい。体長は最大で2〜2.3メートル、背面は暗緑色で縦すじがある。岩国の白蛇は本種の白化型である。→蛇

戻り梅雨続ける冷えに床下の青蛇再び深く寝ねゐむ　菊地　良江

灯籠の裏の刻銘「元禄二」まで読みて、ああ青大将をり　安田　純生

あおばずく〔青葉木菟〕

フクロウ科の鳥、日本には青葉の茂るころ渡って来て、十月ころ南方へ去る夏鳥。全長29センチ、羽の上面は黒褐色、下面は白地に褐色の縦斑があり、黒褐色の坊主頭に金色の目が光る。平地から山地の林にすみ、夜間おもに飛翔昆虫を足指で捕える。巣は樹木の穴や人家のすき間に作り、夜ホーホーと澄んだ声をひびかせる。八〇年代より姿が見られなくなったが、雑木林の減少と、東南アジアの熱帯林の伐採がその原因であるという。自然を損いたくない。木菟の場合、フクロウ科の青葉木菟、木葉木菟、木菟をさす。

↓木葉木菟　木菟

幼児はひとり寝につけり青葉木菟とほき木群に啼きそめしかば　木俣　修

わたり来てひと夜を啼きし青葉木菟二夜は遠く啼きて今日なし　馬場あき子

青葉木菟ほつほう泣けば伴ひてうゐの深山をけふ越えゆかむ　清田由井子

身を刺すは若葉のしづく木菟のこゑいま抱かれなばにほひたつべし　藤井　常世

輪廻とはいかなることや灯を消ししのち一家にて聴く青葉木菟　伊藤　一彦

五百ミリレンズのなかの青葉梟大いなる眼がわれを見てゐる　真鍋　正男

あおまつむし〔青松虫〕

マツムシ科。体長2.4センチ、松虫に似ているが鮮やかな緑の体色をし、樹上にすみ、八月下旬ころからリューリューと高い声でなく。大正六年に東京で発生し、関西、九州に広がった。都市の街路樹にも多くすむ。

台風は既に過ぎゐてひき明けを青松虫の声低く鳴く　大悟法　進

沙羅の梢の夕べの光伸びゆきて青松虫の鳴く季となる　近藤とし子

こほろぎの音は地より湧く臥て聴けばあをまつむしは天より下る　上田三四二

百合ノ木の葉群震ふと思ふまで青松虫の鳴くゆふまぐれ　長沢　一作

いつしかに青松虫も鳴かずなり夕暗がりに樫の実を踏む　　萩原　千也

あおむし〔青虫（あをむし）〕 紋白蝶の幼虫をさしていうことが多い。体長3センチほど、全体が緑色で微細な短毛がある。植物の葉を食べるが、種類により一定の植物を害する。他の蝶や蛾の、緑色で細長い幼虫にもいう。

青き虫動くをひとつ机よりはじき落して夜半のひそけし　　扇畑　忠雄

くちなしのみどりをすべて食みたりしあはれ身の隈までを青虫　　坂出　裕子

あかうに〔赤海胆（あかうに）〕 棘皮（きよくひ）動物ラッパウニ科。北海道南部より九州までの浅海の岩礁にすむ日本固有種。殻は直径6センチ、高さ2~3センチ、やや平たい球状で密生する棘は短い。ふつう暗赤色であるが色の薄いのもある。管足は短い。産卵期は晩秋。生食や雲丹にして食べる。↓海胆　紫海胆

うに割ればあからさまなる海の香（か）に口すぼめつつ赤うにを（を）食す　　樋口　覚

あかうみがめ〔赤海亀（あかうみがめ）〕 ウミガメ科。太平洋、インド洋、大西洋に分布。六、七月ごろ産卵のため日本各地の海岸に上陸する。甲長1メートル位、背は赤褐色、腹は淡黄色。雑食性で、臭気があり肉は食用にならない。砂中に六〇〜一五〇個ほどの円形の卵を産む。このとき塩分を多く含む液を目より排出することがあり、涙を流すように見える。好んで産卵地を荒らす暴走族が多い。↓海亀

孵りたる赤海亀が首あげてカリブの海の朝日まぶしむ　　長沢　一作

あかげら〔赤啄木鳥（あかげら）〕 キツツキ科の鳥。本州以北の山地の落葉広葉樹林にすむ留鳥。頑丈な足爪と硬い尾羽で体重を支えて幹に垂直にとまり、樹皮の割れ目にひそむ昆虫や幼虫を食べ、秋冬には木の実をついばむ。全長23センチ、黒・白・赤の三色の体色をしており、雄は後頭部が赤い。木の幹に穴を掘って巣とし、繁殖期には嘴で朽木を速くたたき、タラララ……と大きな音をたてる。キョッキョッと鳴く。大赤げらは赤げらよりやや大形で嘴も

長め、小赤げらは北海道だけにすみ、赤げらより小さく、腹部に赤い部分がない。また羽が緑色で、ピョーピョーと鳴くのは青げら。↓啄木鳥　小げら

助走より脱出できぬ一生とも杼の形なし赤啄木が飛ぶ　　内田　紀満

赤げらの尾が消えゆきし木の間より秋の終りの陽のしづくする　　辺見じゅん

あかしょうびん〔赤翡翠〕　カワセミ科の鳥。北海道、本州に五月ころ渡って来て、八月ころ南へ帰る夏鳥。深い森林の渓流近くで繁殖し、巣を枯木の穴などに作る。地上に飛び下りて昆虫、蛙などを、また渓流の浅瀬ですくいとるように小魚をとる。全長27センチ、赤色の長大な嘴をもち、全身赤褐色で腹部は黄褐色を帯びる。キョロロロと尻下がりの余韻のある声をひびかせる。雨の日には日中も鳴くため、雨乞鳥、水乞鳥ともいう。姿を見せない声のみの鳥といわれたが、近年姿も消している。↓水恋鳥

一部落高処に拠りて谷広し赤ショウビンはただ一羽の声　　植松　寿樹

あかとんぼ〔赤蜻蛉〕　赤とんぼは俗称で、茜蜻蛉という。群がってとぶ中形の赤みをおびたトンボで秋の風物詩。秋茜、夏茜、深山茜、猩々蜻蛉、それに八丁蜻蛉などをさす。八丁蜻蛉は名古屋の八丁畷に多数生息し、トンボの中で最小種。↓秋茜　猩々蜻蛉　蜻蛉

赤とんぼ吾のかうべに止まりきと東京にゆかば思ひいづらむ　　斎藤　茂吉

ささやかにいのち飛翔の赤とんぼ風にさからふ時にきらめく　　佐藤美知子

夕焼けの赤に吸はれて透明の羽根より溶けてゆけ赤とんぼ　　浜田　康敬

あかはら〔赤腹〕　ヒタキ科の鳥。北海道、本州中部以北の山地の落葉広葉樹木で繁殖し、本州中部以南の山麓で冬を越す。おもに明るい林の地上をはね歩いて、昆虫やミミズなどをとり、秋冬には木の実なども食べる。樹の上に枯草、コケなどで皿状の巣を作る。全長23センチ、胸から脇へ赤味が強くて美しい鳥。キョロン、キョロン、ツィーとさえずる。

ひとしきり風のさわぎし繁山にあかはら一つ声をこそ張れ　林　安一

あかひとで〔赤海星〕ヒトデの一品種。本州から九州の浅海の岩礁にすむ。鮮紅色または橙色で、腕は五本、殆ど円筒形で長さ10センチに及ぶ。フィリピン、インドネシアにも産する。↓ひとで

わが渚　戦火ののちもしぶとくて死滅せざりし肉色ひとで　斎藤　史

赤海星肥料としたる無人島の捕虜の日の農折々思う　相野谷森次

あきあかね〔秋茜〕茜蜻蛉（俗称赤とんぼ）の代表種。初夏から発生し、多くは腹部が黄色だが、晩夏から秋に真紅になる。幼虫（ヤゴ）は池沼や水田で育ち、成虫は夏を山地ですごし、九〜十一月までは平地で活動する。↓赤とんぼ　あきつ　猩々蜻蛉　とんぼ

秋あかね飛び交ふ頃と今はなり児は五たす五は十と答ふる　佐佐木由幾

あきあかね薄羽透きつつ峡空のまほらあかるく無数にめぐる　宮　英子

母恋ふる空のまほらにとめどなく湧く秋あかね何とすべけむ　岡野　弘彦

もしきみがいもうとならばあきあかねはねのきらめくやわらかなひに　加藤　治郎

あきご〔秋蚕〕繭を採るために蚕はふつう年三回ほど飼育するが、時期により、春蚕、夏蚕、秋蚕という。秋蚕は初秋蚕、晩秋蚕、晩晩秋蚕と分かれる。桑を食べず、体が透明になった熟蚕を、上蔟するまでの日数が短くて、手間もかからないという。↓蚕　蚕　夏蚕　繭

この村の秋蚕忙しみ田中なる湯あみどころに来る人もなし　島木　赤彦

母が飼ふ秋蚕の匂ひたちまよふ家の片すみに置きぬ机を　若山　牧水

くろぐろと白紙の上に掃立てし埃に似たる秋蚕はさびし　結城哀草果

不足する繭の値さがる不思議さを探り得ずして秋蚕はじまる　松井　保

あきさ〔秋沙〕 ガンカモ科の水鳥。アイサの古名。体は鴨に比べて細長く、嘴は細くて縁に鋸歯状の突起が並ぶ。遊泳、潜行が巧妙である。日本には海にすむウミアイサ、湖沼や川にすむカワアイサ、ミコアイサが冬鳥として渡って来る。潜水して魚を捕食する。↓鴨

ともしびのなき夜の空をひくくきて沼にし向ふ秋沙鳥のこゑは　木俣　修

あきたいぬ〔秋田犬〕 イヌの一品種。サモエード系の血を入れ、秋田県大館地方で改良された大形の日本犬。肩の高さ63～73センチ、毛は短く、耳が立ち、尾は巻く。勇猛で忍耐強く、猟犬、番犬、闘犬に適する。↓犬

ふるさとや　家屋は在れど財潰え　秋田大犬　ただに眠れり　穂積　生萩

あきつ〔蜻蛉・秋津〕 トンボの古名。茜蜻蛉、赤あきつ、紅色のあきつは、秋茜(赤とんぼ)のこと。↓蜻蛉　赤とんぼ　秋茜

水底の石さへ照らす日をうけて／川の面さらず／蜻蛉むれ飛ぶ　石榑　千亦

石の上に羽を平めてとまりたる茜蜻蛉も物もふらむか　斎藤　茂吉

赤あきつ手におさへしが柔かく翅のもまるる音もなつかし　松村　英一

べに色のあきつが山から降りて来て甲府盆地をうめつくしたり　山崎　方代

風のままコスモスの花の揺る上一つ遊ぶははぐれ蜻蛉か　葛原　繁

ゆるゆると目の高さ飛ぶ夕蜻蛉われにも愛すべき父がゐしこと　安森　敏隆

気多の秋蜻蛉は太き銀青の胴もてしんしんとつがひ流れぬ　米川千嘉子

あきのか〔秋の蚊〕 春から夏に発生する蚊は、暑い盛りはさかんに刺して活動するが、秋になると数も減り、弱々しくなる。しかし、人を刺すときは執念深い。↓蚊　春の蚊

秋の蚊の耳もとちかくつぶやくにまたとりいでて幮を吊らしむ　北原　白秋

いつとしもなき秋の夜になれりとぞ硯の上に落つる蚊ひとつ　山本　友一

硝子戸に動かぬ秋の蚊の弱く悲哀はとほき空より兆す　久方寿満子

あきのちょう〔秋の蝶〕 夏のあいだ、花の蜜や樹液を吸って、さかんに活動していた蝶は、秋には減り、萩の花などや秋晴れの野、川原で弱々しく飛ぶのが見られる。↓蝶

切実なる生のことにて紫蘇の花に細き針さす貝がら蝶は　鈴鹿　俊子

秋の蝶消えゆくまでを目に追ひてそのままでゐるわが疲れかな　槙　弥生子

そぎそぎて薄羽となりし秋蝶のなほはこぶべき瑠璃ありて飛ぶ　安永　蕗子

落葉かと見てゐし蝶の不意に翔ちわれをいざなふ木立の闇へ　三国　玲子

あきのつばめ〔秋の燕〕 ツバメは九月には生まれ故郷の日本を離れ、暖かい南の国へ渡っていく、子燕も立派な成鳥となり、帰る日をまじかに青空高く飛翔する。帰る燕、燕帰る、帰燕ともいう。↓燕

騒がしくなくなりし空を秋つばめ仰ぐに迅くのぼりつめしか　西村　尚

あきのはち〔秋の蜂〕 春から夏、花に群らがり活動した蜂は秋になると弱まり、巣のまわりをうろうろしているが、やがて死に絶える。大部分は雄蜂で、越冬するのは雌蜂だけである。↓蜂

とどまらぬ時間のうちに秋の蜂まぎれ入りきて畳をあるく　加藤知多雄

あげはちょう〔揚羽蝶〕 鱗翅目アゲハチョウ科。関東以西の暖地では年五回位、北海道などの寒冷地では年二回、春から夏に発生。春型は開張8センチ内外、夏型は開張12センチ内外の大形の蝶で、黄色の地に黒紋がある。よく見かける蝶の中では派手で美しい。幼虫はカラタチ、ミカン、サンショウの葉を食べ、蛹で越冬する。↓烏揚羽　黒揚羽　姫岐阜蝶

揚羽蝶花をくづして去りしよりふたたび庭の光の閑けさ　吉植　庄亮

揚羽の蝶来たりてとまりしばらくは大息つくも大きその羽根　尾山篤二郎

音立てて翅搏ち合へる揚羽二羽ひとつとなりて谷へ堕ちゆく　島田　修二

うたわずば今日はまぼろし夏が来て銀の揚羽が闇を断ち裂く　佐佐木幸綱

なにゆえに空をめざすのか破れかけた羽根ばたつかせとびゆく揚羽　田中　章義

あさぎまだら〔浅黄斑〕　鱗翅目マダラチョウ科。開張10センチ内外の大形の蝶。前翅は黒色、後翅は褐色、ともに青白色の半透明紋がある。年数回発生し、幼虫はカモメヅルなどガガイモ科の植物の葉を食べる。日本全土、中国大陸、台湾からヒマラヤまでの山林に分布。↓蝶

伊良湖岬をとびたちて南を目ざしたる懸命の「渡り」あさぎまだらよ　森村　浅香

あざらし〔海豹〕　食肉目アザラシ科の獣をさしていう。多くは北洋と南極周辺に群生し、魚、貝、甲殻類などを食べる。あまり回遊せず、ハレム（繁殖期にみられる一雄多雌の集団。普通、縄張りを伴って、雌の獲得のため雄同士は激しい戦いを交える）は作らない。日本付近には、銭形の斑紋のあるフイリアザラシ、灰色に小黒点のあるゴマフアザラシなど数種がすみ、体長約1.5メートル位。南極には体長約3メートルもあるカニクイアザラシや気の荒いヒョウアザラシなどがすむ。オットセイに似ているが、外耳がない。ひれ状の四肢をつかって泳ぎ、魚の網など破って魚を食べる。毛は太くてかたく、毛皮はスキーのシールなどに利用される。

胡麻斑ある躰くねらせ泳ぎきて海豹ははらふ口髭の露　小谷心太郎

荒々しき心を朝の海とせよ海豹の自由いま夢の中　佐佐木幸綱

光ほろぶ西天涯のしづけきをアザラシは首たてて聴きをり　坂井　修一

あさり〔浅蜊〕　マルスダレガイ科の二枚貝。全国の内海の水深10メートルぐらいまでの砂礫の底にすむ。殻の表面に細かい放射状のすじをもち、普通灰白色の地に灰青色の斑紋がある。産卵期は春から秋。春の大潮に遠浅の干潟で家族そろって遊ぶ潮干刈には浅蜊がもっとも多く獲れたが、現在海の埋立や汚染で潮干刈のできる所が少ない。殻

は煮ると褐色になり、肉は味噌汁の具、むき身、つくだ煮などで食べる。↓貝

此のごろは浅蜊浅蜊と呼ぶ声もすずしく朝の嗽ひせりけり　長塚　節

浅蜊すらおのれの生きし年輪を細かに刻むその殻の上に　岡部　文夫

三河より明けに着きたる荷の浅蜊潮ふきやまず谿の市場に　田村　三好

水道の水出し放ち浅蜊をばざくざく洗ふ朝の厨に　奥村　晃作

胴長靴はく足裏の感覚に浅蜊の棲める海底さぐる　川合　雅世

あじ〔鯵〕 アジ科の魚。ふつう真鯵をさす。日本全土に分布し、15センチぐらいになるまで沖合表層にすみ、産卵期の四月頃から沿岸に群れをなし近づく。全長10～30センチ、背面は青または黄緑を帯び、腹面は銀白色。側線に棘に似た鱗（ぜいご）がある。夏から秋が漁期。生食、塩焼、すし種として味がよい。シマアジ、カイワリ、くさやの干物にするムロアジ、観賞用に水族館などで飼われる美しいイトヒキアジなどがある。

鯵を前に商ふ氷見の媼らのしたたかに生きてこの越に老ゆ　岡部　文夫

明日終るいのちと思わぬ　真鶴浜の鯵のたたきが今日もうまい　佐々木妙二

水槽に混じれる鯵のひと群れが最も早く食はると見てゐつ　千代　国一

朝早く揚がるを待ちて得し鯵を食ひて油津を四人出で立つ　小市巳世司

水底に餌を撒かれる小鯵らは潮寄るたび身をひるがえす　石本　隆一

あしか〔海驢〕 食肉目アシカ科の海獣。おもに太平洋中部、日本では本州以南に分布し、イカ、タコ、魚などを食べる。岸に上がって眠るときは見張番を立て、危険を感じると奇声を発する。一雄多雌のハレムを作る。雄は体長2.2メートル、雌は1.6メートルほど。全身暗褐色で、四肢はひれ状。なれやすくサーカスの曲芸に使われる。

アシカの仔抱きて乗りし計量器アシカが啼けば針ゆれ動く　中西　輝磨

一生は待つものならずさあれ夕日の海驢が天を呼ぶ反り姿　佐佐木幸綱

あしながばち〔足長蜂〕 膜翅目スズメバチ科に属する一群の総称。飛行中に後肢を長く下にたらすのでこの名がある。巣の形は種類により異なるが、枯木などの繊維を唾液で練って紙質の巣を作り、一年で放棄し、再び使用しない。雄、雌、働き蜂が社会生活をする。→蜂

夕青き微光のなかにあがりゆく足長蜂の脚を垂らせり　北原　白秋

足長蜂一匹まよいこみ女患者らうたうごとくに立ちあがる　沖　ななも

あしなが蜂はながき脚ゆえ苦しみて水蓮鉢の水なめている　西村　哲也

あなご〔穴子〕 アナゴ科の魚。ふつう真穴子をさし、東北、北陸ではハモという。鰻に似て、海底の砂泥の中にもぐっている。鰻より色が淡く、白色の斑紋がある。全長90センチ。稚魚は鰻と同じレプトケファルスで、無色透明で柳の葉のような形をしている。初夏が産卵期。夜釣りで捕える。てんぷら、すし種に美味。

生きている子鯖の鰓をつらぬきて穴子は褐色の腹をうねらす　川合　雅世

君と食む三百円のあなごずしそのおいしさを恋とこそ知れ　俵　万智

あひる〔家鴨〕 ガンカモ科の鳥。真鴨を品種改良した家禽。公園の池などでも飼われており、真鴨より大形で、ほとんどは飛べない。白アヒルの品種が肉用、採卵用として多く飼われ、雄にはカールした飾り羽がある。その姿は田園の風物詩である。

したしみし家鴨のことも時に思ふドロ臭き卵も朝々食ひき　中野　菊夫

土手の上を一人の鞭に追はれつつひとかたにゆきし家鴨の群よ　佐佐木由幾

胴体は笑いの充まんかなしげに首ふり首ふりアヒルははしる　加藤　克巳

夜の更けし酒場の路地は家鴨二羽相寄りてゐる黄の嘴あはれ　河野　愛子

草がくり白くかがやくあひる二羽物語るごとはた聴

けるごと　玉城　徹

とろとろとみどりの池に泛く家鴨　尻振る水(み)の尾(お)とろりとみどり　穂積　生萩

あぶ〔虻(あぶ)〕

双翅目アブ科の昆虫。牛虻など多くの種類がある。雄は花蜜や樹液を吸うが、雌は吸血性で、人畜にまとって刺し、種々の伝染病や風土病を媒介する。幼虫は水中、水辺の土中にすみ、肉食性。夏川遊びで刺された痕(あと)は年が明けるまで直らない。花虻、扁虻(ひらた)、塩屋虻をいうこともある。↓花虻

秋風はやがても吹かむ羽根を鳴らし虻はしきりに人にい寄り来(く)　石博　千亦

ひる過ぎてくもれる空となりにけり馬おそふ虻は山こえて飛ぶ　斎藤　茂吉

朝の光ながらふる湯に虻一つ襲ひ来(きた)るを叩きおとしつ　扇畑　忠雄

今日はしも紫を噴くイヌノフグリに貧しき虻のしまし酔ひたる　森岡　貞香

にぎはしき山茶花のはなにゐる虻をゆるしがたしと思ふたまゆら　玉城　徹

ひそみゐし虻うごきそめ一息に狭き窓より逃れ出でたり　高嶋　健一

あぶらぜみ〔油蟬(あぶらぜみ)〕

半翅目セミ科の昆虫。翅端までの体長6センチ位。油に濡れたような翅の暗赤褐色が特徴で、七〜八月頃に多く、ジワジワ……と油をいるような声で鳴く。幼虫は六年間地中の木の根などの樹液を吸い、脱皮をくり返し、産卵から七年めに地上に出て、木や草にのぼり羽化する。七〜九月に活動する。蟬取りは夏の子供たちの最高の楽しみだった。↓蟬　落蟬

油蟬いま鳴きにけり大かぜのなごりの著(し)るき百日紅(さるすべり)の花　斎藤　茂吉

夏日てる屋上の床に油蟬ひとつおちしがあふむきに鳴けり　結城哀草果

熊蟬と油蟬なく今朝のそら油蟬ちかく熊蟬とほし　二宮　冬鳥

油蟬ビルのガラスにふと止まる力こもれる肢の繊毛　山形　裕子

あまえび〔甘海老(あまえび)〕

甲殻類タラバエビ科に属する北国赤海老(ほっこくあかえび)の俗称。富山湾以北の日本海、オホーツク海から北太平洋、北大西

洋西部に分布する。体長10センチ、やや細長く、淡紅色。底引網、網籠で捕える。生食が美味。↓海老

くれなゐの甘蝦（あまえび）を盛る燭のもと人待つこともなき春の夜ぞ　　三木　アヤ

甘蝦の殻を剝かんに是非もなく青き卵を啜りたりしか　　川島喜代詩

ふる里の甘えびの青き腹の卵（こ）をすする春の夜雪の降り初む　　小川八重子

あまがえる〔雨蛙（あまがへる）〕　アマガエル科。体長3～4センチで背は緑色、腹部は白色。周囲の色彩に応じて灰褐色、濃褐色の保護色に変化する。平地や低山地の木の葉や草の上にすみ、ハエ、クモなどを捕食。雄の咽喉に声嚢があり、雨が近づくとキャクキャクと盛んに鳴く。↓蛙

雨蛙しきりに鳴きて遠方（をちかた）の茂りほの白く咽（むせ）びたり見ゆ　　長塚　節

宵あさくひとり籠ればうらかなし雨蛙ひとつかいいかいと鳴くも　　斎藤　茂吉

窓の桟（と）に吾がみつつゐる雨蛙はかぎりなき卵産みをはりけり　　岡部　文夫

開きたる傘の内側にとまりゐし雨蛙を庭木の枝に移すも　　国見　純生

あまつばめ〔雨燕（あまつばめ）〕　アマツバメ科の鳥。夏鳥として渡り、全国の高山や海岸の断崖の割れ目に集団で巣を作る。全長19センチ、全身黒褐色だが腰は白い。全長の二倍以上もある翼を三日月形に広げ非常に速く飛び、空中で飛びながら昆虫をとり、交尾も行う。チリリリーと鳴く。↓燕

朝まだき目醒めて想ふあまつばめ天の高処（たかど）に一生（ひとよ）をすごす　　春日井　建

あめうし〔黄牛（あめうし）〕　飴（あめ）色の毛をした牛。平安時代に牛車（ぎっしゃ）を引いた暗黄色の毛をもつ牛で、原種はコビトコブウシではないかといわれる。肩にある大きな肉瘤（にくりゅう）が特色で、大きな角（つの）は上方に伸び、耳は垂れる。体質は強健、熱帯性の風土病に強く、粗食に耐える。現在の褐毛和種は明治から大正時代に、欧州から移入して品種改良したもの。労役用、肉用となる。↓牛

黄牛は体（からだ）の皮たえず動かして蠅おひゐたり近づきみれば　　佐藤佐太郎

秋草を負はされてくる黄牛と万葉の野のごとく逢ひにき　日高　尭子

アメリカざりがに〔アメリカ蝲蛄〕

甲殻類ザリガニ科に属するエビ。えびがにともいう。大正末期アメリカから食用蛙の餌として神奈川県大船に移入され、本州、四国、九州の水田、小川に広がった。体長10センチ。体色は黒地に赤色で美しい。強大なはさみをもち、農作物や淡水動物に害を与える。動物実験用に役立つ。→えびがに

不気味な夜の　みえない空の断絶音　アメリカザリガニいま橋の上いそぐ　加藤　克巳

入道雲湧けりザリガニのろのろと生き残りゐよ多摩川に　馬場あき子

ただ二人昼のやすみを逃れきてざりがに採りき幼かりにき　高嶋　健一

あめりかざりがに　笑い蛙がたちあがる　すっぽり深い六月の闇　鳥海　昭子

アメリカしろひとり〔アメリカ白火取〕

鱗翅目ヒトリガ科の蛾。羽は白地に黒点があり、体長3センチほど。北米原産。一九四六年ごろ日本に渡り、天敵が少ないため、本州各地に広がった。幼虫は多食性でプラタナス、サクラ、クワなどを好み、都会周辺の樹木の葉が多く害を受けた。蛹で越冬。効果的駆除は巣を焼くことという。

アメリカシロヒトリの殲滅を図りしが作戦の手に余りたる生残り　斎藤　史

あめんぼ

半翅目アメンボ科の昆虫。平地の池や沼、川のゆるやかな流れにすむ。体長1.5センチ内外、黒色の細いからだは水面を滑走するため中・後肢が長く、食物をとるため前肢が短い。水飴のようなにおいがするためこの名がある。川蜘蛛、あめんぼうともいう。みずすましと混同されるが別種である。

滑りつつしばしば跳ねるあめんぼはうつつのいのちよろこぶらしも　吉野　秀雄

水にすむあめんぼうなど生き生きとめぐり泳げば胸こそばゆし　中野　菊夫

梅雨のあめたたふる池はさざ波にのるあめんぼが岸

べへ向ふ　醍醐志万子
天と水のあはひに細き足触れてすんすんとあめんぼは過ぎてゆきけり　稲葉　京子
あめんぼの動き光れるこの夕べ水輪の中にふるさとかへる　木村　修康
水溜るところ必ずアメンボの浮きて異星へ飛ぶこともなし　西村　尚
みづからのつくる波紋のなかにゐてアメンボはみな波紋を出でず　武藤　雅治

短歌・俳句では、あめんぼを「水馬」と書いて「みずすまし」とよんでいる。↓水澄まし
蓮咲ける傍への水面(みのも)曇りつつ雨かとばかり水馬(みずすまし)舞ふ　田谷　鋭
水馬(みずすまし)ひとつ来て搏つ水の膜ふかく撓みておれど破れず　石本　隆一
幼き目には友だちとしてうつるらし風に吹かれてすべる水馬(みずすまし)　佐佐木幸綱

あゆ〔鮎(あゆ)〕　アユ科の淡水魚。河川の上・中流の瀬や淵にすみ、各縄張り内の付着藻類を食べる。秋に中・下流の川底に産卵、そののち親は死ぬ。孵化した稚魚は海に下り、プランクトンを食べて越冬する。翌春三～五月に川を上る。全長30センチ、細長く、小さい円鱗におおわれ、背面暗緑褐色、腹面白色、美形。香気があって味がよいので香魚、一年で生を終えるので年魚ともいう。川釣の代表魚で解禁は五月末から七月。琵琶湖や鹿児島県池田湖などにいる陸封型の小型（12センチ）のものを小鮎といい、放流に用いる。↓落鮎　若鮎
幼き日釣りにし鮎のうつり香をいまてのひらに思ひ出でつも　若山　牧水
青々し鮎にそら豆胡瓜もみうれしき卓に向ふ今朝かも　今井　邦子
母の齢はるかにすぎて母恋ふる鮎の甘露煮ほぐしつつゐて　生方たつゑ
青葉さやぐ宙のひかりにさばしりて消(け)かもゆきたる鮎のまぼろし　坪野　哲久
千曲川の河原に鮎をあぶりつつ炎のかげと夕かげとたつ　森岡　貞香
那珂川の香魚食ひたり河岸の柳がかざす天蓋の下

森岡　貞香

蕗の葉を敷きたる上に新月のごとく光れる鮎置かれたり　安立スハル

身を伸べて鮎となりたきわれの背を濡らすごとしも室内楽は　春日真木子

日の翳り川面やうやく風寒しかがめど見えぬ四万十の鮎　来嶋　靖生

台風の過ぎたるあした届きたる青鮎実朝の眉の晶（すず）しさ　青井　史

あらまき〔新巻（あらまき）・荒巻（あらまき）〕

鮭を薄塩で仕立て、わら縄で巻いたもの。今は臓腑を抜き塩をつめて作る。歳暮の贈答に用いられる→鮭　氷頭

尾鰭より鮭を吊していきものの象（かたち）なす影夜更けに目守る　千代　国一

何ぞ言いたきことなどあるか俎板に切られしままの荒巻の首　水野　昌雄

ありがたく歳暮の鮭をおろしいつ三面川（みおもてがわ）その風土も尊（とうと）　下村　光男

あり〔蟻（あり）〕

膜翅（まくし）目アリ科に属する昆虫をさしている。日本には黒山蟻、黒大蟻など約一五〇種いる。大部分は社会生活をし、一匹の女王と多くの働き蟻、種類により兵蟻もいる。繁殖期には羽のある雌雄が現われて空中で交尾し、雌は地上におりて羽を落として巣を作り女王となる。巣は多く地中に掘られ、縦横のトンネルとその間に作られる小室からなる。食物は種類によって異なるが、なんでも食べる。近年都会では見られなくなった。蟻塚は巣を作るとき地中より運び出して積み上げた土砂。蟻の塔ともいう。蟻の行列を蟻の門渡り（とわたり）という。→羽蟻

秋雨（あきさめ）の暗くふる午後床（ゆか）をはふ蟻を殺してなぐさまずをり　結城哀草果

朝顔の諸葉這ひ廻る蟻のゐて蔓の先までい行き戻り来　都筑　省吾

いろ黒き蟻あつまりて落蟬を晩夏の庭に努力して運ぶ　宮　柊二

西日いま及ぶ路面におびただしき黒蟻うごきその影うごく　長浜　一作

蟻の列渡る薄刃へ向くる目に冥々（めいめい）として卓上の界

富小路禎子

草かげに蚯蚓をおそふ赤蟻のかそけき惨を見てすぎにけり　川島喜代詩

幹のぼりゆく黒蟻のひとつらね単純にして力感もてり　石田比呂志

夏蝶の屍をひきてゆく蟻一匹どこまでゆけどわが影を出ず　寺山修司

蟻ん子がガリバーの如きわれを見をり新宿御苑の芝に臥すわれを　奥村晃作

くぐりゆく蟻の快楽を目守りおり牡丹の花弁照りあえるなか　玉井清弘

無花果の空にむかひて蟻ゆけりふいに見えこしイエスの頭　安森敏隆

おそろしき速度をもちて蟻ひとつ灼けたる馬頭観音くだる　小池　光

ほの白き卵を守りつつ女王蟻も身をよじるかな　あくびのために　早川志織

ありじごく〔蟻地獄〕

薄羽蜉蝣の幼虫。8ミリほどの体長は淡紅色、細かいトゲがあり、はさみ状の口器がある。砂地にすり鉢状の穴を掘り、落下する蟻などを捕えて体液を吸う。地上では後ろへ這うため、あとしざり、あとびさりともいう。また、すりばち虫ともいう。→薄羽蜉蝣

蟻地獄に踞みて思ふ「健康にして文化的なる生活」の国　滝沢　亘

ここに堕ちるものも生れゐむ春地に生まれて育つ蟻地獄見ゆ　青井　史

蟻地獄この家下に棲むことも知らんぷりして読む〝失楽園〟　大口百子

ありまき〔蚜虫〕

半翅目アブラムシ科の昆虫。植物に寄生する油虫をいう。体長5ミリほどの、軟弱な虫で、淡緑色をし、羽があっても飛べない。植物や野菜に群生して発育を害する。尾の端から甘い液を分泌して蟻を誘うため、蟻巻とも書く。

起き出でておりたつ庭の夏浅し樫の木にゐる蚜虫つぶす　川田　順

あわび〔鮑〕

ミミガイ科の巻貝。北海道南部から九州までの波の荒い外海に面し、水深20メートルまでの岩礁にすむ。ほぼ楕円形で、殻

の表面は褐色、内面は真珠光沢が強い。殻の背面に呼吸孔が並ぶ。産卵期は秋から冬。肉は生食、酢のもの、蒸しあわびなどにして絶品。殻は貝細工やボタンの材料になり、真珠養殖の母貝に使う。↓貝

歯のかけしへなへな口を逃げまはり鮑の貝のすべなくうまし　吉植　庄亮

あはびとる蜑(あま)のをとこの赤きへこ　目にしむ色か。浪がくれつつ　釈　迢空

鳥羽(とば)の海に得てし鮑を昨夜(よべ)くひて歯なき歯肉(はじし)のたゆき今朝かな　尾山篤二郎

裏返されうごめく鮑の軟体を朝市にしばしわれは見て立つ　礒　幾造

冷えしるきこの夜アハビは水槽に緑の卵を咲くごとく産む　中西　輝磨

舌の上の鮑のぬめりうねうねと口腔(くち)に満ち来る海の朝焼け　佐佐木幸綱

あんこう〔鮟鱇(あんかう)〕

アンコウ科の魚。日本各地の沿岸にすみ、海底に静止していることが多く、背鰭の変化した長いトゲで小魚を誘い寄せ、大口をあけて食べる。全長1メートルあまり、上下に扁平で頭が大きい。調理は、肉が柔らかいので口の骨に鉤(かぎ)をかけ「つるし切り」にする。冬がしゅんで鮟鱇鍋にして食べる。「鮟鱇の骨まで凍ててぶちきらる　加藤楸邨」は「つるし切り」を詠んだ俳句である。

鮟鱇は皮がよしとふ臓(もつ)といふいづれよろしきせせる冬の夜　中村　正爾

鮟鱇が鯛の値段に同じと言ふなべては移る時代にわれあり　吉田　正俊

生活のつきあひの酒飲みてきて路地(ろぢ)行けば軒に鮟鱇吊らる　宮　柊二

鮟鱇の鍋吹き上がりつつしかすがに亡きわが母にいふ言葉多し　森岡　貞香

枯芝に霰はしるを見るときに縄に鮟鱇提げてゆくあり　角宮　悦子

アンモナイト

化石軟体動物。古生代デボン紀から中生代白堊(はくあ)紀の海中に生存。現在のオウム貝に似た殻をもち、タコのような動物が殻の入口にすんで自分の体が大きくなるにつれて殻を次第に大きくし、体のうしろに仕切を作って前へ進んだ

と考えられる。日本では菊石、アンモン貝といい、各地から多く産し、なかでも北海道から出土したニッポニテスは、一般的な平巻と異なり、異常な巻き方をしているので有名。

増水の過ぎし川原に拾ひたるアンモナイトは白堊紀のもの　後藤　直二

春暁を呼びつつあらん窓のべにアンモナイトの渦巻きおぼろ　長沢　一作

アンモン貝かつて狂へることなきや裡ふかき渦きり巻きて　増谷　竜三

瑕瑯者としての不可解なる日日をアンモナイトのやうに生きます　荻原　裕幸

いいだこ〔飯蛸〕

マダコ科。本州、四国、九州のおもに内湾の浅い砂地にすむ。腕を含めない体長5センチほどの小形のタコで、体表が鮫肌状、体側に金色の環紋状がある。春先の産卵期に、体の中に米粒のような卵を含むのでこの名がある。タコ壺でとる。美味。↓蛸

飯蛸の飯のほぐるるかなしみを嚙みしめぬ死はいくばくかある　原田　禹雄

いえだに〔家蝨〕

サシダニ科。雌は体長1ミリ、雄は0.5ミリ。体は淡黄色、楕円形で腹面に脚が四対ある。雌雄とも吸血性。主として家鼠の巣に繁殖する。人の陰部、鼠径部、わきの下などを刺咬して吸血、かゆい皮疹をおこす。

家蜱に苦しめられしこと思へば家蜱とわれは戦ひをしぬ　斎藤　茂吉

夜にいでて吾をし襲ふもろもろに家蝨があり小さき家蝨　岡部　文夫

いえばえ〔家蠅〕

双翅目イエバエ科の昆虫。家の周辺でよく見られる体長1センチのハエで、幼虫（うじ）はごみため、たい肥などに発生、浅い土中で蛹化する。成虫も汚物を好み、伝染病の媒介をする。↓蠅

家蠅にねむりはなきか夜を一夜明き電燈のしたにむらがる　岡部　文夫

いお〔魚〕

魚の古名。↓いろくず　うろくず　魚類　さかな　な

食べらるる魚をかなしむ春童子五月の海のあをさを見せむ　今野　寿美

いか〔烏賊〕

軟体動物頭足類の総称。日本近海には九〇種ほど生息し、スルメイカ、コウイカ、ヤリイカなどが釣、定置網、底引網、巻網などで漁獲される。普通八本の腕と二本の伸縮自在の触腕があり、吸盤がある。海中で漏斗から水を噴射させて移動し、敵に襲われると墨を吐く。スルメイカは赤褐色で背中に濃色の線帯がある。死ぬと褐色になり、さらに白色になる。三陸沖から北海道の太平洋側、日本海が漁場。するめ、生食、塩辛、冷凍にする。コウイカはマイカ、スミイカとも呼び、背に舟形の貝殻（甲）がある。本州中部以南の海底で半ば砂に埋まり静止している。肉が厚く、生食、するめにする。モンゴウイカは雷烏賊のことで、現在、生食、するめにしているのはアフリカ西岸のものが多い。背に眼状紋が多数あるので紋甲烏賊と書く。黒づくりは富山地方で墨をまぜて黒色に作る塩辛。いかはわが国の食生活に欠かせないもの。↓やりいか

ならべほせる烏賊の生干しするどき香ただよふ中の裸の子等よ　石榑　千亦

ほとほとに冬に倦みにけり能登烏賊の黒づくりにまじる唐辛子のいろ　岡部　文夫

にんげんを笑うかのごと伸ぶる尾のつけ根に烏賊が二つ目をもつ　香川　進

いなびかり生簀に溢れ一斉に烏賊曼陀羅となりてまぶしも　春日真木子

水桶にすべり落ちたる寒の烏賊いのちなきものはただに下降る　稲葉　京子

寒烏賊の腹をさぐりてぬめぬめと光れる闇をつかみ出だしぬ　河野　裕子

新春のささめきの裏凍りたる烏賊つかみ出す男の手見ゆ　今野　寿美

魂のほの明りせる烏賊奔りわれの濁りを啓きてゆきぬ　松平　盟子

きさらぎの火もて炙れば一枚の烏賊は艶書のごと燃ゆるなれ　江畑　実

いかる〔鵤・斑鳩〕

アトリ科の鳥。北海道と本州の丘陵地から山地の広葉樹林に生息し、北方のものは冬に四国・九州に移動する。雀よりやや大きく、全体が灰色。頭は浅く帽子をかぶったように黒い。大きくて黄色いくちばしが

目立つ。翼・尾は黒く一部に青い光沢があり、初列風切に大きな白斑がある。昆虫や木の実などを食べ、とくに実は果肉をむき、殻や種子を太いくちばしで割り、核を食べる。キキコキーと口笛のような声でさえずる。いかるがともいい、また鳴き声が「つき・ひ・ほし」と聞こえるというので三光鳥ともいう。

移り来て夕さびしみ膝行いづるはしゐにきけば斑鳩のこゑ　岡　麓

昨の朝鳴きし斑鳩も来ずになり春は暮れゆく人みなひとり　北沢　郁子

若夏の光みなぎる空ふかし斑鳩は何をつげて高鳴く　岡野　弘彦

きみよあしたの雲雀料理を思はずやいかるがのなくこの七月を　山中智恵子

斑鳩きてぽぽうと鳴けば幾時代過ぎたるならむ頬づゑをとく　川野　里子

イグアナ

タテガミトカゲ科。原始的なトカゲで、体長1.5〜2メートル、尾はその五分の三を占める。体色は黄緑、背中にたてがみ状の飾りが線上に並ぶ。中南米の森林の樹上にすみ、温和な性質。草、木の芽、果実を食べる。同じ科には、海にすむウミトカゲ、砂漠にすむツノトカゲなどがいる。

イグアナは海イグアナか檻に棲みなびく背の棘角質ならず　小谷心太郎

いさざ〔魦〕

シロウオの別名。シロウオをシラウオということがある。↓シラウオ

まだ寒き四月の中旬に白魚あり四つ手の上にすがし美し　岡部　文夫

いしがめ〔石亀〕

カメ科。日本固有種で本州、四国、九州の川や池沼にすみ、魚貝類を捕食する。甲長18センチ、背面は黒褐色で腹面は黒色。箱状の甲をしている。驚くと頭頸部、四肢、尾部を甲内に引き入れる。泥の中で冬眠。夜店で売られているゼニガメの多くはイシガメの子である。↓亀　銭亀

石亀の生める卵をくちなはが待ちわびながら呑むとこそ聞け　斎藤　茂吉

いしだい〔石鯛〕

イシダイ科の魚。沿岸に分布。全長40センチ余り、頭は小形、

青灰色。上下の歯は顎骨と合着し、強固なくちばし状になり、ウニなど堅い動物を好んで食べる。稚魚は流れ藻について海面近くに生活、幼魚には七条の黒い横縞があり、老成魚は横縞が消える。近年養殖が盛んだが、夏の磯釣魚である。夏が美味で洗い、刺身として生食、塩焼にもよい。シマダイ、チシャ、ヒサなどの地方名がある。→しまだい

水槽に飼はれて黒きいしだひのくるりくるりと眼にわれを呼ぶ　大岡 博

いしたたき〔石敲〕 セキレイ科の鳥をさしていう。水辺で石をたたくように尾を常に上下に振るのでこの別名がある。→鶺鴒

ひたひたと水うちすりてとぶ鳥の鶺鴒多しこの谷川に　若山 牧水

石たたきひらひらと来て雨のふる白き砂子の上にくだりぬ　松村 英一

石のうへに石いろになりて凍りゐる雪あり叩きゐる小禽あり　生方たつゑ

たまかぎる夕映生るる石ひとつわが鶺鴒石たたきゐて　山中智恵子

いせえび〔伊勢蝦・伊勢海老〕 甲殻類イセエビ科。太平洋岸の房総以南の岩礁にすむ。甲はかたく、濃赤褐色で、頭・胸部に多数のとげと毛があり、第二触角が長い。大形のもので36センチ位。夏の産卵期には捕獲が禁止されている。荒目の刺網を岩礁の間に一晩沈めて、夜間採食のため出て来たのを早朝に引上げて捕獲する。正月の鏡餅や飾り、祝事に用い、刺身、酢のもの、しんじょなどにして食す。味がすぐれるが、近年減少している。→海老

ふるさとの海もまぼろしとなる今を夢に届きし伊勢海老うごく　生方たつゑ

伊勢蝦のスープに心充たせしが雪やみてしばし月の虹みゆ　尾崎左永子

水槽に沈む伊勢海老そのひげに値札をつけて生かされてゐる　長野 煒子

いそぎんちゃく〔磯巾着〕 腔腸動物花虫綱。浅海の岩礁に多く、岩に付いたり、砂中に埋まっている。体は直径0.5～70

センチまでの円筒形で緑または紅色。口の周辺にある多数の触手は水中で菊の花のように開いており、刺戟を与えられると縮んで、全体が巾着の形となる。

水槽の底くれなゐにひかりゐてイソギンチャクの繊き毛ゆらぐ　鵜飼　康東

いそしぎ〔磯鴫〕

シギ科の鳥。本州中部以北で繁殖し、秋から冬に暖地に移動する。全長20センチの小形のシギで、飛ぶと翼に太い白色の線が出る。川や湖沼に生息し、岸辺を歩き回り、昆虫などを捕食する。秋・冬には水田や干潟、磯浜にも採餌に現れる。歩きながら尾をよく振り、チーリーリと細く澄んだ声で鳴く。↓鴫

うつ伏して机に眠るわが頭つつきしはいそしぎ荒磯の香り　北沢　郁子

ひたすらに小魚を追ふイソシギもよろめけり川床の石のぬめりに　真鍋　正男

いたち〔鼬〕

食肉目イタチ科。人里や低山の水辺の穴にすみ、鼠、蛙、蛇、昆虫などを食べる。雄は体長34センチ、雌は小さく20センチほど。胴が長く、四肢は短い。太く長い尾がある。夏毛は暗褐色だが、冬毛は黄褐色で光沢があり、ミンクの代用になる。鶏小屋を襲うため憎まれるが野鼠の駆除には役立つ。敵に追いつめられると肛門腺から悪臭を放ち逃げる（いたちの最期っ屁）。

秋草のしげみに逃げし野の鼬小さき面だしてわれを見てゐぬ　窪田　空穂

水落ちし青田にまたも出でて居る鼬は遊ぶのか何を捕るのか　鹿児島寿蔵

襟巻となれる鼬の由問へば翁が猟の話尽きせず　山下　源蔵

意地悪き顔見せてすぐに隠れける冬の鼬の太くながき尾　前川佐美雄

紫の紫雲英花野を跳ね来たる細き鼬は立ち止まりたり　草間　正夫

いとど〔蜱〕

昆虫カマドウマの異称。台所などのかまど近くによくいるのでこの名がある。翅がなく、後肢が長く、よくとびはねる。暗褐色の背はエビ状に曲り、触角は長い。夜間活動し、鳴かない。↓竈馬

ふり灑ぐあまつひかりに目の見えぬ黒き蜱を追ひ

つめにけり　　斎藤　茂吉

床にくる蜱はいまだうら若し小床の皺をのべてかなしも　　中村　憲吉

いととんぼ〔糸蜻蛉〕　イトトンボ科などに属するトンボ。初夏のころ池や沼、ゆるい流れの付近に見られる。からだが小形で糸のように細長いトンボ。前後の透き翅はほぼ同形で、弱々しく飛ぶ。燈心蜻蛉ともいう。→蜻蛉　燈心蜻蛉

わが胸にむきて飛びくる糸蜻蛉の翳の如きを手もて払ひぬ　　初井しづ枝

糸とんぼわが骨くぐりひとときのいのちかげりぬ夏の心に　　山中智恵子

糸とんぼ紛れきたりて水浅き朝のひかりとなりゆきにけり　　雨宮　雅子

いなご〔蝗・稲子〕　直翅目バッタ科の昆虫。体長3.5センチ内外で黄緑色。稲の葉を食べる。成虫は秋に発生し、卵で越冬する。後肢が発達してよく飛ぶ。なお大群をなして移動するのを飛蝗というが、イナゴではなくてトノサマバッタである。つくだ煮にして食べる。→ばった

草原は夕陽深し帽ぬげば髪にも青きいなご飛びきたる　　若山　牧水

死際に力のかぎり伸したる蝗の脚のとげとげしもよ　　植松　寿樹

稲負ひて茅いろづく道ゆけば蝗らすでにとばずなりたり　　結城哀草果

串にさして蝗子らはいまだ死にきらずそのけりあしを頻りけりあひ　　前川佐美雄

壜の中に糞を垂れたる蝗らが安らなるさまにかたまりてあり　　岡部　文夫

もろ抱きの稲の葉茎に居るからに愚直の心みゆるぞいなご　　馬場あき子

わが母が一日刈田に摘みて来し蝗を食めば草薫りすも　　小池　光

いぬ〔犬〕　食肉目イヌ科。嗅覚が鋭いので猟犬として役立ち、家畜の中ではもっとも歴史が古い。体の構造は長距離を走るのに適し、耐久力が強い。群居性、雑食性。かしこくて従順な性質である。妊娠期間63日、寿命の最長は34年という記録がある。品種は非常に多く、大きさ、形、毛の長さ、色な

どさまざま。最小のチワワは体重1キロ以下で肩の高さ13センチ、最大のセントバーナードは体重80〜90キロ、肩の高さ70センチに達し、チワワの100倍以上の重さになるものもある。

鳥猟犬としてセッター、ポインターなど、獣猟犬としてボルゾイ、グレーハウンド、ビーグルなど、使役犬としてシェパード、コリー、ボクサーなど、ペットとしてチワワ、プードル、チンなどがある。現在は用途目的よりも、愛がん用やドッグショーのために、大型犬も家庭で飼われ、ペットとして小型犬が室内で飼われている。日本犬には秋田犬、アイヌ犬、柴犬、紀州犬などや、外国犬とかけ合わせた土佐犬、中国から移入した犬を改良したチン、ごく最近スピッツを改良したニホンスピッツなどがある。↓秋田犬　シェパード　ブルドッグ

わが家の犬はいづこにゆきぬらむ今宵も思ひいでて眠れる　島木　赤彦

長鳴くはかの犬族のなが鳴くは遠街にして火かもおこれる　斎藤　茂吉

老いほくる穏しき犬のありやうを目守りつぎ来し今死ぬる見ぬ　北原　白秋

抱いて来るお犬は何十万円とぞ抱くお手当は知ることもなく　土屋　文明

さびしくてわがかい撫づるけだものの犬のあたまはほのあたたかし　岡本かの子

しやがまりて小犬の蝨をとる妻のあはれになりて吾れは見てをり　吉田　正俊

体臭の濃き犬が土に眠りゐて緋のダリヤの緋をふかくしてゐる　真鍋美恵子

わが街の小公園に犬と人集ひきたれり沈黙のまま　中野　菊夫

ふぐり下げ歩道を赤き犬はゆく帽深きニイチェはその後を行く　宮　柊二

無防禦の姿さらしてひたひたと日のおりふしに水を飲む犬　高安　国世

じたばた　廊下を犬がやって来て　ドアを鼻で押しあける／おや、こんにちわ　前田　透

犬の仔を犬の乳房に押しつけて少年はたのし手を一つ拍つ　相良　宏

一点の意志のごと浜の闇を馳せ少年の犬白くかがや

く　富小路禎子

人間の眠りの外のやみにゐて犬は天狼の冴ゆるを啼けり　馬場あき子

窓に来て優しく吾を呼ぶ犬のもの喰ひしのちいづくにか去る　高嶋　健一

咲きさかる桜のもとにたちどまり白き小犬は糞まりにけり　安田　純生

あいまいに語ることなくでたらめに話すことなし犬しやべらざる　香川　ヒサ

いぬわし〔犬鷲〕　ワシタカ科の鳥。本州の山岳地帯にすむ留鳥。全長雄81センチ、雌89センチ、低山にすむ最大の猛禽である。体は黒褐色で後頭部が金色に光る。。岩や大木の上に樹の枝を集めて巣を作り、野兎や山鳥を捕食するが、石川県の白山では青大将などの蛇も捕る。山の開発が進み、生息域が狭められ、また警戒心が強いので見る機会が少ないが、高空を描いて悠然と飛翔する。ピーゥ、ポイヨーと鳴く。天然記念物。↓鷲

嵐くる前ひと夜さを澄む月に思ふ山肌を飛べる犬鷲　河野　愛子

いのしし〔猪〕　偶蹄目イノシシ科。豚の原種である。山地に群生する雑食性の夜行獣で木の根、芋、ミミズなどを食べる。体長1.3メートル、全身黒褐色。晩秋になると山から人里へ下りて田畑を荒らすので、猪垣を作って防ぐ。猪突猛進といわれるように性格は荒く、怒ると背筋の長い毛を立てる。。子はウリボウ（瓜坊）といい、淡褐色に白色の縦線があり、成長すると消える。雄の牙は印材やパイプになり、肉は山鯨、ぼたんと呼び、猪鍋にして食べる。猪、猪、野猪ともいう。

悪竜となりて苦み猪となりて啼かずば人の生き難きかな　与謝野晶子

池戸の山を縄張る老い猪のねぐらは厚く萱寄せて敷く　中嶋　庸喜

白き猪は神にあるべし黒滝の山下りきてわれは吹雪きつ　前　登志夫

有蹄類偶蹄目とぞ記されし囲ひに余る猪の勢ひは　蒔田さくら子

ゐのししの飢ゑましぐらに夏草を押し分けてあり芋畑まで　斎藤　幸子

いもむし〔芋虫〕　蝶・蛾の幼虫。とくに雀蛾の幼虫は芋虫の代表。見たところ毛のないのが特徴である。↓夜盗虫

美しき斑紋もてる芋虫が葉の上這ひゐし明けがたの夢　国見　純生

いもり〔蠑螈・井守〕　イモリ科。本州、四国、九州の平地や山地の川、池にすみ、ミミズ、昆虫、貝などを食べる。体長8～11センチ、雄は一般に小さい。背は黒紫色、腹は赤色に黒斑紋があり、赤腹ともいう。陸上の石の間、枯葉の下、または水底で冬眠。繁殖期に雄は藍色の婚姻色を表し、雌の前で求愛する。雌は放出された精子塊を取り入れて体内受精。四～六月頃水草に産卵する。

藻のなかに潜みゐるもりの赤き腹はつかに見えてうつつともなし　斎藤　茂吉

広沢の池の底ゆく蠑螈麻呂そよろそよろと大路ゆくがに　尾山篤二郎

人の音におどろく蠑螈ちよろちよろと濁らす泥は水に流るる　藤沢　古実

ふらふらとゐもり水面に上がり来て四肢ひろげたるこの孤独感　白石　昂

手の甲に載せたるゐもりみじろがず人より優しき横顔を見せ　安田　純生

イルカ〔海豚〕　クジラ目歯鯨類の小形のものをさしていう。一般に体長5メートル以上をクジラ、それ以下をイルカと区別することがある。ふつう海に群生して魚を食べる。知能が高く、イルカ同士で音波により意志伝達を行う。人によくなれ曲芸に使われるバンドウイルカは体長2.8メートルほどで、くちばしがとがり、上下の顎に多数の歯がある。↓鯨

霧のためおもく濁れる海をやぶり背をひからせて海豚むれ飛ぶ　石榑　千亦

我が船をきほひ追ひ来るいるかの群ほどへて見ればなほし追ひ来る　川田　順

没つ日の余光流らふ海路に海豚は白き腹をかへしぬ　木俣　修

まがなしき潮にしてや海豚らはその自が児ろを乳に哺なふ　岡部　文夫

さむざむと世紀末に居れば見ゆ海豚寂かに火をくぐ

るところ

イルカ飛ぶジャック・ナイフの瞬間もあっけなし吾　岡井　隆

は吾に永遠(とわ)に遠きや　佐佐木幸綱

いろくず〔鱗(いろくづ)〕

魚、さかなの古名。うろくずともいう。→魚(いを)　魚(うお)　うろくず　魚類　さかな　な

池水にうかびて泳ぐいろくづのちひさきものはむれなしてをり　岡　麓

すがすがし谿(たに)のながれに生れたる魚(いろくづ)をとりて食ふあはれさよ　斎藤　茂吉

あやまちて簗(やな)にのりたるいろくづの白きひかりを人拾ふなり　斎藤　史

氷見の海の磯に寄り来てまた群れ去る小さきいろくづさざ波立てず　宮　英子

冴え冴えと灯の下におくいろくづの秋たちかへるこのおもたさよ　河野　愛子

玄海の春の潮(うしほ)のはぐくみしいろくづを売る声はさすらふ　岡井　隆

海底(うなぞこ)に棲むをひきあげいろくづの醜怪なるを味はひ尽くす　恩田　英明

いわし―

いぼおこぜ・えい・みのかさご・めがねもち吾を笑はする鱗(いろくづ)どもや　池田はるみ

いろどり〔色鳥(いろどり)〕

秋に渡ってくるいろいろの小鳥。とくにアトリ、マヒワ、ジョウビタキなど、とりどりに美しいのを総称していう。→鳥

菩提樹の落つる葉早し尾を曳きてめづらにつどふ色鳥の影　北原　白秋

いわし〔鰯(いわし)〕

ニシン科の真鰯(まいわし)をさしていうが、潤目鰯(うるめ)、片口鰯(かたくち)などにもいう。沿岸性の表層回遊魚。全長20センチ余り、背面は暗青色、側面は銀色で一列に並ぶ七個内外の小黒斑がある。大きさにより中羽(ちゅうば)、大羽などと呼ぶ。鰯(むらさき)は宮中で官女が用いた言葉。食生活に最も親しい魚で、塩焼、干物にする。→潤目鰯　片口鰯　ひしこ

小鰯を簀(す)の子に干してひろき庭町は雑音のなき真昼なり　松村　英一

曳きに曳く網は鰯の群跳(むらはね)のしぶき見せつつ真近くなりぬ　鈴木　康文

幼子と妻とむつみつつ鰯焼く火に照られゐて夕寒き

かな　木俣　修

鰯やきて夕餉に向ふわが母にやさしく言へばわが泪ぐむ　扇畑　忠雄

鰯（むらさき）を食ひたる口を拭ひつつ書きたらむ「いづれのおほむときにか」　山埜井喜美枝

戦火映すテレビの前に口あけてにつぽん人はみな鰯　高野　公彦

いわつばめ〔岩燕（いはつばめ）〕

ツバメ科の鳥。夏鳥で、山や崖、海岸の岸壁に巣を作り、最近は都会のビルなどに巣を作ることもある。全長11センチ、ふつうの燕よりやや小形。尾が短く、腰の部分と脚が白色、飛ぶと腰の白がくっきり目立つ。多数群生し、飛びながら昆虫を食べる。↓燕

静なる港の山の朝の気をゆりとよもして岩燕飛ぶ　石榑　千亦

焼岳のけむりのうちに現れて岩燕飛ぶ青雲の上に　窪田　空穂

空にむかつて、一せいに大きく口をあいてゐる岩燕の朱い咽喉をみた　前田　夕暮

湯の室（むろ）ののきを出で入る岩燕ひなはかへりて時経ちぬらし　木俣　修

一瞬に見えずなりたる岩つばめ大山の秀（ほ）を霧は覆ひて　田谷　鋭

尾根を越え遠く翔び去る岩つばめ還らぬものをわれは眼に追ふ　来嶋　靖生

その空に散らし書きして消えにけり燕尾足らざるいはつばめかな　今野　寿美

いわな〔岩魚（いはな）〕

サケ科の魚。本州と四国に分布し、淡水魚の中で最も高地の渓流に住む。全長40センチ、背側面に淡黄褐色の円状斑紋が多くある。陸封魚。あめますともいう。渓流釣で幻の魚ともいわれる。塩焼が美味。近縁の北海道にすむエゾイワナ、オショロコマには降海型がある。↓オショロコマ　陸封魚

山みづにかくろひて住む岩魚をもここの泉に養ひにけり　斎藤　茂吉

ゐろりべにわれら坐りて夜（よる）深し黒部川の大きなる岩魚を炙（あぶ）る　川田　順

山水にそだつ岩魚の味はひは干魚にしてのこるあはれさ　今井　邦子

岩魚炙る炉火こほしかる山の夜に一人ふたりがしはぶきてゐつ　木俣　修

水槽の流れに向かひ群るる背の鬱たる岩魚水を暗くす　千代　国一

今日釣りし岩魚一尾を笹に刺しもどり来たれば女来ている　梅津　耿

いち日を霧立てる山徘徊し身のしまりたる岩魚をほぐす　篠　弘

インコ〔鸚哥〕　オウム科の鳥の一群の総称。一般に尾の長いものをインコ、短いものをオウムと呼んでいる。温熱帯性。色彩が美しく、人語をまねるものもあり、よく飼われる。曲がった太いくちばしで果物や木の実を食べ、花の蜜を好むものもある。飼鳥としてセキセイインコが最も普及しており、豪州原産で英国で改良され、体長は9.5センチと小さいが尾は長く10センチ。色彩、斑紋が変化に富み、動作が活潑で愛らしい。↓オウム

銀色に光れる缶を並べ売る白きインコを肩にとまらせて　大野　誠夫

冠毛のかすかに揺れて頰赤きオカメインコは名さへ親しき　奥平　初子

黄の抜羽啞へてあそぶインコ二羽このゆふまぐれ春となりゆく　河野　愛子

巣ごもれる幾組のインコ夜の貨車の音にめざめて一しきり鳴く　大西　民子

ミサイルが砂漠を飛ぶ夜わが家の籠に身じろぐこざくらいんこ　高野　公彦

クリすけと呼びて八年親しみしインコ死にゆけり鼻ペチャとなりて　大島　史洋

産卵に苦しむ鸚哥を不運にも暇なるわれがときどき覗く　冬道　麻子

う〔鵜〕　ウ科の鳥の総称。日本では海鵜、河鵜など四種がいる。河鵜は各地の内湾、河口、湖沼、河川などで生活する留鳥。本州と九州に数ヵ所の集団繁殖地があり、東京・上野不忍池は世界的に珍しい大都市の鵜のコロニーで有名。全長82センチ、全身黒褐色。水に体をふかく沈め、首をやや斜め上に向けた姿勢で浮かび、たくみに潜水して魚を捕える。糞で白くなった枯木上に集団で巣を作る。雛は親鳥の喉の中に頭をつっこみ、なかば消化された魚を食べる。

グワッグワッと鳴く。不忍池の鵜は東京湾河口や遥か多摩川まで移動するという。↓海鵜

さびしやと思ふわが目に残りゐぬ船を見送る佐渡の鵜の鳥　吉井　勇

かぎりなく夜の目冴えゆく鵜のとりか間なくときなくかき潜りつつ　木俣　修

旱天の冬の屋上に飼はれゐるものにおどろく鵜の眼は緑　佐藤佐太郎

冬空を雲は行きつつ黒き鵜の梢に群れてしづかなる時　田谷　鋭

うお〔魚(うを)〕

魚類の総称。↓いお　いろくず　うろくず　魚類　さかな　な

海底(うなぞこ)に眼(め)のなき魚の棲(す)むといふ眼の無き魚の恋しかりけり　若山　牧水

秋の空に雲おほくなりて池の魚影にしばしばおどろきて散る　中村　憲吉

葉脈の如くに骨の透く魚を簀の子の上に並べほしたり　真鍋美恵子

婚姻色の魚らきほひてさかのぼる　物語のたのしきはそのあたりまで　斎藤　史

まばたかぬ魚のまなこにかなしみはこもりて今日も同じ目のいろ　中野　菊夫

蒼みつつ街の硝子の昏るるにぞ魚の愁をもちて歩かな　安永　蕗子

藻の花のゆらぐとみればいつの日も創(きず)もつ魚の遅れて泳ぐ　大西　民子

魚はいま他界を見たり水面割れて跳ねたる魚の恍惚の面　松川　洋子

夢に散りこむ桜のやうに液晶の水に飼はれて魚流れたり　馬場あき子

定年の春秋過ぎて妻と来しウトロの町は魚の臭いす　今西　久穂

ちちははのいのち見届けしまなこもて駿河の魚のうろこを剝(は)がす　雨宮　雅子

あぎとへる魚のこころに曇天の春の街底を歩みゆくなり　森山　晴美

海中を走りテグスの尖(さき)にゐるまだ見ぬ魚の引きに耐えゐつ　志垣　澄幸

逆光に跳ねてやまざる魚が見ゆ渚まで来て苦しむ魚か　佐佐木幸綱

神、われを消しゆく前のはつかなるひかりの中にわれは魚を食む　　高野　公彦

新装なりし藤崎鳥獣店アマゾンの魚を五百円で売る　　大島　史洋

うぐい〔石斑魚・鯎〕

コイ科の魚。北海道から九州までの山間部の湖や渓流から内湾まで広くすみ、純淡水性と降海型がある。体は全長45センチに達する長い紡錘形で、背は暗褐色、腹は白色。春の生殖期には、腹部に三すじの鮮紅色の縦線と頭・背に追星（白点）の婚姻色が現れるので、このころのうぐいを桜うぐい、花うぐいとも呼ぶ。雑食性。産卵期は三～七月。長野、群馬、岐阜県や山間部では貴重な肴。アカハラ、クキなどの地方名がある。また東京ではハヤ、中国・四国・九州ではイダと呼ぶ。マルタ、エゾウグイは近縁種。うろくずは、魚の古名。↓はや

瀬瀬走るやまめうぐひのうろくづの美しき春の山ざくら花　　若山　牧水

二〇五〇年われらあらざらむ夕映えのごとく朱の色を佩きたる石斑魚　　志垣　澄幸

唐野山よりせせらぐ水に育ちたる石斑魚は橅の淀へ奔れり　　大滝　貞一

花うぐひ幾つか釣れし和ましさ鉄橋渡る電車見送る　　田中　粒一

うぐいす〔鶯〕

ヒタキ科の鳥。全国に広く分布、漂鳥として、夏は山地の低木林ややぶで営巣繁殖し、冬は温暖な平地に移る。全長16センチ、雌は13センチで雄の方が一回り大きい。背は暗緑色で腹は灰白色、色彩では雌雄の区別がつかない。ススキなどの葉で壺状の巣を作り、濃赤褐色の卵を産む。ホトトギスの仮親になることもある。餌は昆虫、ときに漿果も食べる。長めの尾羽をパラッパラッと動かし体の向きを変える習慣がある。冬にチャッチャッと単音で鳴くのをささ鳴き、ホーホケキョ、ケキョケキョと鳴くのを谷渡りと呼び、初音といえば鶯の初音のことで、昔より鳴き声が珍重された。春告鳥の名もあるように、梅の芳香と樹上で鳴く鶯の声は春の訪れを感じさせる。夏の鶯は老鶯（ろうおう）と呼び八月末まで鳴く。人日は陰暦正月七日。

をさなげに声あどけなき鶯をうらなつかしみおり立

ちて聞く　伊藤左千夫

またしても啼きそこねたる鶯を笑はむとして涙こぼれき　太田　水穂

朝山にうぐひす啼けり夏ふかくそのかすかなる節(ふし)をつくして　中河　幹子

公園より連なる緑うぐひすの渡りの季(とき)の色となりたり　顕田島一二郎

鶯は雨を弾きてさえざえし耳に聴き溜めて山を下りぬ　岡山たづ子

啼くことに贄をつくして国東(くにさき)は富貴のうぐひす宇佐ほとときす　安永　蕗子

こゑ細るすなはち肉のほそるべき母見えねども夏うぐひすよ　塚本　邦雄

百鳥(ももどり)の音(ね)にめざめつつうぐひすのまぢかきこゑはしきりに歌ふ　上田三四二

夕まぐれここの狭間(はざま)に葉を閉づる合歓のめぐりに鶯しき鳴く　国見　純生

息ながく夏鶯は啼きゐたり朝の樹海のかぜの裂けめに　玉井　慶子

人日の山みち行けばまだ鳴かぬ鶯土にあさるその音　石川不二子

待つとしもなき鶯の初音にて冴えわたる梢を妻と仰ぎぬ　大滝　貞一

うさぎ〔兎(うさぎ)〕

ウサギ目ウサギ科の総称。飼い兎は欧州のアナウサギを家畜化したもので、毛用のアンゴラ種、毛皮用のチンチラ種、肉用のベルジアン種などがあり、日本白色種は毛皮・肉用となる。また愛がん用にイングリッシュ種、ヒマラヤン種などが飼われている。尾が短く、後肢が長くて跳躍がたくみで、耳の長いものが多い。上顎に門歯が二対ある。草食性で、一回目の糞を食べ反芻(はんすう)の代用にする習性がある。↓野兎

白き耳直(す)ぐ立ちまなこ閉づるとき夕光(ゆふかげ)にして兎は秀づ　葛原　妙子

兎の仔見てゐれば雪降りいでぬ柔きねむりのかたまり七匹(ななつ)　斎藤　史

芽ぐむもの青めるものに顔寄せて若き兎がひとつひとつ嗅ぐ　斎藤　史

雨夜の隅いちはの兎を抱きたり寂しすぎればことんと逝くとふ　春日真木子

ほのぼのとうさぎのみみの立ちをればくれなゐさせる耳の穴あはれ　小池　光

てのひらにのるほど小さく美しきウサギを飼いて家じゅう臭し　花山多佳子

河原べの穂草の中に抱き降ろすウサギは他のウサギを知らず　花山多佳子

うさぎうま〔兎馬(うさぎうま)〕　ロバの異名。→驢馬(ろば)
文明の歌は中国詠。

煤(ばい)を挽くうさぎ馬も馬を追ふ者も洗はれて清々し雨(あめ)後(あと)の今朝　土屋　文明

石臼をめぐりめぐれるうさぎ馬いさごは遠く空にまじはる　小暮　政次

うし〔牛(うし)〕　偶蹄(ぐうてい)目ウシ科。家畜として最も広く飼われ、その起原は新石器時代といわれる。乳用種は一般に骨が細く、やせているが二対の乳房は大きく、乳量が多い。黒白の斑毛のホルスタイン種、褐色毛のジャージー種などが代表的である。肉用種は一般に骨が太く、頑丈で肉量が多い。日本の和牛は労役・肉用のものが多く、明治大正時代に欧州種を移入し品種改良された。現在では黒毛和種、無角和種、

褐色和種などの品種がある。但馬(たじま)牛、神石牛、千屋牛などは黒毛和種で、肉の味が美味である。牛乳・肉・乳製品として広く用いられ、皮の利用頻度が高い。また牛相撲（牛合わせ）を楽しむ地方がある。ゲルニカの牛はスペイン戦争に抵抗しピカソが描いた絵のこと。「クローン牛」は一頭から無性生殖で増殖した牛をいう。→黄牛(あめうし)　ホルスタイン種

乳牛(ちちうし)の体(たい)のとがりのおのづからいつくしくしてあはれなりけり　古泉　千樫

青き眼(め)のこよなかりける牛を見き乳しぼられてをりし牛等よ　佐藤佐太郎

たかぶれる牛引き分くるとその角に取りつきし勢子の引きずられゆく　石黒　清介

無縁なるものの優しさ持ち合ひて草食む牛とわれとの日昏れ　中城ふみ子

かへりなむいざ黒牛のどつしりと春田を鋤ける歩みに追(つ)きて　前　登志夫

春山の道に吾が会ふ但馬(たじま)牛ふかき口籠(くちご)をしてゐたりける　馬場あき子

ゲルニカの牛昏(くら)き目をみひらけりデモ隊街にもつ勝

利の錯誤　　馬場あき子
動ぎなき存在としてああここに黒牛ひとつ蹲りいる　　石田比呂志
母なしの仔牛はわれの指を吸ふぬるぬるとざらざらと温かき舌　　石川不二子
遠見えて茜の残る丘の上禱りのさまに牛ら歩めり　　長野　煒子
孕みつつ屠らるる番待つ牛にわれは呼吸を合はせてゐたり　　寺山　修司
やさしき声をあるときは背に投げかけて牛追へる田に闇迫り来ぬ　　小野興二郎
〈クローン牛〉次々生れこの世紀緋のサルビアが地上を統ぶる　　三井　修
印されし屋号を腹にゆすりつつ牛動くとき岡の広さよ　　今野　寿美

うじ〔蛆〕

ハエの幼虫。円筒形で足がない。植物の葉肉に潜入したり、茎・芽に虫こぶを作ったりして植物を加害するもの、腐敗した動・植物、獣糞、キノコを食べるもの、家畜や人間の内臓壁、皮膚下に寄生するもの、アブラムシなどを食べるもの、他の昆虫の体内に寄生するものなどがある。蛆虫、さし。↓蠅

蛆はかがやく金蠅となりわが家出づ未だ抱卵のかたち父、母　　塚本　邦雄

うしがえる〔牛蛙〕

アカガエル科。原産地は北米南東部。一九一九年に移入され、現在各地の平地の池に多くすみ、また増殖されて米国に輸出されている。体長20センチ、背は褐色または緑～暗緑色で、黒褐色の斑紋がある。昆虫・魚介類を捕食、夜間に牛に似た大きな声で鳴く。オタマジャクシは12センチにも達し、越冬して翌年変態する。食用蛙ともいう。↓蛙

牛蛙図太く高く鳴くを聞く蓮田はいまだ葉さへいださず　　尾山篤二郎
情欲の疼きにも似て牛蛙づをんづをんと底ごもり鳴く　　杜沢光一郎
憤りこらへてあるを腹中に棲む牛がへる鳴きいづるかな　　安田　純生

うすばかげろう〔薄羽蜉蝣・薄羽蜻蛉〕

脈翅目ウ

スバカゲロウ科の昆虫。幼虫は蟻地獄で、老熟すると砂の中に球形の繭を作り、蛹になる。夏に羽化し、林の中にすみ、灯火にも寄ってくる。体長3.5センチ、トンボに似て体は細長く、翅は透明。→蟻地獄

夏のくらやみかぎりなけれど吾がために夜毎生れゆくうすばかげろふ　安永　蕗子

わがドアを死場所としてひつたりと薄羽蜉蝣その羽根たたむ　後藤　直二

薄羽蜉蝣かつての呼び名は蟻地獄いかなる呪法修め漂ふ　米満　英男

うずら〔鶉〕

キジ科の鳥。本州中部以北で繁殖し、雪のない地方で越冬する。キジ科で渡りをする唯一の鳥。江戸時代には鳴き声を楽しむため多数飼われた。かつては草原や農耕地にたくさんいたが、近年は食肉・採卵用に飼育されている。全長20センチ、くちばし、足、尾が短く、丸い体形をしている。黄褐色地に褐色と黒色の斑紋があり、枯れ草に似ているので、プルルルと羽音を残して飛び立つとき以外は姿を見る機会が少ない。草の実、昆虫など捕食する。繁殖期に雄はグワッグルルルーと高く大きな声をひびかす。「鶉鳴く」は「古る」にかかる枕詞として万葉集より使われた。「歯もがも」は歯があればなあ、の意。

下総の結城の里ゆ送り来し春の鶉をくはん歯もがも　正岡　子規

飛び立ちし鶉の羽音小春日のこのしづけさに木霊をもてり　吉植　庄亮

野の鳥の鶉が庭をあされども哀れを共にいふ人はなし　若山喜志子

鶉割きてその花いろの肝くらふ咲へをとこのいのちつかのま　塚本　邦雄

一羽なる鶉は左右に分けられて二皿に載る馨しき贄　松平　盟子

うそ〔鷽〕

アトリ科の鳥。本州中部以北の亜高山帯の針葉樹林で繁殖し、秋・冬は低地へ移る。形は雀に似て全長15センチ、雄は全体が青灰色で頭、翼、尾が黒く、頬と喉が赤い。雌はやや褐色を帯び顔は赤くない。枝の上方に椀形の巣を作り、木の実や芽、昆虫などを食べる。冬は桜の花芽を好む。鳴き声はフィー、フィーと口笛に似ている。囀るとき、

両脚を交互に揚げるのが琴を弾く手を動かすように見えるというので琴弾鳥（ことひきどり）の名がある。昔は囮（おとり）で捕えて飼育したが、現在は非狩猟鳥である。また福岡太宰府、東京亀戸の天満宮には、嘘を鷽にカケて、木製の鷽を参詣人が取り替えあって、一年中の嘘を流すという鷽替神事があり、ウソ祭ともいう。

高山の木（こ）がくりにして鳴く鷽の声の短きを心寂しむ　島木　赤彦

鷽ひとつ啼きしばかりとおもひしに春の目ざめは空をわたりぬ　斎藤　茂吉

雨ふかき庭木に啼ける鷽のこゑかすかに澄むは遠ごこちすれ　中村　憲吉

春山に囮となりし鷽がなくにんげんのなす罪ふかきこと　生方たつゑ

おっとりと逃げぬ鳥かなむきむきの鷽は腹充ちてゐるにかあらむ　石川不二子

足守川堤（つつみ）の上のさくら並木綻ぶにはやき枝の鷽二羽　石川不二子

うそが飛ぶ空がしぐれて日が暮れて辻褄合わせて寝るほかはなし　佐佐木幸綱

うつせみ〔空蟬（うつせみ）〕

蟬のぬけがら。何年も地中生活を送った幼虫が夏の夕べに地上に這い出して脱皮する。背を割り皮を脱ぎ、夜の間に羽化して成虫となる。ぬけがらは透明な褐色で木の枝にしがみついている。幼虫期間は油蟬とミンミン蟬が約七年を要することが確かめられただけであるという。蟬蛻（せんぜい）。↓蟬

銅（あかがね）の色を鎧（よろ）ひて蟬の殻あれど脆しもろしわが頼める平和　斎藤　史

二荒の山中ふかく空蟬は水楢のしろき幹にすがれり　森岡　貞香

うつぼ〔鱓（うつぼ）・鱓魚（うつぼ）〕

ウツボ科の魚。本州中部からフィリピンの浅海の岩礁にすむ。全長60センチ、鰻（うなぎ）型で、胸鰭と腹鰭がなく、黄褐色地に黒褐色の不規則な斑紋が並ぶ。性格が荒く、歯は鋭く、嚙まれると非常に痛い。食用にする地方もあり、また、皮が厚いので、なめし皮にする。ナダ、ナマダなどの地方名がある。

水中のうつぼ激しく痙攣し刺しくるものに堪へつつ身あり　浜　梨花枝

水槽にうつぼ冷え冷えと青濁りたり春の愁ひに　馬場あき子

ひるがへる鱓しろき腹いくたびも硝子へだてて吾と重なる　永井　正子

うなぎ〔鰻(うなぎ)〕　ウナギ科の魚。各地の河川に分布するが、本州中部以南の太平洋岸などに多い。全長60センチの円筒形、ふつう暗褐色で腹は銀白色。小さな鱗は退化して皮膚に埋まり、粘液におおわれてぬるぬるする。産卵場は日本産の場合、太平洋の沖合といわれるがはっきりしない。稚魚をシラスウナギといい、二〜五月群をなして川を上る。ふつう八年ほど淡水生活をして成熟し、産卵のため海に下る。静岡・愛知・三重県などで養殖が盛んである。肉は脂肪とビタミンAに富み、蒲焼にして賞味される。近来まで最高の御馳走であった。

　奈良・平安時代には「むなぎ」と呼び、万葉集の大伴家持の歌に「夏やせによしといふものその鰻(むなぎ)取り食(め)せ」の語句が見える。土用丑の日に鰻を食べるようになったのは江戸時代の平賀源内が唱えてからといわれ、江戸ではご飯の上にのせて食べた。関西では蒸さないで焼く真蒸(まむ)しがふつうである。

汗垂れてわれ鰻くふしかすがに吾より先に食ふ人のあり　斎藤　茂吉

これまでに吾に食はれし鰻らは仏となりてかがよふらむか　斎藤　茂吉

昨夜(よべ)の鰻完全に消化しつくされて吾は眼を開く薄明の中　植松　寿樹

背すぢより鰻さかるる日盛りに汽車すれちがふ鋭きひびき　村野　次郎

首の根に錐をうちこみ一息に生きたる鰻を引き裂きにけり　石黒　清介

野田岩の二階座敷にうなぎ食ふ二十年ぶりなりうなぎ柔ら身　宮　英子

鰻の肝・鳥のなま肝・肝食ひののちのさびしき汗拭はばや　馬場あき子

かば焼の鰻を食いて腹満てる土用丑の日西空赤し　石田比呂志

水槽の小石より首をのぞかせて泣きたいやうなうなぎの眼玉　真鍋　正男

うに〔海胆・海栗・雲丹〕

棘皮動物ウニ綱の一群の総称。浅海の岩礁底から深海まで八六〇種がすむ。多くは球形の殻に栗のいが状の棘がある。棘の間にある糸状の管足を伸縮して吸着・運動する。下面にある口にはアリストテレスの提灯と呼ぶ歯があり、腸は体内に湾曲して上面にある肛門に達する。オルドビス紀（古生代）に出現したといわれる。バフンウニ、ムラサキウニ、アカウニなどの卵巣は雲丹にして食べる。生食、瓶詰、すし種として美味。→赤海胆　紫海胆

雲丹の殻焦げし焚火にふれて言ふ帰潮のかげの乱れむときに　生方たつゑ

月の夜の海胆の欲望　岩かげの管足伸縮、反世界　加藤克巳

顕微鏡の下に受精を了へにける海胆の生命を目守ると友は　木俣　修

足を見き巧に漕げる足を見き小舟傾げて海栗採るらしも　寺師治人

蒼浪の畳のうへにもりあがる寒夜の卓に雲丹せせり喰ふ　岡野弘彦

剝き終えし海胆殻なおも蠢きて海へと動けば哀しかりけり　古里長次郎

三陸の蒸し雲丹あまし罐詰に水産高校製造とあり　下村道子

うま〔馬〕

奇蹄目ウマ科。ウマ類の出現は第三紀初めに北米で見られ、それが第四紀初めにアジア大陸へ渡り、現在のウマ類に進化したといわれる。現在モンゴル草原にすむ馬だけが真の野性種である。家畜化されたのは紀元前三千年代という。乗馬用・競争用は体が比較的小柄で品位に富み、機敏。軽輓用は頑丈で軽い車を引くのに適し、重輓用は体が大柄できわめて頑丈、力が強く、荷車や重い鋤を引くのに適す。日本在来の東北の南部馬、秋田馬、九州の薩摩馬は小形のモウコウマ系だが、現在ほとんど姿を消し、木曽馬、宮崎県都井岬の岬馬などがわずかに昔の姿を伝えており、明治以後移入した外国産の交配種のみである。毛色は特別の呼び名がある。青（全体が黒色）、栗毛（全体が栗色）、鹿毛（たてがみ、尾、脚先が黒く、他は褐色）、月毛（全体が白色）、葦毛（白色と濃い色が混じる）など。肉はさくら肉といって食

用にし、皮も利用頻度が高い。駒（こま）ともいう。↓サラブレッド種　ペルシュロン種

しんしんと雪ふるなかにたたずめる馬の眼（まなこ）はまたたきにけり　斎藤　茂吉

道に死ぬる馬は、仏となりにけり。行きとゞまらむ旅ならなくに　釈　迢空

馬柵（ませ）のなき草山ながらおのづから放牧の馬遠くあそばず　松村　英一

若馬の四肢（しし）の間（ま）風は流れつつ泡よりうすし牧草の花　真鍋美恵子

種馬の血管隆（たか）き胸郭が黒き陸地のごとく鎮（しず）まる　真鍋美恵子

奔馬ひとつ冬のかすみの奥に消ゆわれのみが累々と子を持ちてけり　葛原　妙子

馬市に親馬仔馬ゆく見れば心にぞしむ仔馬はまして　窪田章一郎

ほとばしる父方（ちちかた）の血を沈め持つ馬は牧舎に睡りて居れり　斎藤　史

走りたる馬の尻尾のうちなびき限りも知らにおもはしむるを　森岡　貞香

五合目に客を待つ馬立籠むる霧に睫毛（まつげ）の濡れてまばたく　大越　一男

馬を洗はば馬のたましひ冱（さ）ゆるまで人恋はば人あやむるこころ　塚本　邦雄

馬に乗りけりその大きさとやさしさの手より心にしみ入るやうな　馬場あき子

過ぎてゆく馬のうしろをさびしめりただふかぶかと去りてゆくもの　石井　利明

しゆわしゆわと馬が尾を振る馬として在る寂しさに耐ふる如くに　杜沢光一郎

沫雪ははつか流れてかの窓に鼻筋白き馬が首のぶ　藤井　常世

春の馬の面の長さを篤とみよ明日がぼうつと近づいてくる　時田　則雄

雪を蹴り悍馬寒風を突つきつてゆくではないかゆきに染らず　時田　則雄

まのあたり祭を見れば暴走をせる馬ありてこの世おもしろ　今野　寿美

みんなみの風の岬に群れてゐるまなこさびしき馬をおもひき　中山　明

うまおい〔馬追〕

直翅目キリギリス科の昆虫。北海道を除く日本各地に、夏から秋まで木立や草原の中などで、きれいな声で鳴く。体長は2.8～3.6センチ、緑色の翅とからだに長い触角をもつ。また前・中肢に鋭い棘があり、獲物をつかまえたときにしっかりと捕えて逃がさない役目をする。スイーチョンと長く鳴くのがハヤシノウマオイ、スイッチョと短く鳴くのがハタケノウマオイと区別されている。馬追の名はもとは関東の言い方で、鳴き声がいかにも馬子が馬を追うように聞こえるからという。ハタオリ、スイッチョともいう。↓すいっちょ

馬追虫の髭のそよろに来る秋はまなこを閉ぢて想ひ見るべし　長塚　節

吾をおもふ悲しき友のひとつにて嵐だつ夜に馬追来居り　斎藤　茂吉

宵の灯におのづから来し馬追虫の髭のかげうごく畳のうへに　橋田　東声

さ夜ふけて障子に来鳴く馬追の青き透翅もものの こほしさ　吉野　秀雄

馬追虫が来て鳴くときに夜ふかくわがゐる部屋の壁は冷たし　安田　章生

くすり撒くとなりきんじよの生き残り髭のそよろの馬追虫一つ　草市　潤

うまばえ〔馬蠅〕

双翅目ウマバエ科の昆虫。馬の毛に産卵し、幼虫は馬の胃に寄生、糞とともに体外に出て、土中に入り蛹化し、成虫となる。体長1.6～2センチ、胸に褐色、腹に黄色の毛があり、頭が大きく触角は短い。幼虫を竹の子虫といい、成虫を馬虻ともいう。

草山みち行きあふ馬の太頸に喰ひついてゐる馬虻の数　川田　順

うみう〔海鵜〕

ウ科の鳥。北海道、岩手、山形以北、また福岡県沖ノ島、伊豆神津島に大集団で巣を作り繁殖する。冬は各地の海岸に移って崖を集団ねぐらとする。全長85センチ、大形の海鳥で、全身黒褐色のカワウに似るが羽には緑色の光沢があり、尾は短めで、飛ぶと翼が体の後ろのほうについているように見える。海上で生活し、たくみに潜水して魚を捕り、岩礁上で翼を左右に広げ羽を乾かす。繁殖地ではグルーなどと鳴く。長良川などの鵜飼

いには訓練した海鵜が用いられる。↓鵜

すさまじくみだれて水にちる火の子鵜の執念の青き首みゆ　太田　水穂

ぬばたまの黒き鵜の鳥むらがりて年魚とることを業となしたり　斎藤　茂吉

鵜の群はひそやかにして荒波の立ちくる方に諸向きに居り　山口　茂吉

手縄控へ鵜匠ゆたかに捌きつつ且つかがり足し鵜の魚吐かす　吉野　秀雄

高波の延び極まりし瞬間を斜めに飛びしは鵜にもあるべし　林　光雄

羽乾すと岩に並べるウミウの群位置を定めて争ひをせず　大悟法　進

島つどり鵜は翔るかな海原に間なく時なく光生れつつ　林　安一

うみうし〔海牛〕　軟体動物後鰓類の総称。巻貝の仲間であるが殻は退化して欠くものが多い。浅海の岩礁や海藻の間に生息し、砂泥底にもすむものがある。体は細長いもの、楕円形のものなどあり、やわらかくてナメクジ状。体色は赤、白、青、黄などで美麗。頭部に二本の触角を角のように立てて這うのでこの名がある。また体表に蓑のような突起のある蓑海牛、光を発する光海牛もあるが、白海牛や青海牛などが普通。

ウミウシの突起のように濡れながら午後の浜辺にわたしは屈む　早川　志織

うみがめ〔海亀〕　海にすむ亀をいう。日本近海には赤海亀、青海亀、玳瑁、長亀などがすむ。いずれも大形で、陸上には産卵のためにしか上がらない。四肢は櫂状または鰭状をなし、泳ぐのに適し、甲には引っ込められない。↓青海亀　赤海亀

秋潮のつめたく澄める底ひより浮かび出でたり大き海亀　松村　英一

標本と思へる大き海亀がやがてのそりと動き初めぬ　桑原　三郎

水槽に今は物食はぬ海亀ゐておもひだしたやうにときどき泳ぐ　五島　茂

孵りたる亀がいつせいに走りゆく彼方の海をわれは失なう　萩原　欣子

びにいるを水母と思ひてつぎつぎに喰ひし海亀死にゆくあはれ　小山朱鷺子

うみすずめ〔海雀〕

ウミスズメ科の鳥。日本では北海道天売島で繁殖し、冬は全国の海上に移り、岸辺にも近より、たくみに潜水して小魚を捕食する。全長26センチ、灰黒色、腹は白色。チッチッと鳴く。カンムリウミスズメは日本特産種で、伊豆七島の三宅島、福岡県沖ノ島などが繁殖地として著名。

からからと西吹きあげて海雀あなたふと空に澄みゐて飛ばず　斎藤　茂吉

うみつばめ〔海燕〕

ウミツバメ科の鳥の総称。おもに海洋の小島などに巣を作り、プランクトン、魚を捕食する。全長20～25センチ位、灰褐色で腰の白いものが多い。腰白海燕は北海道の大国島で繁殖、クックルククーと鳴く。黒腰白海燕は岩手県日出島・三貫島で繁殖、クィークィーと鳴く。

岩棚に寝ころぶわれと海つばめ日ねもす無縁に親しみあへり　春日井　建

うみどり〔海鳥〕

海辺に生息する鳥。海岸の干潟にはシギ類がゴカイや蟹を捕食するために賑わう。海岸や港にはカモメ類が海上をとびながら魚などをさがしている大群がみられる。磯・砂浜ではイソヒヨドリ、クロサギがごつごつした岩の上を餌をさがして歩いているのが見られる。さらに舟で沖合を通るときや沖合の小島の崖には海洋の鳥が見られる。巣は陸上に作るが海を生活の場とし、夜も海上に浮かんで眠ることが多い。アホウドリ、ミズナギドリ、カモメ類、ウミツバメ、アジサシ、カツオドリなど、北の海洋にはウトウ、エトピリカ、ウミガラス、ウミスズメ、ウミウなどが多い。海つ鳥ともいう。

さみどりのあめふりけぶり朝はやし白き海鳥庭に来てをり　古泉　千樫

海つ鳥鵜が首あげて荒波の高波の秀に乗りて遊べる　尾山篤二郎

哀切の声と聞きしが海鳥はあかつきの浜に魚食みてゐる　尾崎左永子

たちつくし見てゐて不思議海鳥は当然のこととして

海水を飲む　浅野　光一

聖油(オーレオ)に非ず原油にまみれたる海鳥立てりその眸(め)の碧(みどり)　高野　公彦

うみねこ〔海猫(うみねこ)〕

カモメ科の鳥。日本近海の沿岸や島の草地、岩石地に巣を作り、魚や昆虫などを捕食する。とくに八戸市蕪(かぶ)島、山形県飛島、島根県経(ふみ)島など五カ所には集団で繁殖し、天然記念物に指定されている。全長45センチほど。頭と腹は白色、背と翼は濃い灰色。尾の先に幅の広い黒帯があるのが特徴で、また、黄色いくちばしの先端に赤と黒の模様があるのが他のカモメと区別される点である。猫に似た声で鳴くのでこの名がある。魚に群れるため魚群発見に役立つといわれる。↓海猫(ごめ)

海猫はいまも啼きたつ心(うら)細る雪の夜ふけのわれに迫りて　木俣　修

照らされし赤き濁流の上にして群れつつぞゐる海猫のこゑ　岡部　文夫

雛いだきしづまりてゐる海猫のこゑなき哀れ近く見てたつ　佐藤佐太郎

海猫は雛はぐくみて粥のごと半消化せる魚を吐き出す　佐藤佐太郎

海猫の風にたゆたふ一瞬の光崩れて声啼きにけり　千代　国一

ぼんやりと海に日の差し人を見ず八戸鮫町は海猫のこゑ　恩田　英明

くらぐらと雪風巻(し)くときうみねこの白(しろ)点となり消ゆるわたなか　原田　律子

うるめいわし〔潤目鰯(うるめいわし)〕

ウルメイワシ科の魚。黒潮流域にすみ外洋性だが、晩春の産卵期には岸に近づく。全長30センチ、体が円筒形に近く、腹縁が丸い。口は小さく、目が大きく脂瞼(しけん)があり、赤くうるんで見える。マイワシ、カタクチイワシより脂肪が少ないので、干物として賞味される。秋・冬が魚獲期。ウルメともいう。↓鰯

手にのせてうるめ鰯のまなこみよ能登の潮(うしほ)にあらはれ澄みて　山田　あき

青青と氷見(ひみ)の潤鰯(うるめ)の目にたまる泪(なみだ)の如きもの何ならむ　岡部　文夫

うろくず〔鱗(うろくづ)〕

魚、さかなの古名。いろくずともいう。↓魚(いお)　いろくず

魚(うお)　魚類　さかな　な

春いまだ寒き流れにしづむ石あきらかにして鱗はゐず　平福　百穂

終航の船いでゆきし山の湖の余光のなかにはぬるうろくづ　木俣　修

うろくづの跳ぬる音よりひそかにて隕石水に墜つる夜あらむ　大西　民子

寒明けの的となりたる水底に刃金きらめく如きうろくづ　内田　紀満

えい〔鱏(えひ)・鱝(えひ)〕

エイ目板鰓魚類の総称。浅海から深海に広く分布し、全長数メートルに達するものもある。鰓孔は体の下面に開き、胸鰭は大きく水平に広がり、頭とくっついている。本州南部でかなりの漁獲のあるサカタザメは1メートルくらい、背が灰褐～褐色。刺身、煮魚、かまぼこ材料に用いる。アカエイは1メートルくらいで尾に大きい棘があり、刺されるとひどく痛い。夏期は美味で冬は不味。ガンギエイは65センチくらいで背は暗褐色地に淡色斑紋があり、練製品に用いる。シビレエイは触れると強い電気が起こり、トビエイは鳶に似て水面を飛ぶという説がある。

水槽にエイ泳ぐとき春の日の杳き想いはひるがえりたり　早川　志織

エスカルゴ

フランス語のエスカルゴは本来カタツムリをいうが、日本ではふつう食用カタツムリをさす。南欧とくにフランスで食用とし、日本でフランス料理に用いる。巻貝で高さ幅とも各4センチ、ブドウの葉で飼育したものが美味とされ、ゆがいていため、殻につめて焼く。冬眠前が旬である。

↓蝸牛(かたつむり)

蝸牛(エスカルゴ)無言家族が四方よりフォーク刺し違へて暮の秋　塚本　邦雄

エトピリカ

ウミスズメ科の鳥。北海道東部の岬や島で繁殖し、草地に穴を掘り一卵を産む。冬期は北海道の海上で群をなして生活し、イカナゴなどの魚や軟体動物などを食べる。全長37センチ、体は黒色。夏には顔が白色となる。偏平で大きなくちばしは橙黄色、眼の上の淡黄色の飾り羽が目立つ。エトピリカはアイヌ語、くちばしの美しい鳥の意を表す。飛翔は直線的で、翼を使って巧みに潜水して魚などを捕る。

空を飛ぶさまに羽は動かして水中自在なるエトピリカ　　椎名　恒治

えび〔海老(えび)・蝦(えび)〕　甲殻綱十脚目長尾類の総称。海、湖沼、川などにすむエビをいう。淡水産はヌマエビ、テナガエビ、ザリガニなど、海水産は日本近海に五百種ほど。近年輸入物の冷凍エビが多く出回っている。第二触角がひげのように特に長く、腹部は七節に分かれ、筋肉がよく発達し、その屈伸によって運動する。外骨格が堅い歩行類にはイセエビ、外骨格が比較的薄く水中を泳ぐ遊泳型にはクルマエビ、サクラエビ、テッポウエビ、クマエビ、コウライエビ、ホッカイエビ、シバエビなどがある。沿岸性のものは打瀬網で、深海性のものは機船底引網で、またイセエビは底刺網で漁獲する。惣菜、高級料理などに用いられ、正月の飾り物や長寿の象徴として祝事に使われる。↓アメリカざりがに　伊勢海老　柴蝦

道のべに水わき流れえび棲(す)めば心は和(な)ぎて綏遠(すいえん)にあり　　土屋　文明

微動する蝦の生身を旅正月の朝の餉(かれひ)に食まんとぞする　　木俣　修

そのかげに犠牲者あるはわが知れる祝宴に白き海老の肉切る　　真鍋美恵子

鉄板に海老の如くにかがまりて帰り来りし此のうるさき国　　小暮　政次

茹であげし海老冴えざえと並べ置く厨明るき夕(ゆふべ)となれり　　富小路禎子

「まがったてっぽうだま」を買ふやうに冷凍えびをかごに放りこむ　　佐藤　通雅

ぶだうえび脳天まこと小さなりじんわりと甘きそも食ひにけり　　坂井　修一

進藤部長とカウンターに居る壮絶な形に揚がる海老の天麩羅　　加藤　治郎

えびがに〔海老蟹(えびがに)〕　アメリカざりがにの別称。↓アメリカざりがに

一つとりしえびがにを手にいきみゐる小童(こわつぱ)よ勁(つよ)く大きく育てよ　　五島美代子

えりまきとかげ〔襟巻蜥蜴(えりまきとかげ)〕　アガマ科。オーストラリアとニ

ユーギニアの一部にすみ、おもに木の上で生活する。体長70センチ、体は黄褐色、尾は体の半分を占める。首のまわりに襟巻状のひだがあり、興奮したり、求愛や威嚇などのための誇示（ディスプレー）の際には直径20センチ近い雨傘状に広げる。体温調節にも役立つと考えられる。また、後脚だけで走ることでも有名である。

　エリマキトカゲ跡かたもなく忘れて心の底までどんみりと春　　今野　寿美

えんじゃく【燕雀】

　鳥綱スズメの旧称燕雀類。小・中形の陸にすむ野鳥で、ヒバリ科、ツバメ科、セキレイ科、ヒヨドリ科、モズ科、ヒタキ科、メジロ科などに属す。

　白樺しらじら暁けに鳴く鳥の燕雀いつの世にも稚し　　安永　蕗子

えんまこおろぎ【閻魔蟋蟀】

　直翅目コオロギ科の昆虫。草原や畑で八～十月に雄がコロコロリーと鳴く。蟋蟀中最大の体長2.5センチ。黒褐色で油状光沢がある。触角は糸状で体長より長い。卵で越冬する。北海道と本州中北部の海岸や川原にはリー、リーと鳴く蝦夷閻魔蟋蟀、暖地の海岸から琉球には幼虫で越冬する台湾閻魔蟋蟀がいる。↓蟋蟀

　ふりたらぬ宵の雨やみくらがりの木にのぼりなく閻魔蟋蟀　　岡　麓

　たはぶれに夭死のははの名を呼べば閻魔蟋蟀すずしく鳴けり　　轟　太市

オウム【鸚鵡】

　オウム科の鳥。インコと大差はないが、ふつう頭が丸く大きく、くちばしは太く下方に曲がる。熱帯産で鳴き声はやかましいが、人間の言葉をまねるものもあり、古くから飼鳥として愛がんされている。羽は白・赤・黄・黒などで冠毛があり、昔は白色種を霊鳥とした。また、ヨウムという名の鳥がオウム・インコ類中、最もよく人語をまねるので動物園などで飼われている。↓インコ

　美人問へば鸚鵡答へず鸚鵡問へば美人答へず春の日暮れぬ　　正岡　子規

　とめどなく移ろいやまぬ部分にて禽獣店にオウムさえずる　　岡部桂一郎

　用のなきことば鸚鵡がくりかえし放埒に夜の花弁は

舞えり　　川口　常孝

空へ逃げまだ逃げきれず電柱の春の夕日に鶺鴒とどまる　　三木　アヤ

街角にもの言ふ鶺鴒と瞪（みつ）め合ふ寂しく充ちてわが私生活　　島田　修二

地下デパートのゆきどまりに鶺鴒みじろがず人寄ればわづかに目開けまた閉づ　　蒔田さくら子

おおかみ〔狼（おほかみ）〕　食肉目イヌ科。イヌの原種と考えられ、体形はシェパードに似る。体長1～1.3メートル、体色は灰褐色のものが多い。かつては北半球に広く分布し、森林や原野にすみ、単独または家族で行動するが、冬は群れる。鹿をはじめ鳥獣を捕食し、牛馬など大形の家畜を襲う。犬とも自由に交配する。日本には本州、四国、九州に小形の日本狼（山犬とも）がいたが、一九〇五年奈良県を最後に姿を消し、北海道に大形の蝦夷狼がいたが一九〇〇年ころ絶滅した。

つねに耳を刃物のごとく立てて聴く　日本に狼の族絶えてより　　斎藤　史

おおくわがた〔大鍬形（おほくはがた）〕　クワガタムシ科の甲虫。九州以北に分布し、六～九月に現れる。体長雄32～72ミリ、雌36～42ミリと大形でクヌギ・ナラなどの樹液を好む。樹幹にすがりついてあまり飛びたがらない。↓鍬形

今日われはオオクワガタの静けさでホームの壁にもたれていたり　　早川　志織

おおるり〔大瑠璃（おほるり）〕　ヒタキ科の鳥。アジア東部に分布し、日本には夏鳥として渡ってくる。渓流に沿った林にすみ、岩の割れ目に巣を作る。全長17センチ、雄の背は名前の通り瑠璃色で非常に美しい。雌は褐色の地味な鳥。初夏のころ雄が高い木の梢で、ピピ、ピーピー、ギチギチ、ジェジェと美しくさえずる姿を見かける。鶯、駒鳥とともに日本の三鳴鳥と呼ばれている。空を飛ぶ昆虫を梢から飛び立って捕食する。↓小瑠璃　瑠璃

大瑠璃の歩みゐたりしいささかの細沙（まさご）に月のかがやきそめぬ　　山下　陸奥

おおわし〔大鷲（おほわし）〕　ワシタカ科の大形猛禽（もうきん）。日本には冬鳥として渡って来て、

北海道沿岸の森林にねぐらをもつ。全長1メートルに達する体は黒褐色、巨大なくちばしは黄色、尾と肩が白色の鮮やかな配色である。尾白鷲に似るがさらに大形である。主食は魚で、流氷の上に群れて捕り、漁船の捨てる小魚や魚港から出る魚のあらも食べる。また鳥獣も捕食する。クワックワックワックワッと鳴く。天然記念物。↓鷲

大鷲のもろあしに肉をおさへつつ啖ふを見れば近附く一羽　高安　国世

おかめこおろぎ〔阿亀蟋蟀〕

直翅目コオロギ科の昆虫。成虫は八～十一月まで本州以南の石下にすむ。体長14ミリ、黒地に淡黄色の線状模様がある。雄の顔つきが阿亀っぽく、キック力のある脚をもつ。リ、リ、リと鳴く。↓こおろぎ

わが庭に棲みゐるはおかめこほろぎにておかめこほろぎ夜夜に鳴く　二宮　冬鳥

おこぜ〔鰧・虎魚〕

一般にオコゼといえばメバル科（カサゴ科）の鬼鰧をさす。本州中部以南の近海の海底にすむ魚。全長20センチ余、形は醜悪で、背鰭の棘は鋭く、毒腺があり、刺されるとひどく痛い。鱗はなく、皮膚は弾力性に富む。体色と斑紋はいろいろで黒・褐・乳白・赤・黄など。椀種などとして賞味される。

オコゼは海魚では鬼鰧をいうが、滋賀県では淡水魚のカジカをいい、醜い山の神が自分より醜いオコゼを好むというので山の神の祭の供物にする。また、猟のまじないや子供の食初めの膳に付けて一生魚の骨がたたないようにまじなう。

秋の日の水族館の幽明に悪党のごとき鰧を愛す　馬場あき子

おじか〔牡鹿〕

雄の鹿は枝分かれした美しい角をもつ。秋には盛んに鳴いて雌を呼び、遠くで聞くと哀れである。そして他の牡鹿と角を突き合わせてたたかい、勝った雄は多数の雌を従えてハレムを作る。角は三歳で二分かれ、三～四歳で三分かれ、四～五歳以上四分かれし、それ以上枝は生じない。奈良公園に放し飼いにされている春日大社の鹿は十月中旬から十一月上旬にかけての日曜、祝日に角切りされる。矢来の柵に幕を張りめぐらした場所に

鹿を追い込み、数人で抑えつけて鋸で角を切り落とすのである。交尾期を前に気の荒くなった雄同志の格闘を防ぐことと、人を傷つけないためという。小牡鹿、牡鹿ともいう。↓鹿　牝鹿

比々と聞き加比与と聞くも哀れなりいねがてなくに啼くや小牡鹿　尾山篤二郎

夏野行く夏野の牡鹿、男とはかく箇勁に人を愛すべし　佐佐木幸綱

おしどり〔鴛鴦〕　ガンカモ科。全国の山地の湖などで繁殖し、冬は暖地へ移る。公園の池にも飼われているので親しみのある鳥である。全長43センチ、夏は雌雄同色だが雄の冬羽は色彩が美しいので有名。大きな木の穴に営巣し、木の実、穀類を食べる。雛は、ふ化後まもなく巣からとびおりて水際まで歩く。親は他のカモ類より木にもよくとまる。繁殖期にはひとつがいで生活するので鴛鴦の契、おしどり夫婦などという言葉がある。をしともいう。

落葉せる木立をあらみ下谿に見えてこもれる鴛鴦十数羽　半田　良平

枯葦のいよいよやせてをしどりの子らは出で入るためらひもなく　鹿児島寿蔵

みづうみの小曲に泛ける鴛鴦群に八入の紅葉散りかかるなり　吉野　秀雄

押し寄する風波のなかにただよへり連れて二羽浮く鴛鴦のかげ　葛原　繁

ゆるやかに鴛鴦ふたつゆく水の輪は彩ある胸の尖より生れて　上田三四二

オショロコマ　サケ科の魚。岩魚に似ており、北海道の山間の渓流や湖にすむ。陸封種であるが降海型もある。近年減少している。↓岩魚　陸封魚

陸封のオショロコマとぞ湖にさ泳ぐ見ればあはれなりけり　寺師　治人

おじろわし〔尾白鷲〕　ワシタカ科の鳥。北海道東部で少数が繁殖し、天然記念物に指定されている。冬期には北日本の海岸や湖などで越冬する。全長雄80センチ、雌94センチ。体は暗褐色で、ややくさび形をした尾は白い。太いくちばしと脚は黄色。巣は巨木の上や断崖上に作る。飛びながら魚を脚で捕えるが鳥獣を襲うこともある。↓鷲

わが頭上過ぎたる影はオホーツクの流氷原を舞ふ尾白鷲　山名　康郎

魚くはへばさり羽搏く尾白鷲氷海裂けて波ふくれたり　山名　康郎

知床に棲む尾白鷲千島より吹き荒ぶ風に一羽逆らふ　山名　康郎

おたまじゃくし〔お玉杓子(たまじゃくし)・蝌蚪(おたまじゃくし)〕

蛙の子。形がお玉杓子に似ているのでいう。丸味を帯びているのが頭と胴で、初め四肢がなく、尾は側扁して発達している。魚によく似た生理的機能をもっているとかで、常に鰓(えら)で呼吸する。春、産卵後ひものような寒天質から十日ぐらいで孵化し、ひょろひょろと尾を振って泳ぎ出す姿は可愛いい。だが池や田に真黒にうじゃうじゃ集まっているのは不気味でもあり、小さな衝撃にも散りぢりになる。成熟すると変態してまず後肢が、次いで前肢が生じ、尾はだんだん体内に吸収され消失する。蝌蚪、蛙の子ともいう。↓蝌蚪(かと)

子どもらが捕(と)りてもて来(こ)しおたまじやくし夜ふけて動く盥(たらひ)のなかに　島木　赤彦

まんまんと満つる光に生れゐるおたまじやくしの目は見ゆるらむ　斎藤　茂吉

お玉杓子すでにみぎはに出て遊び小さき足の見えそめにけり　村野　次郎

おたまじやくし揺れて群れゐて黒きかも泪をためてのぞきゐにけり　福田　栄一

石の上にわれは居りつつ山川に蝌蚪の流るるを見つ　佐藤佐太郎

おたまじやくし下げ持つものを出迎へしこの駅に妻もまだ若かりき　宮地　伸一

おちあゆ〔落鮎(おちあゆ)〕

夏のあいだ川の上流で育った鮎は九、十月頃に産卵のため中流にくだり、簗でこれを獲る。産卵期の鮎は腹部が赤くなり、刃物のさびのような斑紋が体にできる。そのため、錆鮎(さび)、渋鮎(しぶ)ともいい、また、下り鮎、秋の鮎ともいう。↓鮎　若鮎

たそがれの小暗き闇に時雨降り簗にしらじら落つる鮎おほし　若山　牧水

簗の簀(す)にうち上げられし一つ魚飛沫(しぶき)がかかるたびに噞喁(あぎと)ふ　半田　良平

かの瀬々を鮎はひといきに落ちゆかむ冷えつつくだるこの夜の雨に　木俣　修

秋の鮎咽喉(のど)こゆるときうつしみのただ一ところあかるきはざま　塚本　邦雄

胸の鰭腹部ににじむ洗朱(あらいしゅ)の「さびあゆ」と呼ぶ身ごもれる鮎　中野　照子

落鮎のその孕み子のゆたかなるくれなゐを食む炎に焼きて　馬場あき子

川に沿いのぼれるわれと落ち鮎の会いのいのちを貪れるかな　石本　隆一

仕残しの仕事を置きて旅に来つ落ち鮎の身を身に沁みて食う　佐佐木幸綱

おちぜみ〔落蟬(おちぜみ)〕

蟬は生命が尽きようとするとき、ひと声鳴いて地上に落ちて死ぬ。↓蟬

裏庭に落つると鳴きし蟬のこゑこの真夜中の暗(やみ)にひびきし　三ケ島葭子

いろ黒き蟻あつまりて落蟬を晩夏の庭に努力して運ぶ　宮　柊二

風に吹かれ木の葉のやうに落ちて来し蟬がしばらく反転しをり　岡山たづ子

信号を渡らむとして仰(あふ)のけの落蟬あれば足が止まれり　吉野　昌夫

地に還るものはひそけし翅透きて樹下(こした)にまろぶ落蟬ひとつ　米納　三雄

落蟬にわが触れたればいや果の命をしぼり羽ばたきて止む　桑原　三郎

オットセイ〔膃肭獣(おっとせい)〕

食肉目アシカの海獣。北太平洋に分布し、夏から秋にコマンドル、プリビロフ、海豹(かいひょう)（チュレニー）島に上陸する。秋に島を離れて南方を回遊する。主として明け方にイカ、魚を食べる。雄は体長2.5メートル、雌は1.3メートルほど。黒褐色で腹部は橙褐色。水中の動作は敏速だが陸上では遅鈍。夏の繁殖期には何十万と群れ集まり、雄は一五～六〇頭の雌を従えてハレムを作る。一腹一子。

おっとせい氷に眠るさいはひを我も今知るおもしろきかな　山川登美子

胸の裡(うち)騒ぎてひとり思ふなり膃肭獣のごと老いてゆくのか　宮　柊二

おなが〔尾長（をなが）〕 カラス科の鳥。留鳥として中部地方より東の本州に分布し、関東地方と長野県には多いが他は局地的である。平地から低山の林に群生し、市街地の庭や公園にもくる。全長36センチのうち尾は20センチと長い。全体が灰色だが頭上は黒く、翼と尾は青色。昆虫、果実を食べ、パンなども好む。巣は地上3〜4メートルの樹上に作る。常に小群で行動し、繁殖期には数つがいが近くに営巣して、外敵に対し集団で防衛する。鳴き声はゲーイ、ゲーイクイクイッと悪声である。

うち霞む三蓋松（さんがいまつ）の空にして尾長は喚ぶかその尾ひらめく　北原　白秋

春山の松に群れ来る尾の長き空色の鳥といふがめでたし　北原　白秋

待ちわびし雨の一日を尾長来て唐変木をゆるがして去る　吉田　正俊

尾を張りて花盗人はきえつと啼くいまいましいが一つ銜へて　福田たの子

わが庭に高くなりにし楓まで竹群を越え来たる尾長ら　近藤とし子

鴉らより尾長らひくく集団の動きを見せて木を移りゆく　石井　利明

おにひとで〔鬼海星（おにひとで）〕 ヒトデの一品種。紀伊半島や四国南端、南西諸島以南に広く分布し、直径40センチに達する大形種。腕も十三〜十四本内外あり、2〜3センチの鋭い有毒なとげにおおわれる。珊瑚礁のイシサンゴ類を食害する。↓ひとで

鬼ひとで赤き珊瑚を食むといふ食（を）しもの拉（ひし）ぐをとめのひかり　馬場あき子

おにやんま〔鬼蜻蜓（おにやんま）〕 オニヤンマ科。夏の日中に平地や山地の上空を往復して飛ぶ。日本最大のトンボで体長11センチに達する。体は黒色で、首に緑黄色の横縞があり、胸・腹部は黒と黄の虎斑になっている。男の子には尊敬の的であり見ただけで興奮したトンボである。幼虫（ヤゴ）は流れの砂泥底にすみ、他の昆虫を食べて、成虫まで数年過ごす。↓蜻蛉（とんぼ）　蜻蜓（やんま）

幾度も部屋に入りくる鬼やんま空中静止の彼と見つめあふ　石川不二子

原爆忌油にひたしたるごとき翅かがやかし鬼やんま過ぐ　杜沢光一郎

飛びゆきてまた直線に戻りくる鬼やんま彼の使徒らそして吾子たち　安森　敏隆

おはぐろとんぼ〔御歯黒蜻蛉〕

カワトンボ科。ふつうオハグロトンボというがハグロトンボが正しい名である。北海道を除く日本各地に夏の間、平地の水辺でよく見られる。体長5.5センチ、翅は黒色、体は黒褐色で、腹部は細く、雄は金緑色で美しい。燈心トンボともいう。黒い翅をゆるやかにはばたかせて、のんびり飛び、静止のときには翅を合わせて直立させる。翅が黒いので御歯黒蜻蛉、鉄漿蜻蛉とも書く。→燈心とんぼ

おはぐろがたゝめる翅ををり／＼にさし開きては息づくらむか　宇都野　研

ぬばたまの黒翅蜻蛉は水の上母に見えねば告ぐることなし　斎藤　史

水清き湖に一縷の橋架けて彼岸恋しきおはぐろ蜻蛉　安永　蕗子

おんぶばった〔負んぶ飛蝗〕

直翅目バッタ科の昆虫。七〜十月、野原でふつうによく見られる全身緑色のバッタ。大きいバッタが小さなバッタを背にのせているので親子と思うがそうではない。大きな雌が小さな雄を背負っているのである。交尾の際の行為というが、羽ののびない幼虫時代にものるという。→飛蝗

オンブバッタを追えば離れて草に消ゆ運命という光のさして　花山多佳子

炎天にチカリと夏陽　音もなくバッタの上にバッタゐるなり　小島ゆかり

か〔蚊〕

双翅目カ科に属する昆虫。おもに夏の夕方から夜間活動し、ふつう雌だけが吸血する。イエカは体が黄茶〜赤茶色。ハマダラカは翅に黒白の斑紋があり、マラリアの病原菌を媒介するので有名。小形赤イエカは体が暗赤褐色で日本脳炎を媒介するので有名。かつては蚊遣火を焚いたり、蚊帳を吊って防いだ。現在薬剤散布のため幼虫（ボウフラ）発生時に死滅することが多いが、蚊取線香は夏の夜には欠かせない。→秋の蚊　蚊柱　春の蚊　ぼうふら

藪蚊

うつらうつら髪を刈らせて眠り居る足をつれなく蚊の螫しにけり　長塚　節

ほころびを縫はざる妻を毒づきてあけ近き蚊幮に蚊を焼殺り居り　土屋　文明

宵闇の蚊の鳴きいづるひとしきり心はむなし庭に立ちつつ　吉田　正俊

近づける一つ蚊の声雨の夜の闇が生めりと思ふかそけさ　山本　友一

いつまでも痒くてならず唸り蚊のくらます行方見うしないつつ　片山恵美子

その思想なぜに主義とは為さざるや酔いたる歴に蚊打ちしおと　寺山　修司

はえぎはのすこし白めるなきがらの髪にまつはる蚊を手に払ふ　御供　平佶

が〔蛾〕　鱗翅目ガ亜目に属する昆虫の総称。日本に約五千種を産する。おもに夏の夜に活動し、よく灯火にくる。なかには蝶のように美しいものもあるが、醜いものもある。蛾は触角が糸状、くし状、枝状をなして、蝶のように先端は膨大しない。蛾は夜間活動することが多く、蝶は昼間活動する。静止するとき蛾は翅を広げ、蝶は翅を閉じる違いがある。幼虫は青虫、毛虫、芋虫で大部分は植物の葉や茎を食べ、農林業の害虫も多い。しかしカイコガのような益虫もある。多くの種類は繭を作り蛹化する。鱗粉は有害と信じられているが無害である。↓蚕蛾　雀蛾

脱皮してやがて孕みて羽ばたきの期に入りゆく蛾ぞ羨しけれ　若山喜志子

夜の教室にひとつ狂へる秋の蛾を講義の倦めるもの瞳に追ふ　木俣　修

山の濃霧厚きなかより飛べる蛾は色赤くして濃霧にかくれつ　真鍋美恵子

火蛾のむれガラスの外に静まりて長きとき経つ月蝕の夜の　近藤　芳美

生ける蛾をこめて捨てたる紙つぶて花の形に朝ひらきをり　森岡　貞香

常臥しの母の枕辺ひと夜さに命終はりし蛾を掃き捨てぬ　川合千鶴子

書の上に冬蛾つぶせば金色にひかりてさびし指先の渦　鈴木　諄三

をさな子の睡りをめぐる純白の蛾のひとつがひわれが殺しき　　小池　光

柿の朱を吸ひをはりたる蛾と見つつその文様をはつか哀しむ　　水原　紫苑

かい〔貝〕　巻貝、二枚貝などの軟体動物の総称。巻貝の貝殻は普通らせん状に巻いており、また笠形のもの、消失したものもある。サザエ、タニシ、アワビ、トコブシなどが主なものである。二枚貝は二枚の貝殻をもつもので、ハマグリ、アサリ、カラスガイ、カキ、シジミなどが主なものである。フランスの詩人ジャン・コクトーは「私の耳は貝のから／海の響きをなつかしむ」（堀口大学訳）という二行詩で、耳は貝殻であると比喩した。↓あさり　あわび、かき、さざえ、しじみ、たにし、とこぶし、はまぐり

大海の底に沈みて静かにも耳澄ましゐる貝のあるべし　　窪田　空穂

昨日食ししむらさきの貝　わが掌よりひらりと発ちたる青しじみ蝶　　原田　汀子

桃色の貝の死にゆく時間見ゆよごれつつ沖に攫はれはじむ　　河野　愛子

巻貝のちひさき洞の仄明し机のうへに三つ寄り合ふ　　山形　裕子

億年の耳石といへる貝のこと海べの夕に思ひてゐたり　　辺見じゅん

フルートの曲は聞こえて、生きて今わが舌の上に死ぬ貝の肉　　佐佐木幸綱

わが素足春の潮になじませて太古の女の如く貝掘る　　川合　雅世

かいこ〔蚕〕　カイコガの幼虫。野生のクワゴ（桑蚕または野蚕）を古代中国で絹糸をとるため改良したもので、日本へは三世紀ごろ伝来したといわれる。カイコは飼い蚕の意という。年間三回ほどカイコは飼育され、孵化したての毛蚕に初めて桑の葉を与える時期により、春蚕、夏蚕、秋蚕と呼び、ふつう蚕といえば春蚕をさす。幼虫は60ミリ内外、孵化直後は黒色で、桑の葉を食べて白色となり、四回脱皮したあと絹糸を出して繭を作る。成虫は（カイコガ）は乳白色で翅はあるが飛べない。蚕ともいう。↓秋蚕　夏蚕　繭　山蚕

寝に籠る玻璃戸に月の青ければ繭をいとなむ蚕かう

たり　　　　　　　　　　　　　　顕田島一二郎

身を透かし蚕は糸を吐きつづく本能といふも憤怒のごとし　　　　　　　　　　　　　　小川八重子

かいこが〔蚕蛾（かひこが）〕

カイコガ科の蛾。体も翅も乳白色で、翅に淡褐色の斑紋がある。開張約4センチ。翅があっても飛べない。また口がなく、食物をとれないので、交尾、産卵後すぐに死んでしまう。↓蛾　蚕

おびただしき蛾の目くれなゐにきらめけば蚕（こ）の村落（むら）朝の結界はあり　　　　　林　市江

かいつぶり

カイツブリ科の鳥。湖沼や流れのゆるやかな川にすみ、都会の静かな池にも繁殖している。留鳥だが特に冬の池沼で眼につく。体の後ろはしについている弁足（べんそく）で水を蹴ってたくみに潜り、小魚を捕食する。キリキリキリと鳴く。鳰（にお）、モグリともいう。水上に水草を積んで作った巣は鳰の浮巣として有名。琵琶湖に多く、古歌、俳諧に詠まれている。↓鳰

かいつぶりの頭ばかりが浮きてをり黒くちひさくをりをり動き　　　　　若山　牧水

二人ゐて何にさびしき湖（うみ）の奥にかいつぶり鳴くと言ひ出づるはや　　　　　高安　国世

かいつぶり頭（かうべ）小さく現るる冬の波紋の原点として　　　　　安永　蕗子

胸分けに水尾（みお）引き来たりずんぶりとなるかいつぶり驚破（すわ）一大事　　　　　石田比呂志

水草の嫩（わか）きを引きて滑りゆくかいつぶりをり朝の塘（つつみ）に　　　　　来嶋　靖生

かいめん〔海綿（かいめん）〕

海綿動物の総称。多細胞動物のうちで最も下等といわれる。繊維状の体壁に無数の小孔があり、吸水性が大きい。地中海産のものが最も良質といわれる。化粧・浴用などに用いられる。

しっとりと／水を吸ひたる海綿の／重さに似たる心地おぼゆる　　　　　石川　啄木

妻とわれと出で来しナポリの坂の街うすくらき店に海綿を買ふ　　　　　佐藤佐太郎

かえる〔蛙（かへる）〕

両生綱無尾目の総称。蛙の子のオタマジャクシは尾をもつが変態後には消失し、後肢が特に発達して、陸上での跳躍力と

水中での遊泳力がすぐれる。皮膚は常に湿っており、呼吸は肺と皮膚で行う。春の繁殖期に雄は盛んに鳴く。種類が多く、主なものは青蛙、雨蛙、河鹿、殿様蛙、蟇蛙などがある。古名を蛙(かわず)と呼ぶ。→青蛙　雨蛙　牛蛙　河鹿　蛙(かわず)　蟇蛙（蝦蟇(がま)　谷蟇(たにぐく)）

一つ呼べば一つ応(こた)へてつひにみな月の夜蛙なきたちにけり　尾上　柴舟

ここに聴く遠き蛙の幼などゑころころと聴けばころころと聴こゆ　北原　白秋

峡(はざま)より空にひびきて鳴く蛙信濃の家に来り寝る夜を　五味　保義

春の蛙のまだほつそりと水に泛きうすき水掻きもあけひろげたり　斎藤　史

病室の窓に見下す水田より夜は幼き蛙の声す　扇畑　利枝

土掘れば蛙出で来ぬやすやすと生きて来りし鼓動のみえて　島田　修二

干からびてあまた死せりきかつがつに蛙となりて跳べるものらよ　石川不二子

子蛙ののどひくひくとふるふさへ雨足る国ぞこをろこをろ　日高　尭子

ががんぼ〔大蚊(ががんぼ)〕

双翅目カガンボ科の昆虫。カガンボという。蚊に似ているが、はるかに大形で、長い肢はもげやすい。夏の夕方に襖や障子を狂ったように打っている姿がよく見られる。蚊の姥(うば)ともいわれるが血を吸わない。蚊蜻蛉の別名がある。

灯あかりにひとつ来ていし蚊とんぼが今朝は畳の上に息なし　石田比呂志

かき〔牡蠣(かき)〕

イタボガキ科の二枚貝の総称。日本近海に約二五種類あり、なかでもマガキは古くから食用にされ、身は乳白色で、滋養があり、酢ガキ、カキ鍋などに美味、冬季が旬である。現在は養殖により、主産地は広島、宮城などであるが、養殖場に注ぐ川に栄養分がないので、漁民が山に植林している。→貝

こゝろよき飢をそそりて新らしき牡蠣ぞにほへる初秋のあさ　前田　夕暮

乳白にかたまり合へる牡蠣の身に柑橘のするどき酸を搾りぬ　葛原　妙子

着ぶくれて牡蠣を割りゐる媼ありゆふかげ寒き冬の石の上　岡部　文夫

掌に殻牡蠣のせて当つる刃を危ぶみ見つつ手はわが出さず　千代　国一

悦びの如く冬藻に巻かれつつ牡蠣は棘（とげ）を養ひをらむ　中城ふみ子

生牡蠣（なまがき）の舌につめたき春の夜と埃及（エジプト）の絵の奴隷を愛す　塚本　邦雄

不定形の牡蠣が厨房（くりや）ににほひつつすこし風ありいま誰の死後　滝沢　亘

花のごとく開くいくひら酢の中に牡蠣死なしめて一人の夕餉　富小路禎子

養殖の牡蠣うまかれと海びとは川の源に木を植うるとぞ　前　登志夫

冬海に光の粒のきらめける午後遠く来て香る牡蠣食む　尾崎左永子

殻固くその身縮めて如月の月照る海に牡蠣眠りいむ　石田比呂志

如月（きさらぎ）の牡蠣打ち割れば定型を持たざるものの肉やわらかき　道浦母都子

かぎゅう〔蝸牛（くわぎう）〕

かたつむり、でんでんむしと呼ばれ親しまれている陸生巻貝。湿気を好み、梅雨のころ紫陽花の葉などによく見かける。↓かたつむり　ででむし　まいまいつぶろ

白き人間まづ自らが滅びなば蝸牛幾億這ひゆくらむか　土屋　文明

秋雨はゆふべに晴れて石にゐる蝸牛の殻のすきとほるとき　前川佐美雄

情とげし蝸牛二つが別れゆく石に音なき雨はれゆけり　千代　国一

菊花展さかりの花に封じたるなみだならずや暁（あけ）の蝸牛は　高嶋　健一

かけ〔鶏（かけ）〕

にわとりの古名。他にも、かけろ、くだかけ、庭つ鳥なども呼んだ。かけ、かけろの名は鳴き声の擬声によるという。庭つ鳥は庭に飼われる鳥、また枕詞として、かけに掛けて用いられた。↓くだかけ　鶏（とり）　にわとり

現身（うつしみ）の白の鶏（かけろ）が今朝産みし暖（ぬく）き卵をひとつ割りたり　北原　白秋

庭つ鳥かけのひよこは愛（かな）しけれ親をはなれず麦生の

うへに　尾上篤二郎

しろたへのわが鶏にやる春の日の餌には交れり菜の花の黄も　岡本かの子

かけす〔懸巣〕　カラス科の鳥。九州以北の山地の林で繁殖し、冬は暖地に移るものもある。樹の枝の上に皿形の巣を掛けるのでこの名がある。また、カシの実を好むため樫鳥の別名もある。体長33センチ、雨覆いに藍・黒・白の美しい模様があり、山道で一枚拾えば宝物のような気持ちになる。他の鳥や猫の鳴きまねをするので惑わされるが、ジェージェーと大声で鳴く。繁殖地により少しずつ色彩が異なり、北海道のミヤマカケスは頭が赤褐色。奄美大島と徳之島特産のルリカケスは腹と背が赤褐色で頭と翼が濃い紫藍色。佐渡カケス、日向カケスなどもある。

→樫鳥

雪なかの堆肥にあさる懸巣二羽係蹄に捕られて二日生きゐし　結城哀草果

懸巣鳥何しかまぬる声消えて静かかかりけり雪に照る富士　穂積　忠

時の間は塡むるほかなし鳴きたてるカケスの雛と水あさぎ空　内田　紀満

かげろう〔蜉蝣〕　カゲロウ目に属する昆虫の総称。小形種ばかりで体長1.5センチをこす種類は少ない。体は軟弱で長い尾をもち、透明な翅を背中に立てている。後肢は著しく短い。成虫は口器が退化して採食できず、羽化して卵を産むと数時間で死ぬものが多い。そのため短命ではかないもののたとえとされる。しかし幼虫期間を水中で数年過ごす種類が少なくない。夏～初秋にカゲロウの群が水面を狂ったように乱舞しているのは生殖のためで、その上下に飛ぶ様子は陽炎のように見えるので、この名があるという。

ながらへば恥こそつもれかげろふの虫のいのちの羨しきろかも　吉井　勇

夜夜に灯にくるものをたのしめり今夜蜉蝣の数おびただし　岡部　文夫

塵取りに朝掃かれしかげろふははたはたと羽振りて三和土に落ちぬ　宮　柊二

水に卵うむ蜉蝣よわれにまだ悪なさむための半生がある　塚本　邦雄

かげろふは折口信夫　うす翅をわが二の腕にふれて
　雨聴く　　　　　　　　　　　　　　穂積　生萩
蜉蝣のやうな下着を飾る店羽化をねがひて少女が群
るる　　　　　　　　　　　　　　　　富小路禎子
あけ放つ障子にひそむ蜉蝣のかかる生きざまを透か
しみるかな　　　　　　　　　　　　　大竹　蓉子

かさご〔笠子〕

カサゴ科の魚。北海道以南の沿岸岩礁にすみ、卵胎生で冬から春に出産する。体長30センチ余、体は暗褐色から赤色までさまざま、複雑な斑紋があり、深い所に棲息するものほど赤味が強い。背鰭臂鰭の棘は強い。味がよいので釣人に喜ばれる。

頭ばかりでかきはカサゴの哀しみに空揚げとなり宴
　席に出づ　　　　　　　　　　　　　大坂　泰

かささぎ〔鵲〕

カラス科の鳥。日本では佐賀平野を中心に北九州にのみすむ。天然記念物。元来日本原産でなく、一六世紀に朝鮮から輸入されたものと思われる。ヨーロッパでは縁起のよい鳥として親しまれ、また光るものを集める習性があるため泥棒カササギの名で民話や音楽に登場する。全長45センチ、腹と肩が白色で体色は光沢のある黒緑。尾は長い。雑食性。高い木の枝上に枯木で大きな巣を作り、電柱にも巣をかけるので、九州では電柱の一番上に台を取りつけて営巣できるようにしている。二〜五月ごろ5〜6個卵を産む。カシャカシャカシャという鳴き声がこの名の由来といわれる。

みささぎのうへに年ふる楡の樹に鵲来鳴くひとつか
ささぎ　　　　　　　　　　　　　　　斎藤　茂吉
鵲が来て鳴くときにやや離れ続きてなけりとはのな
からひ　　　　　　　　　　　　　　　二宮　冬鳥
鵲の瑠璃黒の羽の光るゆえ山の気とみに冷えまさる
なり　　　　　　　　　　　　　　　　加藤　克巳
つややかな漆黒の羽根一枚を落せる鵲いづこへ去り
し　　　　　　　　　　　　　　　　　宮　英子
静まりし昼の漁港にかささぎのつと魚捕りて食むを
みており　　　　　　　　　　　　　　下村　道子

かじか〔鰍〕

カジカ科の淡水魚。本州、四国と九州北西部に分布し、水の澄んだ瀬の底にすみ、おもに昆虫の幼虫を食べる。全長11センチ、背は灰色または褐色で、暗褐色の斑紋がある。

産卵期一～四月。カジカ科の魚は多く、福井県九頭竜川名物のカマキリはアラレガコ、杜父魚（かくぶつ）などと呼ばれ、稚魚は海に下り、少し成長すると再び川をさかのぼる。美味。↓ごり

男の児魚藍（びく）のかじかをつまみあげわれに見せけりものもいはずに　岡　麓

鰍らは清きまさごを飲みけらし嚙みつつをれば歯にさやる音　半田　良平

かじか〔河鹿（かじか）〕

アマガエル科の河鹿蛙のこと。本州、四国、九州の特産で、山間の渓流にすむ。体長3～7センチで雌が大きい。暗灰褐色に黒褐色の斑紋がある。四肢の各指の吸盤が発達している。古来雄の美しい鳴き声が喜ばれ、飼育される。六～八月に石の下に産卵し、初夏から初秋までヒョロヒョロヒヒヒヒと美しい豊かな声で鳴く。岡山県湯原町などでは天然記念物。↓蛙

石むらに鳴きいづる河鹿鈴の如（ごと）嵐ののちの谷は夜となる　五味　保義

胸痛むまでに嘆きし忿（いかり）さへ流せ流せと河鹿なきつぐ　大岡　博

えぞはるぜみ河鹿と一つこゑとなるぶなの下生（したふ）の笹の細道　小市巳世司

耳底に河鹿を飼ひて時じくにその鳴くを聴くあかとき今も　米田　律子

かしどり〔樫鳥（かしどり）〕

カラス科の鳥の懸巣（かけす）の別名。カシの実を好み、木のほら穴や土中に、どんぐりを隠す習性があるので有名である。↓懸巣

かし鳥は声しきりうたふ人間の胸にあまれる嘆はも知らず　佐佐木信綱

かし鳥の来鳴くといふはここにゐて今日もわがきく懸巣（かけす）のことか　岡　麓

樫鳥のつばさ美し庭さきの青樫のあひをしばしばも飛ぶ　若山　牧水

かたくちいわし〔片口鰯（かたくちいわし）〕

カタクチイワシ科の魚。本州太平洋岸に多い。小形で全長15センチ、下顎が上顎よりかなり短い。近海で殆ど一年中産卵する。鮮魚を食用、また田作（たつくり）、煮干、カツオの生餌などにする。稚魚はしらす干の原料。背黒（せぐろ）鰯、シコ、ヒシコ、タレクチなどの

地方名がある。→鰯　白子(しらす)　縮緬雑魚

小鰯を簀(す)の子(こ)に干してひろき庭町は雑音のなき真昼なり　松村　英一

海の色とどむるゆゑに小鰯の光るを買ひて風の街帰る　尾崎左永子

かたつむり〔蝸牛(かたつむり)〕

陸生巻貝。梅雨のころ草や木に這いあがり、螺旋形の殻から、粘液でうるおう体に二対の触角を屈伸させる。背負っている殻は右巻きが多く、雌雄同体。雨露をなめ若葉や野菜などを食べる。乾燥すると体を殻の中にちぢめ、殻口に薄い膜を張る。蝸牛(かぎゅう)、ででむし、でんでんむし、まいまいつぶろともいう。→エスカルゴ

蝸牛(かぎゅう)　ででむし　まいまいつぶろ

みづからをひきいだしたる蝸牛のうねりやまざるまひるまありき　森岡　貞香

曇りより差す日は淡し砂の上を透きつつ一つ蝸牛歩む　扇畑　利枝

かたつむりしんねり冷えて竹を這ふ一つぶの小さき意志のしづかさ　馬場あき子

時こそは死までの距離のあかるさに角(つの)振りすすめ、やよ、かたつむり　岡井　隆

あぢさゐの葉を地平としかたつむり雨濛(くら)き日を醒めてゐにけり　高野　公彦

かたつむりつがひは枝に光ひきて喃語喃語のやうに歩むも　佐藤　通雅

父の日の父なきわれの前にきてゆるりと歩む大かたつむり　影山　一男

かたつむりはつめたき夏の舌ならんまひる密なるしづけさのなか　小島ゆかり

がちゃがちゃ

直翅目キリギリス科の昆虫のクツワムシのこと。八〜十一月まで秋の夜長を、低音でガシャガシャガシャガシャと鳴く。その鳴き声よりこの俗称がある。→轡虫(くつわむし)

がちやがちやの声のかくまでさびしきを思ひて床(とこ)に眼(まなこ)をつぶる　柴生田　稔

がちょう〔鵞鳥(がてう)〕

ガンから作り出された家禽(かきん)。形はガンに似るが体は大きく、肥満している。飛ぶ力は全くなく、水かきが発達し、よく泳ぐ。体はアヒルより大きく、体色は灰褐色または白色。肉用、羽毛用、愛がん用として飼われる。

清冽な朝いっせいに鵞鳥らは命のかぎりの羽ばたきをする　加藤　克巳

とねりこの茂みの側の小さき橋鵞鳥もわたるわれも渡る　中城ふみ子

かつお〔鰹(かつを)〕 カツオ科の魚。太平洋側に多く、三〜四月頃から黒潮に乗って回遊する。体は全長1メートルに達する紡錘形、背は暗青色、腹は銀白色。遊泳力が強く、時速45キロ以上といわれる。カツオ釣船により一本釣りで獲る。伊豆、鎌倉の海を過ぎるのが青葉の頃でこれを初鰹として江戸っ子は賞味した。たたき、刺身、また鰹節、なまり節、塩辛にする。

わが村の田植節季となりにけり鰹売等のけふも来りぬ　吉植　庄亮

したたかにわれに喰(くは)せよ名にし負ふ熊野が浦はいま鰹時(どき)　若山　牧水

今ははやとぼしき銭のことも思はずいつしんに喰へこれの鰹を　若山　牧水

あきらかに地球の裏の海戦をわれはたのしむ初鰹食ひ　小池　光

かっこう〔郭公(くわくこう)〕 ホトトギス科の鳥。日本には夏鳥として渡来し、北海道、本州、四国で繁殖し、冬になると南方へ帰る。全長35センチ。背は灰青色、尾は長く暗色で白斑が並ぶ。カッコーカッコーという鳴き声で、世界中この名がある。平地から山地にかけての葦原や草原、カラマツ林など明るい所にすみ、蛾の幼虫を好んで捕食する。自分で巣を作らずオオヨシキリ、ホオジロ、モズなどに托卵し、雛を育てさせる。芭蕉の「うき我をさびしがらせよかんこ鳥」の閑古鳥は郭公のことをいう。

郭公の啼くこゑ近しちちのみの父のへに居て飯食ふ我は　島木　赤彦

またきけばところをかへぬ沼多きこの水の村の郭公のこゑ　岡部　文夫

郭公の声ひとしきり高まりて杜(もり)より朝の雨上るらし　片野　静雄

ゆふかげを四方にしづめて呼びかはすこの世のそらの郭公のこゑ　坂田　信雄

田の畦を塗るべくなりて朝毎に郭公鳥の啼き交はす声　千代　国一

池戸(いけんど)の山の草刈るエンジンの音のあひまに郭公は鳴く　中嶋　庸喜

湯の湖(うみ)の沖に木ぶかき島ありて郭公の声そこよりおこる　岡野　弘彦

泥濘(ぬかるみ)を踏みて行くときほがらけくいづべにかする郭公のこゑ　玉城　徹

郭公のこゑわたるこの山峡(やまかひ)に思ひ馳すのみ人は杳(はる)けし　岸田　典子

くわくこうの声とどまれよ万緑の野に夕映ゆる村暮るるまで　前　登志夫

郭公は十日ほどゐて去りぬらし松の花咲くころ空濁る　石川不二子

かと〔蝌蚪(くわと)〕　おたまじゃくし、蛙の子をいう。もっぱら現代俳人が春の季語として用いている。中国の上代にはまだ筆が使われず、竹簡に漆の汁をつけて文字を書いたため、文字の頭が大きくて尾が小さく、お玉杓子に似ているのでこの名があるという。→お玉杓子

水中に蝌蚪くろぐろとうごきゐてわが心知らずみな歓喜せり　前川佐美雄

水面に蝌蚪はつむりをふりたてて光またたき止むときもなく　片山　貞美

蝌蚪群るる水さしのぞく幼子よとほき日わが辺にありたる者か　雨宮　雅子

地の上は五月の朝のひかり満ち窪み浅きに蝌蚪しづめたり　高嶋　健一

尾をひとつ持ちて動ける蝌蚪の群れ逃げゆくのみの一世もあらん　玉井　清弘

池波の幽かにひかるひとところ蝌蚪はいのちを蹴りて游げる　下村　光男

うじやうじやと生きゐることが力なり蝌蚪どもの頭混沌と黒　河野　裕子

かなかな　セミ科の蜩(ひぐらし)をいう。日の出前と日没時、くもり日には昼にもカナカナ……と哀調を含んで鳴くのでこの名がある。竹笛で芝居の擬音効果に使われる。→秋蟬(しゅうせん)　蟬　蜩(ひぐらし)

午前四時過ぎたるときにあな寂し茅蜩(かなかな)のこゑはじめて聞こゆ　斎藤　茂吉

ひえびえと朝霧こもる奥処(おくが)にて銀鈴のひびき一つかなかな　坪野　哲久

彼はたれかカナカナといふそのこゑを亡き数のなかに入れてかぞへよ　森岡　貞香

ややありて少し遠くに移り鳴く声は同じき一つカナカナ　小市巳世司

かなかなの夕べ澄みゆく声一つききて立つとき不意に父なし　高嶋　健一

雷雲のへりの明るむ空の下いづくの森かかなかなかなかな　松坂　弘

ひら仮名のかなかな啼かせ幼年のかはたれどきの海彦いづこ　辺見じゅん

うちつけにこの世をひらく暁のかなかなのこゑ織き虹いろ　藤井　常世

水位徐徐に上がれるごとし黄昏れて四囲にみち来るかなかなのこゑ　河野　裕子

水の裏よりかなかな鳴けるピアニシモ　夏逝くときのうひとに告げにし　永田　和宏

かなぶん〔金(かな)ぶん〕　コガネムシ科の甲虫。体長25ミリ内外、七～八月に現れ、昼間活動し、樹液や熟した果実に集まる。エナメル光沢のある茶色か青銅色、ときに緑色や紫青色の体色をしている。近縁に黒いクロカナブン、鮮緑色のアオカナブンがある。またよく灯火にくるドウガネブイブイなどを俗にカナブンというが、カナブンは灯火にこない。カナブンブンともいう。↓甲虫　黄金虫

たかをくくり我をめぐれる金ぶんぶん運わるく出来てゐる如く落つ　福田　栄一

悲しみを窺ふごとも青銅(せいどう)色のかなぶん一つ夜半に来てをり　宮　柊二

ここにゐて死ぬまで遊べかなぶんのぶるぶるとゐるに糸をつなげり　森岡　貞香

さ夜ふけて網戸に来たるカナブンのその腹と足を内より撫づる　安田　純生

カナリア〔金糸雀(かなりあ)〕　アトリ科の鳥。野生種はアフリカ北西方のカナリア、マデイラ、アゾレス各諸島の原産で、一四世紀ごろスペイン人により初めて飼育され、姿と鳴き声が美しいので飼い鳥として多くの品種が作り出されている。さえずりを主として改良されたローラーカナリア、色を賞美する赤色のレッドカナリア、体形をめでる巻毛カナリア、細カナリアなどが有名である。

カナリヤの囀(さへづ)り高し鳥彼れも人わが如く晴れを喜ぶ　正岡　子規

カナリヤがふたたび腐卵抱けどもかがやく青菜われはととのふ　生方たつゑ

凍りたるわが神経の上に来て朱(あか)いカナリヤがとまる位置あり　斎藤　史

かそかなる怒りを妻にいだく日は病むカナリヤを窓の上に置く　近藤　芳美

サティアンと呼ばるる建物の毒の有無試すと籠のカナリアのいのち　橋本　喜典

非常なる拒絶もあらむ銀行の窓口に吊されて朱きカナリヤ　蒔田さくら子

百貨店にカナリア連れて妹がにくしみを選るわが誕生日　荻原　裕幸

かに〔蟹(かに)〕

甲殻綱短尾類の総称。頭胸部と腹部からなるが、腹部は縮小して筋肉も退化している。胸脚は五対で、第一胸脚ははさみになり、採食、防御、攻撃などに役立つ。甲をもち、大部分の蟹は横ばいをする。沢蟹は純淡水産、弁慶蟹は陸上生活に移りつつあり、高足蟹は世界最大の日本特産種である。ズワイガニ、毛蟹、タラバガニは水産資源として重要である。↓毛蟹　高足蟹　タラバガニ　沢蟹　松葉蟹

白砂に穴掘る小蟹ささ走り千鳥も走り秋の風吹く　若山　牧水

庖丁をさばくわが手にふるさとの海の香ちらすこの蟹あはれ　林　光雄

しぐれ降る暗き海よりあげられてひかりを放つ青き蟹見つ　前川佐美雄

蟹の肉せせり啖(くら)へばあこがるる生れし能登の冬潮の底　坪野　哲久

海底に嵐の気ありさわさわとみどりの爪をもつ蟹のむれ　葛原　妙子

歩みつつ渚の砂にまぎれ散る小蟹を掬ういのち透くものを　近藤　芳美

かすかなる冬の愁いはふるさとの泥の干潟に日を拝む蟹　岡部桂一郎

蟹味噌を吸ひて汚しし唇にものいふことは宥したまはな　川島喜代詩

もがるべき脚をそろえている蟹に隣りて卓の白き女

の手　　　　佐佐木幸綱
べきべきと折る蟹の脚よもののふが甲冑を飾るここ
ろ淋しむ　　　小池　光
髪撫でるいやな男の指五本やがてほきほきわれは蟹
折る　　　松平　盟子

かねたたき〔鉦叩(かねたたき)〕

直翅目コオロギ科の昆虫。関東以西の暖地に多く、八～十月に庭木の茂みなどより、チンチンチンと可憐な声が聞こえる。体長1センチ内外で灰褐色。雄の翅は短く黒褐色だが雌には翅がない。姿は滅多に見られない。

鉦たたきほろびるまへの鉦たたき調子みだれて一夜(ひとよ)
をあかず　　坪野　哲久
鉦叩澄むころ聴けば蟋蟀(こほろぎ)のなかにまじりてひとりな
るらし　　安田　章生
長き夜を来て鉦叩け秋の虫老いて父あることもたの
もし　　馬場あき子

かば〔河馬(かば)〕

偶蹄(ぐうてい)目カバ科。サハラ以南のアフリカに分布し、日中は水の中で過ごし、夜陸に上がって草を食べる。体長4.2メートル、肩高1.5メートル、体重2～3トン。頭部が不均衡に大きく、口吻も大きい。四肢は短く、おのおのに四指を有し、指は全部地につく。一腹一子、水中で生まれた子はただちに泳ぎ、乳も水中で飲む。皮膚から赤色の粘液を分秘するので、血の汗を出すといわれる。

河馬の子と生れきたりて怪しまじ親と並べる河馬の
子の顔　　橋本　徳寿
うち揺れつつ塵芥(ごみ)まぜかへす濁り水河馬は沈みゐて
そこと知れず　　野村　清
ひる時となりたるらんか巨き河馬水もろともに陸に
上り来　　武田　弘之
河馬に罰下る日なけん逆説は口腔赤き欠伸(あくび)の深さ
　　佐佐木幸綱
水辺より上がりしばかりの河馬一頭どた靴のやうに
陽を浴びてゐる　　井辻　朱実

かばしら〔蚊柱(かばしら)〕

夏の夕方、軒下などに蚊が群がって柱のように見えるもの。群がって飛ぶのは雄でそこへ雌がとび込んで交尾する。
↓蚊

軒の端(は)に立てる蚊ばしら水打てば松の木(こ)ぬれにたち

移るかも　伊藤左千夫

児が泣けば母も泣きたき此家の淋しき軒をめぐれる蚊柱　今井　邦子

をちこちのうすらあかりに蚊柱のくづるる庭のあぢさゐの花　村野　次郎

ながらへて仰ぐに薄き昼月のいましばらくの蚊柱が立つ　斎藤　史

人隠す国とぞ熊野ゆきゆきて青き蚊柱茫と添ひくる　春日真木子

かぶとがに〔兜蟹（かぶとがに）〕

節足動物剣尾類。雌は全長60センチ、雄はやや小さい。頭と胸と背は大きな堅い甲でおおわれ、長い剣状の尾をもち、うちわのような形をしている。クモの近縁で、第一齢の幼生は三葉虫によく似ている。世界に三属五種類現存し、生きた化石として有名。日本では瀬戸内海と九州北岸にだけ分布し、岡山県笠岡市のものは天然記念物。ドンガメ、ウンキュウなどともいう。

月の夜のカブトガニこそ親しけれ電子レンジの皿は廻りて　鳴海　宥

かぶとむし〔兜虫（かぶとむし）・甲虫（かぶとむし）〕

コガネムシ科の甲虫。北海道以外の各地に分布し、幼虫は腐植土中などにすみ、そのまま越冬する。六～八月羽化した成虫はクヌギなどの樹液を吸って生きる。体長3.5～5.5センチ、雄には頭上にかぶとに似たY字形の突起があり、体は黒褐色で光沢のある装甲をしている。雌は突起がなく、体一面細毛におおわれ光沢がない。そのため雄は子供に人気がある。クヌギ、ナラ、サイカチの樹液を吸うため集まるのでサイカチ虫の名もある。↓甲虫（こうちゅう）

頭ついて逆（さか）さに這（は）ひゐる六月のこの甲虫があはれでならぬなり　前川佐美雄

カブト虫白糸長く翔ばせいる無残を知らぬ幼き声に　武川　忠一

吹きしきる夜風の中をかぶと虫飛び来りけりわれのかたへに　玉城　徹

かぶと虫甕より出でておもむろにおのが値札を這ひのぼりゆく　伊藤　雅子

甲虫の叛乱、腰に繋がれし糸もつれ合う論理のごとく　岡井　隆

かぶと虫の糸張るつかのまよみがえる父の瞼は二重なりしや　寺山　修司

がま〔蝦蟇・蝦蟆〕 両生類ヒキガエル科。ガマはヒキガエルの別名である。↓谷蟇　蟇　蟇蛙

道の幅渡りえざりし大蝦蟇はその量感を天空にさらす　佐藤　通雅

かまきり〔蟷螂・鎌切〕 直翅目カマキリ科の昆虫の総称。日本には一一種あり、大蟷螂が各地に多い。緑色と褐色の体をしたものがあり、前肢が鎌状に変化しており、他の昆虫を捕食するのに適し、貪食で蛙やトカゲまで食べ、交尾中の雌が雄を食べることはよく知られる。秋に産卵する。卵は麸に似た卵莢に包まれて越冬し、春にいっせいに孵る。漢語で蟷螂という。↓蟷螂

うつせみのわが息息を見るものは窗にのぼれる蟷螂ひとつ　斎藤　茂吉

児がみんな庭に出てくると蟷螂はかまをかざして草によろけつ　生田　蝶介

萩の花に飛び移りたる鎌切はみだれてうすき羽根をたたみぬ　松田　常憲

捕へたる蜘蛛をかまきりは食はんとす優位なるものの身の美しく　真鍋美恵子

くびれたる胴動かざる蟷螂の産卵無数の死を産むごとし　高安　国世

この夕べかまきりの子は幾匹も屋上園の芝に生れ居き　近藤　芳美

かまきりの卵の膠かわきつつ冬、不信もてつながるわれら　塚本　邦雄

老い朽ちて蟷螂一つ記念碑のごとくもぞゐる庭芝の上に　玉城　徹

苔の香が今日はひときはさびしくて雨をみてゐる青いかまきり　馬場あき子

カマキリの子はカマキリのかたちして今いっせいの初めの一歩　俵　万智

かまどうま〔竈馬〕 直翅目カマドウマ科の昆虫。体長20ミリ内外、暗褐色で背が湾曲し、後肢が長く、よくとぶ。床下や台所など家屋内の陰湿な所を好む。夜間活動し、野菜などや死にかけた昆虫などを食べる。カマドウマ科はキリギリ

ス科に近いが、全く翅がなく、鳴くことはない。いとどともいう。↓いとど

夜の部屋はわれの祭壇竈馬肢長く跳び髭長く振る　鈴木　幸輔

病むいのち掠めしごとく一つ跳びまた一つ跳ぶ夜のカマドウマ　滝沢　亘

かみきりむし〔髪切虫・天牛〕

カミキリムシ科の甲虫の総称。日本には約四五〇種ある。体は4センチぐらいの長楕円形。甲は堅く、種類により色・斑紋が異なるが、鞭のような長い触角があり、また強大な大顎があって小枝など嚙み切ってしまう。胸部にある発音器でキーキー鳴く。幼虫は樹木の幹や枝に食い入る害虫で、テッポウムシという。成虫は年一回発生し、夏に活動する。漢語で天牛と呼ぶ。↓甲虫　天牛

おほいなる髪切虫の歩みくる水玉柄に身をば鎧ひて　福田たの子

ひとりなる昼餐をせむと天牛虫のしきりに踠く卓に就きたり　玉城　徹

髪切虫濡れて東へ向うころ底ごもりゆく係恋のある　岡井　隆

かみ切虫ぶあつく重なりゐる昼のさびしくなきや鉄線の花　馬場あき子

あかねさすひかりに出でて死にたりしかの髪切虫を父ともおもへ　小池　光

かめ〔亀〕

爬虫綱カメ目の総称。体は背の甲と腹の甲で形成され、四肢が発達している。卵生である。淡水には石亀、すっぽんなど、海水には海亀、長亀、タイマイなどがある。↓青海亀　赤海亀　石亀　すっぽん　銭亀　緑亀

祖母の臥す枕べに亀をもちきたり畳這はせてよろこぶ子らは　岡　麓

水底にしづむ朽ち葉のうへゆくと亀はひそけし濁りもたてず　中村　正爾

池底のどろどろを這ふ亀なれば亀はあはれに首もたげたる　前川佐美雄

亀にまた亀が上りて相共に亀を亀とも知らざるらしき　野北　和義

器より逃れんとして亀動くかかる徒労は心いたましむ　尾崎左永子

亀を買う亀を歩かす亀を殺す早くひとつのことを終らせよ　　高瀬　一詩

あおみどろどろりと出でし亀の眼の発光をせり望月(もち)の夜の沼　　下村　光男

かめむし〔椿虫(かめむし)・亀虫(かめむし)〕

カメムシ科などの小さな昆虫。扁平な体は亀の甲状の六角形。前翅の大部分は硬く、後翅は膜質で、長い管状の口器で植物の汁や他の昆虫・脊椎動物の血を吸う。触れると臭腺からカメムシ酸という猛烈な悪臭のある分泌物を出す。稲の穂や果樹の汁を吸う。ヘッピリ虫、ヘクサ虫、クサガメなどともいう。

亀虫の遊べる夜半の机にて神々の名を書きなづむわれ　　前　登志夫

ちぢれたるきびしの巻葉窺へば椿虫二匹艶事をする　　後藤　直二

カメレオン

トカゲ目カメレオン科の爬虫類。アフリカ、マダガスカル、インド地方に八〇種が分布している。多くは体長30センチ以下。体色は緑色から褐色まで状態に応じて変化し、保護色の好例として有名である。四肢の五本指は二本と三本に分かれて固着し、小枝をつかむのに便利であり、長い尾のはしも小枝を巻きつける。大きな眼は左右別々に動き、昆虫類を見つけると素早く長い舌を伸ばして捕える。

カメレオンと樹の関係を想う午後ひとりのからだやさしくなりぬ　　早川　志織

かも〔鴨(かも)〕

ガンカモ科の鳥のうち、一般に体が小さく、首があまり長くなく、雌雄の色彩が異なるものをいう。日本には冬鳥として渡って来るものが多い。主に淡水にすむものにはマガモ、カルガモ、オナガガモ、トモエガモ。海にすむものにはキンクロハジロ、スズガモ、クロガモなどがある。脚指に水かきがあり泳ぎはたくみ。巣は地上、樹の洞などに作る。猟鳥としては淡水にすむもののほうが味がよい。→かるがも　小鴨　真鴨　よし鴨

下りて来し鴨の一群(ひとむれ)は蒼潮(あをじほ)の大きうねりにのりて漂ふ　　川田　順

はちす葉のうらがれはててこの日ごろ浮き居る鴨の数ましにけり　　四賀　光子

水の上に下りむとしつつ舞ひあがる鴨のみづかきく

れなゐに見ゆ　古泉　千樫

炉に寄れど背すぢにひびく夜の寒さ鴨の鋭声（とごゑ）のまた渡りつつ　木俣　修

多摩川の川波に乗りて過ぎにたる鴨その渡り鳥にまた逢ふべしや　森岡　貞香

降る雪に煙らふ池に千の鴨動き個個なる大き群がり　千代　国一

くくと啼き岸に寄りくる一列に混じりてあらばわれはどの鴨　大西　民子

かた寄りに池にゐる鴨その嘴（はし）をこもごもひたす浮き藻のひまに　玉城　徹

心こそ光るにあらめ夕日映る水を走りて鴨ら遊べる　馬場あき子

寄り合ひて眠れる鴨の首さむし忍従といふとほき生き方　武下奈々子

かもしか〔羚羊（かもしか）・氈鹿（かもしか）〕

偶蹄目ウシ科。本州、四国、九州の特産で、特別天然記念物（禁猟指定）。アフリカなどの草原や砂漠に群生する羚羊（レイヨウ）を俗にカモシカというが別種である。ふつう亜高山帯以上の針葉樹林に単独にすみ、木の葉、地衣などを食べる。体長1.1メートル、肩高0.7メートルほど。体は暗褐～灰茶色、角は短く雌雄とも枝がない。敵に追われると断崖へ逃げて難を逃れる。一腹一子。羚鹿（かもしし）、鞍鹿ともいう。

黄葉の橅の林にかげ見えし羚羊ひとつついづくにゆきし　梶井　重雄

羚羊の行きて間なきかあしあとの滝に濡れたる径にするどし　津川　洋三

夏山を下ると羚羊のうしろ足一歩が青き空を蹴りしか　片山　静枝

遠ふぶきみゆる果無（はてなし）山脈に暴れ羚羊棲むもうれしや　馬場あき子

走らない羚羊と猟をせぬ男わかり合いつつ目を外らすなり　佐佐木幸綱

かもめ〔鷗（かもめ）〕

カモメ科の鳥。日本には冬鳥として渡って来る。全長45センチ、背と翼が灰青色、風切羽の先端は黒く、他は白色。くちばしは黄色で小さい。脚は黄色。各地の海岸や港湾に海猫、ゆりかもめなどと群をつくってすむ。雑食性で腐肉、魚介類、海藻などを食べる。白鷗、大背黒鷗、

背黒鷗などは日本産の大形のカモメで脚は淡赤色。↓

海猫　ゆりかもめ

あれ狂ふ波にすみかをあらされてかなしき鷗磯低く飛ぶ　石搏　千亦

かもめよ鷗よいく夜眠らずうつうつとわれは来れり橋をわたりて　土岐　善麿

鷗らがいだける趾（あし）の紅色に恥（やさ）しきことを吾は思へる　近藤　芳美

水の辺に坐れる我に近づき来るかもめの息のきこゆるごとし　宮地　伸一

鷗らのつばさ鮮やかに振る見えて沖へとむかふ青潮のうへ　杉本　清子

群れ鳴けど声おだやかに冬かもめ逆光の海に影のただよふ　尾崎左永子

かく長き無明の果に見るものか冬涛にあまた憩ふ鷗ら　島田　修二

河口へと押しゆく水に乗るかもめ委ねきりたる浮き身ちひさし　蒔田さくら子

突堤のかもめ残らず沖へ向く沖によろこびあるごとくにも　大塚　陽子

をちこちに油の浮ける港内に白布（はくふ）をなしてただよふ鷗　篠　弘

オホーツクのカモメ群れ飛ぶ中の一羽船と速度を徐々に同じくす　奥村　晃作

からす〔烏（からす）・鴉（からす）〕

カラス科のカラス属の総称。日本にはハシブトガラスとハシボソガラスが各地に普通に見られる。ハシブトガラスは全長57センチ。海岸や河口、都会のゴミの多い所に沢山すみ、カアーと割合に澄んだ鳴き声を出すが、雑食性で木の実、草の実、腐肉、魚、ネズミ、ゴミ袋を破って残飯まで食べる。ハシボソガラスは全長50センチ、ハシブトガラスよりやや小型で、くちばしは細めである。開けた畑や村落などにすみ、ガアガアとやや濁った声で鳴く。雑食性だがハシブトガラスより植物食を多くとるようで「権兵衛が種まきゃ烏がほじくる」はこの烏のほうが似つかわしい。両種混生することもあり、知能は鳥類中もっとも高い。三～四月ごろ杉や樅の木の頂などに枯枝などで皿状の巣を作り、青みを帯びた四～五個の卵を産み、夏に子育てをする。この他に、渓流や山地の湖にすむカワガラス、北海道天売島などの断崖で繁殖するウミガラス（オロロン、オロロンと鳴くのでオロロン鳥ともいう）がある。

嘴太鴉啼くこゑ聞けば死体さへ名さへのこさず死にゆきしもの　土岐　善麿

川洲には烏並びゐて神鳥となりたる古代の風姿しのばす　長沢　美津

千羽鶴ならぬ千羽の夕からす嗚呼たり　黒き腸しぼりたり　斎藤　史

烏らが表にいでてとび跳ぬるなんのためといふことなしよわれは母恋ふ　森岡　貞香

老い鴉路上に黒き影をおきしーんと一つ魂が見ゆ　武川　忠一

手入れよき芝生に座るわれの辺に都心の鴉はベンチに憩ふ　川合千鶴子

愛鷹の裾みに田舎の穭田は空よく晴れぬからす鳶を逐ふ　玉城　徹

晴も褻もあらなく全きぬばたまの黒もて侍る嘴太鴉の生　蒔田さくら子

喜久井町夏目坂下たたずめば穴八幡にむかう大鴉　小高　賢

くわえ来し木の実を爪にうつしつつ鴉しずかに吾を見おろす　大島　史洋

太陽の安息日にてすさまじい鴉のむれが地におりている　沖　ななも

からすあげは〔烏揚羽〕

鱗翅目アゲハチョウ科。年二〜三回発生。春型は開張9センチ、夏型は開張12センチ。黒色に緑色の鱗粉を散布し光沢がある。後翅の裏に数個の赤紋があり、雌は表にも赤紋がある。幼虫はサンショウの葉などを食べ、蛹で越冬する。↓揚羽蝶

からす揚羽ひとつきたりて渡りたり震ひとどろく滝の落口　鹿児島寿蔵

たどきなき姿とも暗き葉にふれてからす揚羽が花をもとむる　吉川金一郎

幾十のからす揚羽のとぶ宙を夢と知りつつ夢みてゐたり　島田　修二

かり〔雁〕

ガンカモ科の渡り鳥。近年日本へ冬鳥として渡ってくる数が減っている。真雁が最も代表的で、菱喰、カリガネなどがある。鳴き声がガァン、グワンなどと聞こえるので雁ともいう。

海岸、湖沼などに群をなして生活し、飛ぶときには、かぎになったり竿になったりする。詩歌に因縁の深い鳥で、秋に飛んでくるのを初雁、雁渡る、雁来たる、来る雁などといい、春に帰るのを帰る雁、行く雁、雁の別れなどという。飛んで行くのを雁の列などという。
↓かりがね　雁

此の国の四月一日に飛ぶ雁はたかだかとゆき天にかくろふ　山本　友一

東京の焦土の空を啼き渡る雁を見てゐき涙ながれき　岡山たづ子

飛び去りし雁の行方の天霧らひ万里へだたる夫をこそ思へ　宮　英子

あやまたず雁は帰るや湖をおほへる夜半の狭霧をつきて　大西　民子

月山の氷室の凍るこの夜半を病む雁もまたここ過ぎてゆく　山中智恵子

われにいかなる齢が来つるゆくりなく雁の来る空ことし見にけり　馬場あき子

河上へ矢印なして雁は行く、帰らんために行くも喜び　佐佐木幸綱

金属音残れる空や雁の群みなみより出で薄雲に消ゆ　影山　一男

かりがね

ガンカモ科の渡り鳥の真雁などをさしていう。また冬鳥としてごく少数だが、真雁の群にまじって渡ってくるカリガネをいう。カリガネは全長60センチで習性も真雁に似ており、鳴き声も似ているがやや高く澄んでいる。↓雁　雁

あまのはら見る見るうちにかりがねのつら低くなり行きにけり　斎藤　茂吉

雁がねは啼きつつわたれ中空に列のひろがりいつくしきかも　土田　耕平

ゆふまぐれ二階へ上る文色なきところを若しかして雁わたる　森岡　貞香

シベリアは未知の凍土帯　海こえてかへる雁に何を托さむ　轟　太市

抱擁をしらざる胸の深碧ただ一連に雁わたる　富小路禎子

前衛が後衛となりくりあがり鉤すこやかにかりがねは飛ぶ　後藤　直二

ビル街より海近からむゆるゆると昭和晩期を渡るか

りがね　篠　弘

川上にあしたのぼれるかりがねは白雲の辺に沿いつつ行きぬ　佐佐木幸綱

かりのこ〔雁の子〕　雁の雛。また、子は愛称で雁や鴨などの水鳥をいう。さらに水鳥の卵をいう。水鳥はカルガモ、アヒル、ガチョウなどである。

ランプの灯ほそめし吾の枕がみに小さくなりてねむる雁の子よ　山本　友一

生るることなくて腐えなん鴨卵の無言の白のほの明りかも　馬場あき子

かるがも〔軽鴨〕　ガンカモ科の鳥。沼沢地や水辺の草の中に巣を作り、留鳥として各地に分布する。全長57センチでマガモくらい。他のカモ類とちがって雌雄同色の暗褐色で、胸に黄褐色と暗褐色の斑がある。雑食性。雛はふ化後すぐ親鳥について歩くことができる。また親鳥は敵が雛に近づくと擬傷（負傷したようにはばたく）して注意を引き、敵を雛から遠ざける。グェッグェッと鳴く。↓鴨

山陰に水を分ちてカルガモとマガモの群の浮かびたむろす　大悟法　進

かるがもの羽繕ひする岸の杭こがもは首を背に埋め眠る　来嶋　靖生

かれい〔鰈〕　カレイ科の魚の総称。左ヒラメに右カレイといわれるように、ふつう、目が体の右側にあるものをいう。目は孵化当時は他の魚と同様に両側にあるが、成長に伴って片側に移動する。体は扁平で、目のある側は暗色で周囲の色彩により変化する保護色となり、片側は白い。マコガレイ、イシガレイ、メイタガレイなど種類が多く、近年冷凍品が出回ってヒラメの代用となるオヒョウは大形で同科。大分県日出町辺の別府湾で獲れる城下カレイは刺身、酢の物、煮物、バター焼にして美味である。瀬戸内海で獲れるものを干し上げた干鰈は上等品である。福井県若狭湾で獲れるヤナギムシカレイの子持ちのものは最上品である。

いまわれはうつくしきところをよぎるべし星の斑のある鰈をさげて　葛原　妙子

はたと片陰にてゆきあひしひとの妻と干鰈のこと西行のこと　塚本　邦雄

一匹の鰈は皿に横たわる眼は楽しげにこちらを向きて　水野　昌雄

とろとろと鰈が煮ゆるちちははの食べものなべて淡雪のやう　青井　史

酔寝する中年われは砂に沈む星斑入の鰈にか似む　高野　公彦

一塩の若狭の鰈買ひ持てば冷えまさりゆくうつしみの指　水沢　遥子

かわず〔蛙〕　カエルの古名。万葉集から歌語として用いられ、俳句でも芭蕉の「古池や」の句で馴染みがある。↓蛙

鬼灯を口にふくみて鳴らすごと蛙はなくも夏の浅夜を　長塚　節

死に近き母に添寝のしんしんと遠田のかはづ天に聞ゆる　斎藤　茂吉

うつつなく聞けば哀れに人のごとし池のかはづのこゑ老いにける　中村　憲吉

かわせみ〔翡翠〕　カワセミ科の鳥。平地の川、池、湖などの近くにすむ。全長17センチ、背は瑠璃色、腹は栗色。くちばしが長く、尾は短い。水辺の杭、木の枝、石などに静止してじっと水面をみつめており、急降下して長く鋭いくちばしに魚をくわえて舞い上がる。このとき背の瑠璃色は陽光に輝いて美しい。赤土の土手などに穴を掘って巣とし、三～八月に白い球形の卵を三、四個産む。近年川岸がコンクリートで固められ減少している。ピーと鋭く鳴く。ヒスイ、ショウビンなどの名もある。

よろこびかのぞみか我にふと来る翡翠の羽のかろきはばたき　片山　広子

かはせみが一瞬の瑠璃朝あけは神も油断のことあるごとし　安永　蕗子

峡ふかくたぎつ水泡に触りて飛ぶ翡翠の青ゆめのごとしも　岡野　弘彦

耳朶に触る、夜のみなかみの声すなり翡翠ひそむ髪にあらずや　前　登志夫

浅瀬のぼる魚の背影のすばやきを一閃の碧矢なし翡翠突っ込む　大滝　貞一

詠嘆にかなふことばも翡翠もただ待ち待ちて逢ふものならば　今野　寿美

かわにな〔川蜷（かはにな）〕 カワニナ科の巻貝。北海道南部以南の河川に生息し、貝殻は高さ3センチ、幅1.2センチくらいで黄緑色または黄褐色をしているが、多くは汚れて黒色となっている。成貝の殻の頂部は多く取れてなくなっている。肺臓ジストマ、横川吸虫などの中間宿主となる。↓蜷

皿の上に菜の葉を啖ふ川蜷を見つつたどきもあらぬ晩刻　後藤　直二

川蜷のひと日の動きとどめたる泥にさしをり春の夕日は　中西　輝磨

かわはぎ〔皮剝（かははぎ）〕 カワハギ科の魚。本州中部以南の沿岸にふつうにすむ。全長25センチ。体が扁平で口吻が突き出ており、腹鰭が退化してただ一本の棘になっている。皮が堅く厚いので、剝いで調理し、特にチリ料理で賞味される。ことに肝臓が美味。ハゲともいう。

鮟鱇に代へて皮剝の鍋を食ふ吝（けち）にはあらず老養のため　岡部　文夫

かわほり〔蝙蝠（かはほり）〕 哺乳類翼手目（よくしゅもく）の小動物コウモリの古名。↓蝙蝠（こうもり）

夕風や煤（すす）のやうなる生きもののかはほり飛べる東大寺かな　与謝野晶子

大川の上潮（あげしほ）ながれ早くなりて蝙蝠飛べり水のうへ低く　山口　茂吉

いまさらに何をあたふた晩春の闇脱けいづる百の蝙蝠　安永　蕗子

陽を避けてアーケードゆき木蔭ゆくわれは蝙蝠のごとき孤独に　滝沢　亘

かわらひわ〔河原鶸（かはらひは）〕 アトリ科の鳥。本州以南の平地の林や耕地にすむ。小河原鶸は全長13・5センチ、留鳥で都市内にも少なくない。体は緑褐色で尾と翼の一部が黄色。大河原鶸と樺太河原鶸は冬季に本州に渡来する。繁殖期にはつがいで、それ以外は群れて生活する。秋の換羽期には河原などで大群をつくる。草木の種子、昆虫、クモを食べる。キリキリ、コロコロ、ヴィーイと鳴く。↓ひわ

向日葵（ひまはり）の果（み）をくひに来る小河原鶸のこゑすがすがし秋の田のひと時　鹿児島寿蔵

餌台に今年よく来るカハラヒハ雀との折り合ひもよ

いやうである　吉野　昌夫

がん〔雁〕　ガンカモ科の渡り鳥。北半球の寒帯で繁殖し、冬鳥として秋に日本へ渡ってくる。真雁が最も代表的で全長71センチ、背は暗褐色、額に白斑がある。俳句では雁といえば秋の季となり、雁渡る、雁来たる、と用いる。また越冬した雁は三月下旬頃北へ帰るが、それを帰雁、行く雁として用いる。↓雁　かりがね　ひしくい

七階に空ゆく雁のこゑきこえこころしづまる吾が生あはれ　宮　柊二

つらなめて雁ゆきにけりそのこゑのはろばろしさに心は揺ぐ　宮　柊二

声捨てて天涯こゆる雁列の尾部見えてをり如月小路　安永　蕗子

カンガルー　有袋目カンガルー科。豪州、タスマニアに分布し、草原や疎林に一〇頭前後の群を作ってすみ、草を食べる。後肢と尾が発達し、太くて長い尾ではずみをつけてジャンプして進む。一腹一子で、新生児は2センチほどで、ミミズのようなぜん動運動をして育児嚢に入り、三～六カ月間嚢内で過ごす。

母よ、きのふ一緒に行かう水半球かんがるう棲むみなみはんきう　高野　公彦

かんすずめ〔寒雀〕　寒中の雀は、あたりが冬枯れてもの淋しくなるので、いつも身近にいるのにいっそう親しみを感じさせる。肉も美味で、薬になるといわれている。↓雀

とたん屋根雀四五羽の跳躍のちりちりと寒しその趾の音　坪野　哲久

八手葉に雀衝撃して飛ぶや路地の翳のりりと寒けれ　坪野　哲久

寒雀丸焼にしてぎしぎしと頭も骨もかみしめておる　山崎　方代

かんぜみ〔寒蟬〕　秋の深まるころに鳴く蟬。ヒグラシ、ツクツクボウシを指すともいう。俳句では秋の蟬、秋蟬の季語もある。かんせんとも読む。↓蟬

この秋の寒蟬のこゑの乏しさをなれはいひ出づ何思ふらめ　吉野　秀雄

寒蟬は長くは鳴かず真日なかにただひときはの声透

るなり　　　　　　　　　　　　　土田　耕平
蟬のこゑ絶えたるころに寒蟬が遠くにて鳴きなきをはりたり　　　　　　　　　　　二宮　冬鳥

かんだら〔寒鱈〕　寒中に漁獲される鱈をいう。冬期は味がよく、鍋物の素材としてもっとも代表的である。↓鱈　真鱈

腹裂けば虹たつごとし寒鱈の臓腑はよよと流れ出でたり　　　　　　　　　　　　馬場あき子
ぐんにやりと寒鱈は雪によこたはり祭り前夜の吹雪見てをり　　　　　　　　　　馬場あき子

かんたん〔邯鄲〕　直翅目コオロギ科の昆虫。八月から晩秋まで、各地の草むらに見られる。体長1.3センチ内外、細長い体は淡い黄緑色で弱々しい。ルルルルルと切れ目のない美しい声で鳴く。卵で越冬する。

くさぐさの虫の音満つる夜のほどろ邯鄲のこゑひとすぢ透る　　　　　　　　　　大屋　正吉
偲びつつ聞けば彼方は目に見えてまたたきはじむ邯鄲の声　　　　　　　　　　　小野興二郎
天に愧(は)ぢ愧ぢざるとはとまた問ひて邯鄲しきりに鳴く夜をゐる　　　　　　　島田　修三
羽化終へし邯鄲おのれのぬけがらを喰らひ尽くして顔あげざりき　　　　　　　　久我田鶴子

かんぶな〔寒鮒〕　川や沼の深場に冬籠りをつづけている寒中のころのフナ。寒ブナ釣りをする人は多い。最も味がよいとされる。↓鮒

寒鮒の頭も骨も嚙(か)みにける昔思へば衰へにけり　　　　　　　　　　　　　島木　赤彦
寒鮒のにがきはらわた嚙みしめて昼酌(く)む酒の座に日は射せり　　　　　　　若山　牧水
寒の鮒笊(ざる)にみじろぎ光発(た)つかくしも冴ゆる命あるものよ　　　　　　山田　あき
店先に売れ残りたる寒鮒のうろこ乾きぬ町は風の日　　　　　　　　　　　　　岩波香代子
尺近き寒鮒父の釣り来れば炭あかあかと家気負ひ立つ　　　　　　　　　　　　馬場あき子

かんぶり〔寒鰤〕　寒中に漁獲されるブリは春の産卵を前にしてよく肥えており、脂がのって格別に味がよい。北陸ではブリ漁の盛

んな十二〜一月ごろの雷鳴を鰤起しといって喜ぶ。↓鰤

寒鰤の目だまをすすり嚙みくだくいずこにあれやわれのこいびと　　山崎　方代

われを呼ばうは何時の誰そ彼、寒鰤の刺身大皿食うまでは待て　　佐佐木幸綱

手力を入れて断ち切る寒鰤のか黒く流す血がにほふなり　　宮川　敦子

かんむりづる〔冠鶴〕　ツル科の鳥。アフリカ中南部の沼地や河原に群生する。日本では動物園で見られる。体長1メートルに達し、体色はほぼ灰色で、額は黒いビロード状、後頭部に黄色い扇状の羽のかんむりをいただく。ウガンダではシンボルとして国旗に描かれている。↓鶴

その持てる金冠に光の添ふごとし冠鶴はみづから知らず　　初井しづ枝

きぎし〔雉・雉子〕　雉の古名。さ野つ鳥は、野の鳥のことで、「さ」は接頭語。↓雉　きぎす

かをり立つ緑の中にあるものを　あなけたたましさ野つ鳥雉子　　土屋　文明

友よさは吾をあはれぶことなかれ雉子を手にして食はむ今宵ぞ　　土屋　文明

きぎす〔雉・雉子〕　雉の古名。「焼野のきぎす」は、身を棄てて子をかばう親の愛を言う。↓雉　きぎし

老松町町うら来れば草高く野つ鳥雉子高鳴きにけり　　窪田　空穂

春雨のこの降る雨の木がくりに雉子啼くなり遊べるらしも　　中村　憲吉

とぎ澄ます耳に雪ふり裏山をわたれる雉子の天斬るこゑも　　大滝　貞一

谷地跡の冬青草に雉子みえ失ひて来し言葉かへり来　　辺見じゅん

あしびきの山のきぎすの鳴くこゑの声のみ残るこの世のことは　　藤井　常世

きじ〔雉・雉子〕　キジ科の鳥。四季を通じて平地から山地の草原や明るい林にすみつき、村里近くにも現れる。日本の国鳥に指定されている。全長雄81センチ、雌58センチ。雄は尾が

きじばと―

長く、背面の色彩は光沢があって複雑美麗。雌は尾が短く、褐色のまだら模様。春・夏の繁殖期に雄は数羽の雌を従えてハレムを作る。木の実、昆虫などを食べ、雄はケンケンと鳴く。肉は美味である。↓きぎし　きぎす

こらへゐし我のまなこに涙たまる一つの息の朝雉のこゑ　斎藤　茂吉

ちちこひしははこひしてふ子のきじは赤と青もて染められにけり　北原　白秋

高処(たかど)にて雄雉は鳴けり草わけてあゆむ雌雉の静かなりけり　古泉　千樫

足引きて山下り来れば木の蔭に流れのありて雉の水のむ　都筑　省吾

一声を鳴きさしは雉か水源に行きたる者をわれは待つなり　真鍋美恵子

孤独なるものは鋭き身を持つとひそめる雉子の側を通りぬ　鈴木　幸輔

雉食へばましてしのばゆ再た娶(ま)りあかあかと冬も半裸のピカソ　塚本　邦雄

火のごとく雉あゆみをり村ひとつ無くなりゆかむ昼の静けさ　前　登志夫

はるかなる牧野の雉が鳴くときに近き茂みの雉もとよもす　石川不二子

雉子の声やめば林の雨明るし幸福はいますぐ摑まねば　寺山　修司

その声を発火のさまと思ひつつ五月の雉の声をたのしむ　松坂　弘

めざめゆく朝の意識の霞網おぼろおぼろに雄雉から みぬ　松平　盟子

きじばと〔雉鳩(きじばと)〕

ハト科の鳥。平地から山地の明るい林にすみ、最近は都会でも見られる。全長33センチの中形の鳩で、体は灰褐色、頸の両側に黒色の帯と、背中にきれいな鱗模様がある。草木の種子を食べ、粗末な巣を枝上に作り、二つ卵を産む。デデッポーポーと鳴く。山鳩ともいう。↓鳩　山鳩

農道の紅葉愛(め)でつつ歩むわれを雉鳩のこのこ出迎へくれる　稲田　定雄

夕昏む繁木(しげき)にひそむ雉鳩のくぐもる声のつづきては止む　千代　国一

雉鳩はかなしき鳥かにはとりのごとくに庭に来てあさりゐる　上田三四二

生きかはり生きかはりても科ありや永遠に雉鳩の声にて鳴けり　稲葉　京子

電線にいこふきじばと糞するとはつかにひらく肛門あはれ　高野　公彦

雉鳩のほうほうほろと鳴くこゑに冬の曇りは繭ごもりたり　影山　一男

きす〔鱚〕 キス科の魚。北海道の南部より九州までの沿岸の砂泥底にすむ。全長20センチ。背は淡黄灰色、腹は黄白色。初夏が旬で刺身、塩焼、てんぷらにして美味である。地方名シロギス、キスゴ。江戸前の脚立釣りで有名なアオギスは今は激減しており、やや大形で味が劣る。

ほそぼそし鱚のさしみの浜作りいささかは酒のくせもしたしく　吉植　庄亮

鱚さきて生くさき手に乳液を塗るゆふべ星座ありつつましきミサ　生方たつゑ

ぎす〔螽斯〕 きりぎりすの別名。↓きりぎりす　はたおり

父遠く病みいますなり掌の上のぎすは草より青く悲しも　千代　国一

きせきれい〔黄鶺鴒〕 セキレイ科の鳥。本州以北で繁殖し、本州以南で越冬する最も一般的なセキレイ。全長20センチ、鮮やかな黄色の腹部をもち、頭部から背は濃灰色。水辺に棲み、昼間は一羽一羽それぞれの縄張り内で行動し、夕方になると群れて池や川岸のササやブナなどにねぐらをとる。水辺で尾を上下に振り昆虫などをあさるので、石たたきともいう。鳴き声はスイスイチーチーチョッチョッチ。↓石たたき　鶺鴒

石菖の茂れる水に影ありてキセキレイ一羽ひるがへり飛ぶ　大悟法　進

ひるがへりとぶせきれいの胸毛黄に光るを見つつ滝の下に居る　五味　保義

夏見河夏見廃寺をすぎにつつ黄鶺鴒かもよぎりゆきしは　山中智恵子

きたきつね〔北狐〕 キツネの一種で、北海道、南千島、サハリンに分布。体長62～78センチ、尾の長さ38～44センチ。体の上面

は橙黄褐色で、下面の前部は純白色。本土狐よりやや大きく美しい。↓狐

この野いまだ人に犯されぬもの持てり北狐尻尾ふとぶと生きよ　斎藤　史

ゆきゆけば先は国後島北狐のあとを辿りて人行きしとふ　斎藤　史

きちきちばった〔きちきち飛蝗〕

直翅目バッタ科の精霊バッタを俗にいう。雄が飛ぶときにキチキチと高い音を出すため。また精霊バッタモドキの別名であるが、これは飛ぶときには音を出さない。命名は思いちがいによるといわれる。↓精霊ばった

振りおろす帽子の端をのがれたるきちきちばったの一寸の脚　今野　寿美

きちょう〔黄蝶〕

鱗翅目シロチョウ科。北海道を除く全土に、六月頃（夏型）から秋（秋型）まで年数回現れ、秋型はそのまま越冬する。開帳45ミリ内外と小形。濃黄色の翅で、夏型は外側が黒くふちどられ鮮やかである。秋型は黒縁がなく前翅の先だけ黒い。数羽が川原などに集まり、仲良く吸水することもある。また、一般に黄色いチョウをいう。古来しばしば凶事の前兆とされた。↓蝶

菜の花が剝がれて飛びて来しごとき黄の蝶はまた花にまぎれぬ　大西　民子

かすかなる必然のごと吹かれ来し黄の蝶ひとつ泥濘に落つ　長沢　一作

円覚寺の山門くぐり石の段黄蝶とともにゆつくり登る　槙　弥生子

黄の蝶が折り目正しく死にてあり翅をたたみてただひたすらに　河野　裕子

いたく心は騒ぎ立ちたり島近くなりて黄蝶の列なす見れば　滝　耕作

きつつき〔啄木鳥〕

キツツキ科の鳥をさしていう。別称けらつつき。日本には青げら、赤げら、小げら、熊げら、山げらなどがおもに森林にすみ、木の幹に縦にとまり、嘴と舌で樹皮の下の昆虫などを捕えて食べる。幹に穴を掘って巣とし、白色の卵3～8個を産む。繁殖期には枯木を嘴でたたき、大きな連続音を発し、さえずりかえる。↓赤げら　けら　小げら

ものいはぬつれなきかたのおん耳を啄木鳥食めとのろふ秋の日　与謝野晶子

下草のすすきほうけて光りたる枯木が原の啄木鳥の声　若山　牧水

しみじみと黄葉せりけり落葉松のこの日表を打つや啄木鳥　尾山篤二郎

孤独なるきつつきの貌みざるなりその掘りし木の洞をみるのみ　葛原　妙子

きつつきに朝々われは穿たれき生得のほかわれにあるなし　前　登志夫

断熱材をつつくきつつき出発を遅らすといふスペースシャトル　御供　平佶

きつね〔狐〕

食肉目イヌ科。平地から高山に単独ですみ、夜行性でネズミ、ウサギ、鳥などを食べる。体長70センチ、尾の長さ37センチほど。犬に似るが吻は細くとがり、尾は太く長い。神経質でタヌキなどは人家近く来るが、狐は人を避けて山奥へと移り住む。毛皮を利用するため北米などでは養狐業が発達し、赤・紅・十字・黒・銀・プラチナ狐などの呼名がある。↓北狐

夕ぐれを花にかくるる小狐のにこ毛にひびく北嵯峨の鐘　与謝野晶子

ここに来て狐を見るは楽しかり狐の香こそ日本古代の香　斎藤　茂吉

冬ちかく夜霜はいまだ降らねども裏山狐すでに鳴くとふ　吉井　勇

遠ざかる狐の声のあはれにも谷にしみ入る山彦となる　土屋　文明

カシミールの狐の皮を背に負へり足萎へ我の冬籠るとて　吉野　秀雄

狐　狐何をせつなく悔むぞと聞き居てしばし遠しそのこゑ　斎藤　史

大雪山の老いたる狐毛の白く変りてひとり径を行くとふ　宮　柊二

湯の宿の庭に狐は老いむとし雪にあそべり鎖をつけて　大野　誠夫

かの山のいずべの方にありてなく強羅狐の声のさびしき　加藤　克巳

人を騙す相とも見えぬ仔ぎつねは寄るともなしに吾を離れず　川合千鶴子

病棟のいくたりか覚めこの鳴ける山の狐をききわびてゐむ　上田三四二

芒野の穂をうす白く分くる雨日光を帯びて狐が走る　富小路禎子

きば〔牙〕　牙歯の意で、犬・虎・ライオン・ヒョウ・セイウチなどは上顎の犬歯が、象は上顎の門歯がとくに発達し、攻撃・防御・餌の捕獲などに用いられる。象の牙は3メートルに達するのもあり、堅くて淡黄白色。象牙と呼び、細工物や印材・飾物などに珍重され、乱獲をもたらした。

牙落ちて老ゆれば飢ゑて死ぬといふ獅子の境界は箇明にして　柴生田　稔

月のひかりの無臭なるにぞわがこころ牙のかちあふごとくさみしき　森岡　貞香

きはだ〔黄肌〕　サバ科の魚。キワダともいう。日本海にはまれだが世界中の暖海に広く分布するマグロ類。全長3メートル、体側に黄色みがあるので黄肌の名がある。鮮度が落ちるとこの色は消える。第二背鰭と尻鰭とそれらの副鰭は淡黄色。夏と秋が美味で、すし、刺身にする。また漁獲量が多いのでかん詰などにする。↓しび　まぐろ

久々に魚市場の三和土輝くは巻網にて獲れし黄肌の並ぶ　由谷　一郎

きびたき〔黄鶲〕　ヒタキ科の鳥。アジア東部に分布し、日本には夏鳥として多数渡り、全国の低山の落葉樹林にすむ。全長13センチ位の美しい鳥で、雄の喉から胸までの鮮黄色が目立つ。雌は鶯に似ている。巣は木の洞や茂み、家屋の軒下や戸袋の上に細枝などで作る。昆虫を主食とし、秋には木の実を食べる。繁殖期には雄は美声でピッコロロ、ピッコロロを主旋律にして鳴く。俗称東男。↓ひたき

群鳥の群がり来る合間合間に黄鶲はただひとつのみ来る　土屋　文明

小綬鶏の遠退きゆけば移り来て近く啼きつぐ黄鶲のこゑ　大岡　博

朝六時　キビタキの鋭き声放ち野鳥掛時計部屋を森にす　浜田蝶二郎

摘みて来し田芹の中に混りある鳥の羽毛は黄鶲のもの　道浦母都子

きびなご〔黍魚子(きびなご)・吉備奈仔(きびなご)〕 ウルメイワシ科の魚。本州中部より熱帯の海にすみ、外洋性だが、四～五月頃の産卵期には大群をなして海岸に近づく。全長9センチで細長い。体は淡青色で、銀白色の広い縦帯がある。煮干や釣の餌にする。キミナゴ、キミイワシの地方名がある。

薩摩富士に高太郎(たかんたろう)雲立ち上がりやおら近づくキビナゴの群　南　史郎

きゅうかんちょう〔九官鳥(きうくわんてう)〕 ムクドリ科の鳥。ヒマラヤ地方からインドシナ、華南などに分布し、森林にすみ、昆虫、果物などを食べる。全身光沢のある黒紫色。翼に白斑がある。眼の下から後ろくびへ黄色の裸出部がある。巧みに人語や他の鳥の鳴き声をまねる。日本には飼鳥として輸入される。

このごろ　は　もの　いひ　さして　なにごとか　きうくわんてう　の　たかわらひ　す　も　会津　八一

ひとりごと言いて冬日にゆれている九官鳥か後ろ向きにて　川口　常孝

ぎょうぎょうし〔行々子(ぎやうぎやうし)〕 ヒタキ科の鳥のヨシキリの別名。繁殖期に葭(よし)の茎に横留りして、ギョッ、ギョッとけたたましくさえずるためこの名がある。↓葭切

行々子むらがりて住む小谷(をだに)をも吾等は過ぎて湖(うみ)へちかづく　斎藤　茂吉

声遠くつねは聞きたる行々子いま庭にして暫(しば)しまどひつ　若山喜志子

ぎょらん〔魚卵(ぎょらん)〕 魚の卵。とくに鮭の産出前の卵塊をいう。↓卵　腹子　はららご　卵(らん)

列ね干す小魚ながらおのおのの身に透く卵(らん)の朱まぎれなし　三国　玲子

鮭の卵噛めば涙のごときもの動くこころは人に知らゆな　尾崎左永子

寒夜ひとり魚卵をほぐす受洗より三十余年の信なほ難く　雨宮　雅子

やをら濃き空気おこして女らが魚卵かき出す霜月のころゑ　生田　和恵

くれないの鮭のたまごは雪山にはこばれて白き皿をかざれり　佐佐木幸綱

ぎょるい〔魚類〕　淡水、海水にすむ魚をいう。体は水の抵抗を少なくするため、紡錘形・側扁形が多く、鰭がある。胸鰭・腹鰭は体の平衡を保ち、運動には尾鰭を使う。鱗は皮膚を保護し、鰓で呼吸する。硬骨魚類・軟骨魚類などに分けられる。→いお　いろくず　うお　うろくず　さかな

臨海の工場群の破棄しゆく水が魚類を寄らしめぬとぞ　宮　柊二

晩夏のひそけき浜に晒されてしらじら散れり魚骨いくひら　久方寿満子

きりぎりす〔螽蟖〕　直翅目キリギリス科の昆虫。日本特産種（北海道は翅の長い翅長キリギリスのみ）。体長4.5センチ内外。翅はやっとお尻に届く位で短い。体色は明るい緑色に褐色がまじる。糸状の触角が発達して長いのでバッタと区別できる。七月から十月に雄は草むらでチョン、ギースと鳴き、鳴虫として著名である。古くキリギリスとして詩歌に詠まれているのはコオロギをさす。ぎす、ぎっちょ、はたおりともいう。→ぎす　はたおり

白銀の鍼打つごとききりぎりす幾夜はへなば涼しかるらむ　長塚　節

籠に入れて三夜を鳴かぬきりぎりすものの命をわが恐れそむ　斎藤　史

たたかひに負けにしものかきりぎりす屍たのしく蟻にはこばす　香川　進

一削ぎに氷見がけづりし痩面の頬を寒しと鳴けきりぎりす　馬場あき子

話題つきて　しばしば黙す車座の中に跳び出てきりぎりす鳴く　松井　保

さみどりの卵管大地に突きさせるきりぎりすの腹伸び縮みする　落合けい子

うすびさす冬の朝のきりぎりす迷わば迷え俺は俺なり　田中　章義

キリン〔麒麟〕　偶蹄目キリン科。アフリカのサハラ砂漠以南のサバンナ（熱帯草原）に群れをなしてすみ、アカシアなどの葉や小枝を食べる。体長2メートル、肩高3メートル、頭まで

の高さ6メートルほどで、哺乳類中もっとも高い。体毛は短く、灰色または黄褐色地に暗褐色の大きな斑紋がある。近縁のアミメキリンは赤味の強い体色で網目模様がある。雌雄とも角がある。声帯の発達が悪く、ほとんど声を出さない。速力、耐久力は馬に劣らない。温順な性質。一腹一子、妊娠期間は十四〜十四・五カ月ほど。ジラフともいう。↓ジラフ

人類のほろびをいそぐときをしもキリン悠々と空を仰げり　加藤　克巳

眠りゐる麒麟の夢はその首の高みにあらむあけぼのの月　大塚　寅彦

秋風に思ひ屈することあれど天なるや若き麒麟の面　塚本　邦雄

熱たかき夜半に想へばかの日見し麒麟の舌は何か黒かりき　中城ふみ子

おほらかに麒麟は長き首伸べて遠山を見る野の草を食む　武田　弘之

あゆみふととどめし麒麟まなざしの茫々としてふり返りたる　杜沢光一郎

あきかぜの中のきりんを見て立てばああ我といふ暗きかたまり　高野　公彦

ふりむきて地球のうしろのぞくとき麒麟やさしも父の目をせり　安森　敏隆

子もわれも秋のキリンとなりながら丘の上なる夕陽を仰ぐ　三枝　昂之

うしろ脚のひざが後ろにでっぱってキリンの歩調なめらかならず　沖　ななも

肩車よろこぶ声は父よりも高きところに麒麟を仰ぐ　小紋　潤

いづべよりくるしく空は垂れ来しや麒麟ひつそり立ちあがりたり　阪森　郁代

きんぎょ〔金魚〕

コイ科の魚。フナを原種とし、原産地は中国。日本には室町時代に輸入され、江戸時代より観賞用として多くの品種ができた。主な特徴は、体色が赤や黄橙を基とし、鰭の長さと形が変化に富み、脊椎の萎縮により体形の変っているもの、頭部に肉瘤をもつものがあることである。主な品種は和金・琉金・出目金・珠文金・蘭鋳など、大和郡山市、愛知県弥富町、東京江戸川などが養殖で有名である。夏の風物詩として夜店の金魚す

くい、また金魚売りがなつかしい。↓蘭鋳

逆（さか）およぎしてはす葉娘（はむすめ）と呼ばれたる金魚死ねればすくひ捨てつも　土屋　文明

風のおと伝ひて金魚ひらめけば夜半（よは）に独りのわれも乱るる　鈴木　幸輔

赤き金魚入れて少女携ふるビニールの袋映えて揺れゆく　久方寿満子

金魚屋の水槽の水撒かれたりにおいとなりて立ちのぼる金魚　和田　周三

なかなかにとぼけのすべも覚ええず老いおくれいて金魚みている　加藤　克巳

ひらひらと猫が金魚の水呑めりその舌先にまつはる金魚　岡山たづ子

薄氷の赤かりければそこにをる金魚を見たり胸びれふるふ　森岡　貞香

わが内の脆き部分を揺り出でて鰭（ひれ）ながく泳ぐあかき金魚は　中城ふみ子

水鉢を溢れしめ雨やみたれば金魚の朱（あけ）も澄みとほりたり　上田三四三

雨しぶく庭に佇ちゐていつまでも病める金魚を子は瞻（まも）りをり　岡野　弘彦

いくばくか死より立ち直るさま見をり金魚を塩の水に放ちて　尾崎左永子

レモン吸ふときのくちびる寄せて来る金魚よつつましく生きても老いる　青井　史

きんけい〔錦鶏（きんけい）〕　キジ科の鳥。中国原産。キジに似ているが、雄は尾が長く、頭上に黄金色の冠羽を頂き、背は緑色、翼は藍色で、きわめて美しい。ニシキドリともいう。観賞用に飼われ、キジとの間の雑種をテンケイと呼ぶ。

金色（こんじき）の冠毛かづくを錦鶏は見るなく己に酔ふことなけむ　蒔田さくら子

きんばえ〔金蠅（きんばへ）〕　クロバエ科の昆虫。初夏と秋はとくに多く発生し、室内にも飛来する。体長6～12ミリ、金緑色で、ときに青みを帯びる。幼虫（うじ）は糞、動物の死体、ごみためなどに発生し、成虫も同様に好む。幼虫をさしといい、釣の餌に使う。↓銀蠅　蠅

蛆はかがやく金蠅となりわが家出づ未だ抱卵のかたみ父、母　塚本　邦雄

生き残る者にまことの孤独あらむ冬日に鈍くひかる
金蝿　　　　　　　　滝沢　亘

ぎんばえ〔銀蝿(ぎんばへ)〕 金蝿の金緑の体色が、やや白色を帯びたものをいう。↓金蝿　冬の蝿

さかさまに張りついている天井の冬の銀蝿聖(ひじり)のごとし　　　　　　　　落合けい子

ぎんやんま〔銀蜻蜓(ぎんやんま)〕 トンボ目ヤンマ科の昆虫。六～九月に池や沼、水田に次つぎ発生する。体長8センチ内外、大きさはオニヤンマにゆずるが、バランスのよい姿をしている。雄の腹部は美しい空色。俗に雄を「ぎん」雌を「ちゃん」と呼ぶ。幼虫は水草の多い池や沼に二年間生息する。↓やんま

はるかなるひとつぶの日を燭(しょく)としてぎんやんま空にうかび澄みたり　　　　　　　　高野　公彦

死なないぞ　すすきのはらの夕映えを低くかなしくゆけ、《銀やんま》　　　　　　　　大林　明彦

風中にとどまりいたる銀やんま取って返すといふごとく消ゆ　　　　　　　　永田　和宏

くいな〔水鶏(くひな)〕 クイナ科の鳥。冬鳥と夏鳥があり、キョッキョッという鳴き声を古来「クイナが戸をたたく」といったのは夏鳥のヒクイナのこと。湿地、水田、川原などにすむ。全長22センチ。頭頂から背面、嘴は暗オリーブ褐色。顔から腹面は赤褐色。肢は赤く、趾が長いので草むらを歩き、走るのに適す。草の間に巣を作り、五～九箇産卵する。↓山原(やんばる)水鶏

わが庭は青田つづきに垣結はずをりふし水鶏の来て遊び居る　　　　　　　　吉植　庄亮

五月雨は日暮にやみてこの堀の干潟(ひがた)の尻(しり)に水鶏なくなり　　　　　　　　中村　憲吉

雨曇りあかるき坂を下(くだ)りゆく昼の水鶏の近々として　　　　　　　　扇畑　忠雄

幼くていのち消えたる妹の月日のほとり鳴く水鶏かな　　　　　　　　岡部桂一郎

草蔭に卵五つを隠したる水鶏のゆくへ知らず春逝く　　　　　　　　安永　蕗子

くさかげろう〔草蜉蝣(くさかげろふ)〕 クサカゲロウ科の昆虫。本州以北に五～

九月に現れる体長1センチ（開帳3～4センチ）の緑色をした小さなトンボのような虫。翅は透明で、弱い真珠光沢があり、動作も姿も弱々しい。幼虫、成虫ともアブラムシやハダニを食べる益虫だが、成虫はいやな匂いがするので臭蜉蝣（くさかげろう）ともいう。卵は白色で糸状の長い柄があり、木の枝や天井などに群生し、優曇華（うどんげ）といわれている。

壁に来て草かげろふはすがり居り透き（す）とほりたる羽（はね）のかなしさ　斎藤　茂吉

くさかげろふ来てをりしばししづかなる心となりぬ　山本　友一

あはれ灯の下

五月六日立夏（りっか）のゆふべ緑なる草蜉蝣は机に来をり　宮　柊二

くじゃく〔孔雀（くじゃく）〕

キジ科の鳥。南アジアの森林にすむ。雄の尾の基をおおう上尾筒という部分の羽が著しく発達し、先端に眼状斑があり、ディスプレイをするときこれを扇状に立てて広げ、極めて美麗である。マレー、インドシナ、ジャワに分布するマクジャクは、頸部の羽の基が青く、頭部には筆の穂先状の羽冠があり、緑色の羽は金緑色に輝く。インドなどに分布するインドクジャクは、頭頸部が光沢のある青色で、扇状の羽冠をもち、羽は藍色に光る。雌は両種とも背面が褐色で目立たない。↓白孔雀

群れをりてしづけき中に徹りくる一つ孔雀の羽ひらく音　鈴木　幸輔

花闌けし椿の蔭に孔雀をりいま擾乱（じょうらん）のうつつに遠き　大野　誠夫

孔雀飼ひはじめたりと父の初便りああ死の外（ほか）に飼へるはそれか　塚本　邦雄

羽根ひらくことを忘れし孔雀ゐてこの長寿園のながきゆふぐれ　島田　修二

たはやすく孔雀は羽根をひろげたりたわたわたわと音させながら　大塚布見子

檻の中を歩む孔雀は羽を拡げわれは人生を諦めがたし　石田比呂志

神苑の檻に飼はるる雄の孔雀羽ひろげたり見る人なきに　来嶋　靖生

朝なさなくじやくの鳴くが聞こえくる距離にくじやくを飼ひて人住む　林　安一

ほのかなる虹を立てつつわがかたへ巨き孔雀のよぎりてゆけり　　松坂　弘

さみだれの降りやむくらきあかときをこゑひきしぼり孔雀鳴き出づ　　中西　洋子

死ぬ前に孔雀を食はむと言ひ出でし大雪の夜の父を恐るる　　小池　光

くじら〔鯨〕

クジラ目に属する水生の哺乳類。普通体長5メートル以上の大形のものをクジラ、それ以下のものをイルカという。後肢は退化し、前肢は鰭（手羽）状。水平に広がる尾鰭があり、皮膚は裸出して殆ど体毛がない。胎生期を除いて一生歯のはえないヒゲクジラと、歯のあるハクジラに分かれる。肺呼吸をするため普通五～十五分で水面に浮かび上がる。潮吹きというのは、鼻孔から吐く呼気中の湿気が水滴となって柱状に立ち上り、また外鼻孔周辺の海水も同時に吹き上げられる現象をいう。出産は暖い海で行い、大体二年に一子産む。妊娠期間約一年、子は生後六～十二カ月乳をのむ。かつて大規模な捕鯨が行われ、特に南氷洋でナガスクジラ、マッコウクジラなどが捕獲され、食用、油、工芸などに使われた。世界の鯨は年々減少のため、捕鯨国は国際捕鯨取締条約を結び、減少防止に努めている。日本の捕鯨は古く、とくに江戸時代から紀州（太地浦など）、肥前（生月島など）、土佐などの沿岸で、多数の勢子舟で鯨を網に追い込み、手銛で捕殺し、海岸で解体する方法が明治まで行われた。古名を勇魚といい、万葉集には「勇魚取り」が枕詞として海、浜、灘にかけて用いられている。↓しろながす鯨　まっこう鯨

大海は広くしありけりむれ鯨潮高吹きゆたに遊べる　　石摶　千亦

わたのはらしづかにありてきこえこしこゑはくぢらの子をよべるこゑ　　森岡　貞香

菊枯れて日本海に雪降るをさらし鯨の酢のさびしけれ　　馬場あき子

うつせみの命を惜しむひたひたの血にひたりたる鯨の刺身　　佐佐木幸綱

前世は鯨　春の日子と並び青空につぎつぎ吹くしゃぼん玉　　佐佐木幸綱

息ながき鯨の愛語聴きながら眠りの来るを待てる夜夜　　田村　広志

ほろびつつ水平球をゆく鯨しづかなる火を曳きて泳げり　高野　公彦

解体の途中に引き出す子クジラはまだ生きていて身を躍らせぬ　大島　史洋

はかなくて次の言葉を探るとき　赤道直下の鯨を思え　中川佐和子

鯨啼くみどりの海のやさしさにぼんやりとして目を閉ぢてゐる　大辻　隆弘

くだかけ

にわとりの古名。伊勢物語には、まだ夜が明けないのにやかましく鳴いて大切な恋人を帰らせてしまった、とののしっているのが見られ、腐鶏（くだかけ）の字が当てられている。↓かけ　鶏（とり）　にわとり

くだかけの雛（ひよこ）をさなくその母の大いなる脚にふまれて啼くも　尾山篤二郎

見おろしの大和はひろく遠くして真昼の凪ぎにくだかけ鳴けり　香川　進

くちなわ〔蛇（くちなは）〕

蛇の古名。朽ち縄に似ているからいう。↓蛇

石亀の生める卵をくちなはが待ちわびながら呑（の）むとこそ聞け　斎藤　茂吉

みづからの息ひびかふと登りきて草隠りゆくくちなはを見つ　田谷　鋭

刺しとほさるるときもつらぬくくちなはの眸をもてるとぞひと声もなき　河野　愛子

棒のごとくくちなは落ちし水面よりゆつくりと昼のかなしみきたる　前　登志夫

くちなははどこまで痩せて死ぬならむ細き利根川見れば思ほゆ　後藤　直二

約束も言葉もいらぬ春の野のくちなはは無韻によぢれ合ひつつ　青井　史

くちなわの舌くれないに開けしときくちなわの声をわれは聞きたり　落合けい子

くつわむし〔轡虫（くつわむし）〕

キリギリス科の昆虫。暖地の草原に多くすみ、表日本で福島県、裏日本で新潟県が分布の北限である。体長（翅端まで）60ミリ内外、緑色と暗褐色の体色の二種がある。体より長い糸状の触角を持ち、翅は広く長い。秋の夜ガチャガチャと低音で鳴くので、ガチャガチャともいう。轡は馬の口にかませる金具で、手綱

を引いたとき轡の鳴る音に鳴き声が似るためこの名がある。↓がちゃがちゃ

捕へ来て子らのやしなふくつわむし夜半鳴くこゑはわれひとり聞く　柴生田　稔

冷房のデパートに鳴くクツワ虫ふるさとの野の蒼き草いきれ　武川　忠一

くま〔熊〕

食肉目クマ科の総称。アジアにヒマラヤグマ、マレーグマ、ナマケグマ、北米にアメリカクロクマ、南米にメガネグマ、北極周辺にホッキョクグマ（シロクマ）、ヒグマの七種がいる。体は大きく、尾は短く、四肢は太く短い。毛は一般に長くて密生する。木登りや泳ぎがうまく、雑食性で、ときに人畜を襲う。寒い地方では冬眠し、普通二子を産む。胆嚢は熊の胆と呼ばれる健胃剤に、毛皮は敷物にされる。↓白熊　月輪熊　ひぐま

眠り居る小熊のかしらなでしめとすかせどきかず子は一途なれ　前田　夕暮

冬籠るわれの敷きなすけだものの熊の毛皮はあぶらたもてり　吉野　秀雄

獲物の魚落しつつ穴に帰りたる愚図なる熊も童話の如し　中城ふみ子

爪跡の残る水木を見あぐれば熊棚ありて熊の香の無し　後藤　直二

樹のもとに珊瑚のごとき花梗あり腹満ちて熊は帰りゆきしか　後藤　直二

ただざまに群れを離るるは老またぎ子もちの熊を撃ちとめてのち　辺見じゅん

くまぜみ〔熊蟬〕

セミ科の昆虫。表日本では東京以西、裏日本では福井県以西に、真夏に現れてシャーシャーとやかましく鳴く。日本のセミ類中最大で、体長6.5センチ内外、黒色で光沢があり、透明な翅をもつ。↓蟬

彼の世より呼び立つるにやこの世にて引き留むるにや熊蟬の声　吉野　秀雄

啼きそろう喬き熊蟬　彼らさえ戦後をともにせしもの裔　岡井　隆

伴緒社の木立にしげき啼きごゑは熊蟬にして陣張るごとし　西村　尚

たけひくき幹にすがりてくろがねの熊蟬鳴かず夕日かたむく　玉井　清弘

くまばち〔熊蜂（くまばち）〕

ミツバチ科の昆虫。本州から九州に分布し、花に来る。体長2.3センチ内外、黒色で偉大な尻をもち、胸部に黄色の毛が密生する。雌は枯木などに穴をあけ、花粉と蜜を貯えた数室もある巣を作り、幼虫を育てる。捕えない限り人を刺すことはない。なお、クマンバチはスズメバチ類をいう。→蜂

巣をいでてひとつ飛びたる熊蜂の翅（はね）きらきらと光りゆくかも　古泉　千樫

若葉風なぎて静けき庭土に熊蜂ひとつ居りてかがやく　村野　次郎

くも〔蜘蛛（くも）〕

節足動物クモ目の総称。体は頭胸部と腹部からなり、触角の代りに触肢をもち、頭に八個の単眼、四対の歩脚がある。腹部後方の出糸（紡績）突起から糸を分泌するが、網（蜘蛛の巣）を張るのと張らないのがある。いずれも肉食性で獲物を毒液で射し弱らせたあと、口から出した酵素で口外消化し、ポンプ式の胃で吸収する。初夏、一塊の卵を産み、子蜘蛛は風にのって散らばる。平安時代から蜘蛛の形が小蟹に似ているので、ささがにと呼ばれ、「ささがにの」は蜘蛛・囲（い）・糸に掛ける枕詞として用いられている。→蜘蛛の巣　こもり蜘蛛

此ゆふべ合歓（ねむ）木のされ葉に蜘蛛の子の巣（す）がくもあはれ秋さびにけり　伊藤左千夫

ひからびしぬけがらを畳に残し行き蜘蛛はみづみづと糸吐きてゐむ　鈴鹿　俊子

ひとひらの翳を摑みて降りてくる蜘蛛よ地上に神なき夕　倉地与年子

我が向ふ壁に巣ごもる脚くろき蜘蛛としいへど幾日もゐず　相良　宏

薔薇本地（ばらほんち）と呼ばるる強きまだら蜘蛛薔薇咲けばいつか薔薇に来て棲む　馬場あき子

はるか夏汗して蜘蛛の闘ふをわれに見せたる男（を）のこごあはれ　馬場あき子

くものす〔蜘蛛の巣（くものす）〕

住居、また獲物を捕えるわなとしてクモが張る網。普通見られるのは丸網、扇網、皿網、棚網などである。鬼グモ、女郎グモ、黄金（こがね）グモなどが網を張り、網を張らないのもある。丸網を張る鬼グモはまず埒（らち）糸で網の輪部を作り、その中心部から放射状に縦糸を張り、次

に中心部から外側へらせん糸を張り、次に外側から横糸を張り、らせん糸を断ち捨てて完成させる。横糸の上に粘着性のある小球が並び、獲物を捕える。クモ自身は体と脚から分泌する微量の油脂でこの粘着糸に自由を奪われない。→蜘蛛

眼にふれて時にひかるは春の日に蜘蛛の糸など飛ぶにかあらし　村野　次郎

子が病いく久ならむ厠には蜘蛛の巣ここだ懸るがあはれ　生方たつゑ

せつせつと蜘蛛の糸とぶ庄内の晩秋を見ぬさびしきかなや　馬場あき子

大いなる蜘蛛の巣ゆれて光りいつ過ぎて思えば美しかりき　佐佐木幸綱

さくらからさくらに架けし春蜘蛛の糸かがよへりゆふべ過ぎつつ　小池　光

蜘蛛の巣に雨降りやまず水滴の重みに銀の空たわむまで　栗木　京子

くらげ〔水母・海月〕　ハチクラゲ、ヒドロクラゲ、クシクラゲ類があり、普通は海にすみ、体の大部分が無色透明の寒天質で、椀を伏せた形をして浮遊する。主食は小形の動物プランクトン。触手の刺胞毒は刺されるたびに抵抗性が弱くなり、人命にかかわる場合もある。エチゼンクラゲ、ビゼンクラゲは食用となる。水母桶は食用クラゲを塩漬けにする桶。

濃き青の四月の末の海に浮く水母の如く愁白かり　与謝野鉄幹

軍艦は出でたるあとの軍港に春の潮みちくらげ多く浮く　土屋　文明

子供等は浮かぶ海月に興じつつ戦争といふことを理解せず　土屋　文明

くらげなどはげしき酢にて洗ひつつ苛まれゐるてのひらの傷　生方たつゑ

軟体をひらきすぼめて流れ来る水母は波にさからふことなし　白石　昂

白き海月にまじりて我の乳房浮く岸を探さむ又も眠りて　中城ふみ子

新しき生は来らん岸壁より見下す白き水母のいくつ　島田　修二

失楽のこころつめたく水母桶にひとにぎりの銀の塩

まけり　　　　春日井　建

按摩機に体をゆだねて眠りゐる妻の水母のごとき午後かな　　　　時田　則雄

くろあげは〔黒揚羽〕

鱗翅目アゲハチョウ科。秋田・岩手県以南に分布し、年二〜四回発生。春型は開帳10センチ、夏型は開帳12センチ。黒色で、後翅裏の縁に赤色の弦月紋が並んでおり、雌は表にも並んでいる。また、シッポのような尾状突起がある。幼虫はカラタチ、サンショウの葉などを食べ、蛹で越冬する。花によくくるが、黒揚羽は暗い方から陽光を避けてくるという。なお並揚羽は明るい方を好むという。黄揚羽は北海道にも分布し、並揚羽と大きさも模様も似ているが、黄色が濃く、青い斑模様がパステルで描いたように美しい。幼虫はセリ、ミツバ、ニンジンの葉を食べ、蛹で越冬する。↓揚羽蝶

わが庭に生れたる恋ほしさ日盛りを顚ち舞ふ黄揚羽また黒揚羽　　　　林　丕沙子

黒揚羽生霊のごとさまよへり人に家ありて灯をともすころ　　　　大野　誠夫

黒揚羽とぶ路地を来ぬ百年ののち存ふや蝶も人も　　　　宮地　伸一

くろしんじゅ〔黒真珠〕

二枚貝の黒蝶貝の体内に生ずる球状のかたまり。光沢のある黒色で装飾具として珍重される。貝殻の内面は真珠光沢のある白色、縁は黒い。↓真珠

言いがたき情は凝りやすくして身央ふかく黒真珠そだつ　　　　松平　盟子

くろつぐみ〔黒鶫〕

ヒタキ科の鳥。夏鳥として九州以北に渡り、丘陵地から低地の林にすむ。全長22センチ、雄は腹以外は真黒、嘴は黄色。雌は褐色。地上を跳ね歩き、ミミズなどを捕える。雄は高い梢でコキヤッコ、コキヤッコ、キョロロ、シーなどとさえずる。↓鶫

暗みゆく林の空に一つゐて声さまよひて黒つぐみ鳴く　　　　窪田　空穂

前穂高奥の穂高と重なれるこの谷ふかく黒つぐみ啼く　　　　白石　昂

くろひょう〔黒豹〕

食肉目ネコ科。マレー地方にすむヒョウの黒色変種を

いう。↓豹

ひとときの憩(いこひ)のごとく黒豹が高き鉄梁(てつりやう)のうへに居りけり　佐藤佐太郎

森くらくからまる網を逃れのがれひとつまぼろしの吾の黒豹　近藤　芳美

黒豹の全き黒に日当れば焙(あぶ)り出すごと豹文浮き来　蒔田さくら子

肥り気味の黒豹が木を駆け登る殺害なさぬ日常淫ら　佐佐木幸綱

くわがた〔鍬形(くはがた)〕

クワガタムシ科に属する甲虫の総称。体はやや平たく、黒か茶色で、雄の大顎は発達して頭部に鍬形状にふたまたに突出する。雌は小さい。幼虫は湿った朽木内で約二年間過ごし、成虫は初夏に外に出て初秋まで主に夜間活動する。クヌギ・ナラなどの樹液を好み、電灯にもくることがある。深山(みやま)鍬形、小(こ)鍬形、鋸(のこぎり)鍬形などがある。↓大鍬形　甲虫

クワガタの番(つが)いを見いで狂喜せし一木も老いぬああ樹液涸れ　岡井　隆

鍬形は鍬形たてて争へよ今朝桔梗(きちかう)の花も咲きたり

けいらん―

てのひらを持たねば哀し鍬形は肢の棘にて木にすがりいる　馬場あき子

くわがたは鋏みて威嚇すいかくとは何ゆえ誰にとわれも自問す　関根　和美

くわこ〔桑子(くはこ)〕

蚕のこと。くわごともいう。↓秋蚕(ご)　蚕(かいこ)　蚕(こ)　夏蚕

桑子まだ二眠(にみん)を過ぎず村々の若葉青葉や人しづかなり　伊藤左千夫

ぐんけい〔軍鶏(ぐんけい)〕

鶏の一品種のシャモ。闘鶏用に飼われる。↓しゃも　闘鶏

あそびゐし軍鶏がいたく柔らかに抱(いだ)きとられつ男の腕に　田谷　鋭

けいらん〔鶏卵(けいらん)〕

ニワトリの卵。主に白色レグホンの卵で、養鶏のものより放し飼いの鶏卵のほうが滋養があり、うまい。とくに寒卵は栄養があるとされた。↓卵

浮き沈みながら煮えゆく鶏卵の内部(うち)ゆがみつつ成らむ決意も　安永　蕗子

ぬくみまだ残す鶏卵ほろほろと拭きいる夕べ無言な

る母　　　　　　　　　荻本　清子

けがに〔毛蟹(けがに)〕　甲殻類クリガニ科。北海道で多く漁獲される。甲は長さ10センチ、幅はやや短く、丸みを帯びた四角形。だいだい色の体は短い毛でおおわれる。茹でて酢じょう油で食べると美味。→蟹

青海ゆ上りて来たる毛蟹らはわが家の水にくつろぐらしき　　　　上野　久雄

げじげじ〔蚰蜒(げぢげぢ)〕　歴史的かなづかいは、げじげじともいう。ゲジ目の節足動物の総称で、げじげじは俗名。体長2.5センチで細長く、灰黄緑色に暗緑色の縦じまが三本あり、一対の触角と十五対の細長い脚をもち、ムカデに近い。昼間はうす暗い所に隠れ、夜出て小昆虫を食べる。走るとき足をぞろぞろと巧みに動かし、す早い。危急の際は歩脚を切り落として逃げる。

げぢげぢと蟻の喧嘩を真日向に出て見るほどの己を愛す　　　　多　久麻

けだもの〔獣(けだもの)〕　けもの。畜類。→けもの

さびしくてわがかい撫(な)づるけだものの犬のあたまはほのあたたかし　　　　岡本かの子

けだものが冬の眠りに入るごとく茫々として夜を眠りゆく　　　　岡野　弘彦

ふさふさと尾をたててゆくけだもののま白き霧にまぎれざるべし　　　　小野　茂樹

ありとある快楽を愛す首を嚙む癇癖はげしきけだものの前　　　　春日井　建

けむし〔毛虫(けむし)〕　蝶や蛾の幼虫で、体に多くの毛のあるものの総称。無毛か微細な毛のものは青虫または芋虫として区別されるが、本質的なちがいはない。毛は一種の感覚器官として働き、その配列は種類により一定し、幼虫で種類を判定する手がかりになる。多くは褐色または黒色で、全身に長毛を有し、植物の茎・葉を食べる。一般に無毒だが、イラガ科、ドクガ科、カレハガ科、マダラガ科、ヒトリガ科などの中にごくまれに人体に有害な種類がある。

水無月(みなづき)のゆふべの庭の土暑し掃(は)きあつめたる毛虫を焼くも　　　　川田　順

燐枝(まち)すりぬ赤き毛虫を焼かむとてただ何となくくる

しきゆふべ　若山　牧水

斃（たふ）すべき男殺さざりしかば毛虫千四年毎に見逃さず　斎藤　史

舗装路進む黒き毛虫と出合ひたり吾と千載一遇（せんざいいちぐう）にして　国見　純生

けもの〔獣（けもの）〕

全身に毛のある四つ足の動物。犬猫などの愛玩用の家畜類から野生や動物園で飼育されている猛獣類などをいう。↓けだもの

獣かとわが身思ほゆ日に照りて林も空も真青きを行き　窪田　空穂

児のにほひつくづくかげば児も吾もけものの如き心地こそすれ　今井　邦子

しなやかな若いけものを馭しゆけり蹄（ひづめ）にかかり花は散るもの　斎藤　史

月落ちむあかときかけて聞く風に一生はたぐい曠野行く獣　近藤　芳美

一糞（ひとまり）の黒きに見れば安らぎを径にのこして獣ゆきにし　白石　昂

開け放つ窓に闇より来しけもの気配鋭く吾の目を見る　富小路禎子

咆哮にあらず呻きのごとき声いづれの檻の獣か発す　蒔田さくら子

枕など使わぬ清き眠りかな夜の底いに冬の獣は　三井　修

けら〔螻蛄（けら）〕

直翅目ケラ科の昆虫。コオロギに似て、体長3センチ内外。茶色。前肢が太く、内側が鋸歯状になり、土を掘るのに適する。湿った土中にすみ、秋にジーンと単調な声で鳴き、ミミズが鳴くと俗にいわれる。夜は飛び、灯火にくる。おけら。↓みみず鳴く

雨のふる夜のたたみの湿（しと）れるに螻蛄這ひいでて隅にかくれぬ　岡　麓

孤独なるこころといえど夜の螻蛄を周章せしめ足れりとぞする　横田　専一

雨過ぎて日に照らさるる螻蛄ひとつ土に溜れる花びらを越ゆ　香川　進

けら〔啄木鳥（けら）〕

きつつきの別称。けらつつきともいう。↓赤げら　啄木鳥（きつつき）　小げら

榾の木に啄木鳥のうつ音けたたまし氷張る湖の汀なりけり　川田　順

思ひ疲れうつつなにをればけけけけと啄木鳥なきすぎぬわが家の上を　高塩　背山

ケラの巣の古きにのこりし椋鳥の雛の立てれば親等も去りぬ　土屋　文明

けり〔鳧〕　チドリ科の鳥。東北地方では冬は暖地に移動するが、近畿地方では留鳥。全長36センチ。頭は灰色、背は灰褐色、腹は白色。胸と翅先は黒色。草地や農耕地にすみ、昆虫などを食べる。三～四個卵を産み、巣に敵が近づくと上空からキキッキキッと鋭く鳴きながら急降下して威嚇する。飛ぶと白、灰、黒の三色が目立つが、降り立つと周囲の色に溶け込んでしまう。

麓田の冬田に住みて鳧鳴くと声聞きにけり朝ゆきつつ　玉城　徹

げんごろう〔源五郎〕　ゲンゴロウ科の甲虫。幼虫、成虫とも池沼、水田などの水中にすみ、小昆虫やオタマジャクシなどを食べる。成虫は体長約4センチの楕円形。背は緑黒色で黄褐色の縁取りがあり、櫂に似る後肢には多くの毛があり、水中を泳ぐ。夜間空中を飛び、灯火にもくる。幼虫は細い紡錘形で鋭い牙をもち、小児の疳の病に効があるという。孫太郎虫は蛇蜻蛉の幼虫でその黒焼きは小児の疳の妙薬とされた。茂吉の歌はそれを混同されたものと考えられる。

孫太郎虫の成虫が源五郎虫にしてまのあたりするどき形態あはれ　斎藤　茂吉

改修されややに澄みゆく街川に源五郎虫もあそぶ子もなし　只野　綾子

げんじぼたる〔源氏蛍〕　ホタル科の甲虫。本州から九州、対馬に分布。体長15ミリ内外、日本最大の蛍で、少し小さい平家蛍とともに親しまれてきた。体色は黒く、胸は赤い。幼虫は清流にすみ、カワニナなど巻貝を食べる。川岸の土中で蛹になり、成虫は五月下旬から六月下旬に現れる。最近土手がコンクリート化され、また農薬により激減した。成虫だけでなく、卵、幼虫、蛹も発光する。また成虫の雄は発光しながら雌に近づき、ひとき両方とも光を増してもつれあい、交尾間に光を

消す↓蛍

我が庭に源氏蛍のまよひ来てしばし遊べりひとつ光に　今井　邦子

こ〔蚕〕　カイコのこと。かつて絹糸が輸出品として外貨を稼いだ際に、お蚕さま、お蚕と呼ばれて大切に扱われた。↓秋蚕　蚕　夏蚕　繭　山蚕

桑の葉を食はずなりたる蚕のからだ透きとほりゆくあの種の切なさ　五島美代子

桑にほふ室に蚕のねむり見て立てるいつの姿かおぼろになりつ　山本　友一

馬も蚕も大き家ぬちに住まはせてこの雪国の親しかりけり　島田　修二

こい〔鯉〕　コイ科の淡水魚。池や沼、流れのゆるやかな川の下流などにすむ。体長80センチ、フナに似るが口ひげがある。野性種の真鯉は背が緑褐色、体側が黄金色を帯びる。雑食性。養殖も盛んで鯉こく、あらい、中国料理などにする。長野県佐久の水田養殖は有名である。緋鯉は金鯉ともいわれ、全身黄赤色、紅色、白色、また雑色、斑点のあるもので、観賞用として飼育される。錦鯉は色鯉、花鯉ともいわれ、色彩や斑点が美しく、観賞用として赤白・大正三色・昭和三色・浅黄・黄金・秋翠などが新潟県山古志地方で育種改良されたもの。ドイツから輸入した革鯉・鏡鯉は鱗の退化したもので、肉が多く、成長が早い。

投げし麩の一つを囲みかたまり寄りおしこりおしもみ鯉の上に鯉　佐佐木信綱

最上川に住む鯉のこと常におもふ噞喁ふさまもはやしづけきか　斎藤　茂吉

池水に病ふ緋鯉の死ぬときは音立てて跳ねてただち息停む　北原　白秋

鯉こくにあらひにあきて焼かせたる鯉の味噌焼うまかりにけり　若山　牧水

おもむろにからだ現はれて水に浮く鯉は若葉の輝きを浴む　佐藤佐太郎

思ほえぬこころのゆらぎ昼食ののちひと袋鯉ゑさを買ふ　山本　友一

池水の澄むひとところ近づけば胸びれをさめ緋の鯉の群　中野　菊夫

不意にこころは悲し雪降り入るふるさとの池に真鯉は生きむ　宮　柊二

白き鯉の過ぎゆく膚(はだ)にかたはらの鯉の緋色のたまゆら映えつ　田谷　鋭

冬池にむらがる鯉はいくところ砂捲きて湧く水を聴けりや　川島喜代詩

向き変ふる鯉は尾びれにしなやかに力こめたり立つ水けむり　伊藤　雅子

陽は秋の水に流れてゆく方(かた)へ鯉の幾尾(いくび)かゆらゆらと追ふ　雨宮　雅子

黄金額(こがねひたひ)の鯉浮きざまに葩(はな)呑みてすぐに吐き出すみづ音もせず　大滝　貞一

水際なるわたしは薄い影のやう鯉らまつすぐに口あけて来る　河野　裕子

神田川のにごりの底を進みゆく緋鯉の群れの数かぎりなく　大島　史洋

ごい〔五位(ごゐ)〕　サギ科の鳥の五位鷺の略。醍醐天皇が神泉苑の御宴の折、蔵人が宣旨(せんじ)ゆえ飛び立つなと言ったところ、飛ばずに捕えられたため、天皇が五位の位を与えたとの故事により名前が付けられたという。↓五位鷺

歌はただ此の世の外の五位の声端的(たんてき)にいま結語を言へば　岡井　隆

夕闇をゆるくはばたきすぐるときがばと鳴きたり五位はひとところ　久我田鶴子

しめやかなたましひを乗せはばたくや五位に出会ふは決まつてゆふぐれ　久我田鶴子

ごいさぎ〔五位鷺(ごゐさぎ)〕　サギ科の鳥。本州以南の各地で繁殖し、一部冬季に南方へ渡る。低地や低山の林に他のサギ類とともにコロニーを作る。体長57センチ。頭頂から背まで青緑黒色、翼と腰と尾は灰色。繁殖期には後頭に二、三本の長い白色飾羽が目立つ。雌雄同色。幼鳥と若鳥は暗褐色地に星を散らしたような斑紋が並び、星五位(ほしごい)と呼ばれる。昼間は樹上や水辺で休み、夜間に魚などを捕えて食べる。夜間移動するときクワッと鳴きながら飛ぶので、町中でも聞こえることがある。↓五位　鷺

秋ちかき月夜の空に声ほそく五位鷺啼けばそよぐ木々の葉　四賀　光子

うら寂しひとの熟睡(うまゐ)を目守りつつさ夜ふけてきく五

位鷺のこゑ　　　　　　　　　　　　原　阿佐緒

五位鷺の夜の声すぎて月明の谷に降りゆく気のごときもの　　　　　　　　　　　　尾崎左永子

たましひのこゑ曳きながら飛びゆけり霜月晴のそらの五位鷺　　　　　　　　　　　　高野　公彦

こうちゅう〔甲虫〕

甲虫目（鞘翅目）に属する昆虫の総称。体の外面はキチン質でおおわれて鎧を着たようで、前翅は鞘状でかたく、後翅は膜質で前翅の下にたたみこまれている。↓金ぶん　兜虫　髪切虫　鍬形　黄金虫

空晴れて近づく夜は見えざるに甲虫の飛ぶいたくさみしく　　　　　　　　　　　　森岡　貞香

あふむけにされたる甲虫は灯の下に跳ねかへる力を失なひはじむ　　　　　　　　　　　　石黒　清介

橋わたり対岸に行く霊柩車甲虫のごとく昼を輝く　　　　　　　　　　　　前　登志夫

何ありて癒ゆる渇きか甲虫の一つ番いを掌に遊ばせて　　　　　　　　　　　　岡井　隆

甲虫を手に握りしめ息あらく父の寝室の前に立ちおり　　　　　　　　　　　　寺山　修司

白桃に唇寄せるとき甲虫のからだのようにわたしが香る　　　　　　　　　　　　早川　志織

こうちょう〔候鳥〕

渡り鳥のことをいう。秋になると冬鳥が北国からきて、夏鳥が南の国へ帰ることで、冬鳥は雁、鴫など、夏鳥は燕などがある。候鳥に対し、季節的な移動をしないで殆ど一年中同じ地域にすむ鳥を留鳥という。また同じ国内で冬に暖かい地域に移る鳥を漂鳥という。留鳥は雀、烏など、漂鳥は椋鳥など。↓渡り鳥

いづくにも生きゆくものの幸がまつべしと思ふ候鳥のこゑ　　　　　　　　　　　　生方たつゑ

支へなきわが生き方よ夜の空を鳴き交はしゆく候鳥の声　　　　　　　　　　　　大西　民子

こうもり〔蝙蝠〕

翼手目の総称。哺乳類中唯一の飛行動物。昼は人家の屋根裏、洞穴、樹洞などに頭を下にして、後足でぶら下がって休息し、夜行性なので日没前後から飛び出し、蛾、蠅、蚊などを捕食する。体長4.5センチのアブラコウモリが最も多く、体は全身黒灰色。前腕3.3センチと長く、指の間の皮膜をひろげて飛ぶ。冬は外に出ない

が、初夏から晩秋にかけて盛んに活動する。蚊などをよく食べるので蚊喰鳥（かくいどり）とも呼ばれ、古名を蝙蝠（かわほり）という。

→蝙蝠（かわほり）

蝙蝠に似むとわらへばわが暗きかほの蝙蝠に見ゆるゆふぐれ　若山　牧水

ひらひらと蝙蝠とびて夜に入るけむるがごとく暗くなりつつ　鈴木　幸輔

とめどなくくらがりを飛ぶ蝙蝠を仰ぎて飛べぬ蝙蝠われは　大西　民子

都市の夜にまぎれゆきたる蝙蝠を思へばうつくし光の迷路　日高　尭子

異次元よりはぐれてきたるもののごと蝙蝠の飛ぶたそがれ広場　久我田鶴子

こおろぎ〔蟋蟀（こほろぎ）〕

直翅目コオロギ科の昆虫の総称。晩夏から秋まで草むらや石の下などにすみ、水分の多い植物や果実などを好む。雄は種類により特有の声で鳴く。閻魔（えんま）蟋蟀、阿亀（おかめ）蟋蟀、綴（つづ）れ刺せ蟋蟀などが主である。なお綴れ刺せ蟋蟀を単に蟋蟀ということもある。綴れ刺せ蟋蟀は八～十一月に本州以南の畑や草地にすむ。体長17ミリ、褐色で頭部は円くて角ばらない。リ、リ、リと縁の下などから途切れ途切れに聞こえる雄の鳴き声が「針刺せ、糸刺せ、綴れ刺せ」と冬支度を急がせるようだという。ちちろ虫ともいう。古くは蟋蟀をキリギリスと呼んだ。

→閻魔蟋蟀　阿亀蟋蟀　ちちろ虫

夕雨（ゆふさめ）にこほろこほろぎうら悲し新（にひ）おくつきの鶏頭がもと　伊藤左千夫

花草の原のいづくに金の家銀の家すや月夜こほろぎ　与謝野晶子

髄（すね）立ててこほろぎ歩む畳には砂糖のこなも灯（ひ）に光り沁む　北原　白秋

うちどよむあらしの底にこほろぎは鳴きてありけりとぎれとぎれに　古泉　千樫

迎へ火に焚きのこしたる藁の上幼なこほろぎ出て遊びをり　村野　次郎

こほろぎの夜啼くこゑを聞きゐれば神代の闇にひびく如しも　前川佐美雄

未来（さき）の世も我に憑（つ）きくる生きものの信濃の夜半（よは）のこほろぎの声　斎藤　史

よく見ると髭をはやせしこおろぎの子供が机をはい

まわっていた　山崎　方代

こおろぎは髭ふるわせて鳴きており午前一時の刻輝きぬ　岡部桂一郎

こほろぎに鳴きつつまれてうつそみはつゆけき夜半の闇に漂ふ　杜沢光一郎

恋ふといふしづけき思念、枕べに夜もすがらなるこほろぎのこゑ　成瀬　有

わが柩そとよりひたと閉(さ)すやうに鳴きしきりゐる雨夜こほろぎ　高野　公彦

こがねむし〔黄金虫(こがねむし)〕　コガネムシ科の甲虫の総称。成虫は夏に現れてサクラ、クヌギなどの広葉樹の葉を食害する。体長18ミリ内外、光沢のある青緑色の輝きをもつ。幼虫は地虫といわれ土中で植物の根を食べる。ブドウなどを荒らす銅鉦(どうがね)ブイブイは青銅色の輝きをもつ。マメ科の植物を食害する豆(まめ)黄金は少し小さく、光沢のある緑黒色で黄褐色の縞模様がある。大正初期北米東部へ渡った豆黄金は全米に広がり、ジャパニーズ・ビートルと恐れられたという。夏の夜、灯火のまわりを羽音を立てて飛ぶ。金(かな)ぶんと俗称することもある。↓金ぶん　甲虫　地虫

こがね虫ころりと一つ落ちにけり花粉と露にまみれてをるも　若山喜志子

こがね虫小暗き土になげうちぬ酔ひてたのしきこともなし今　小暮　政次

水中より掬ひあげたるこがねむし単純なる虫のさまに竦(すく)めり　鈴鹿　俊子

父の死後十年　夜のわが卓を歩みてよぎる黄金虫あり　小池　光

こがも〔小鴨(こがも)〕　ガンカモ科の水鳥。湖沼、池、川にすむ小さい淡水鴨。秋に渡ってくる冬鳥だが本州の山地と北海道では少数繁殖する。全長37センチ。雄は栗色と緑色の頭が特徴で、ピリッピリッと細い声で鳴く。夜間、水田や湿地などで穀類、雑草の種子を食べる。餌を与えると真先に寄ってくるが他の大きな鴨に追いやられてしまう。↓鴨

小流れの波くぐりては戻さるる小鴨のあそびあくことのなし　白石　昂

かるがもの羽繕(はづくろ)ひする岸の杭こがもは首を背に埋

め眠る　来嶋　靖生

こがら〔小雀〕 シジュウカラ科の鳥。北海道、本州、四国の山地の林にすむ。全長12センチ。頭は黒いベレー帽をかぶったようで、頬から腹は白く、背は淡灰褐色。枯れた木に穴を掘って巣を作り、おもに昆虫類を食べる。冬にはシジュウカラ、ヤマガラ、ヒガラなどと共にすむ。鳴き声はツーツージャージャー。↓小がらめ

或る日わが庭のくるみに囀りし小雀来らず冴え返りつつ　島木　赤彦

砂畑の畦の冬木のとがり枝に小雀小雀の音になきてゐる　前田　夕暮

かへでの枝の細きを揺らす小雀らの二つ三つ来るまた二つ来る　須永　義夫

目に見ゆるものの淋しさ朝土に群るる小雀の頭ちひさし　安永　蕗子

枯木山枯木の間の宙を切る自由自在の小雀のからだ　佐佐木幸綱

こがらめ〔小雀〕 シジュウカラ科のコガラの異名。↓小がら

冬枯れて久しき庭や石垣の苔をついばみて小雀の居り　島木　赤彦

さ庭べの石垣の巣に餌はこぶ小雀の親は人を怖れず　島木　赤彦

小雀の榎の木に騒ぐ朝まだき木綿波雲に見ゆる山の秀　長塚　節

ごきぶり〔蜚蠊〕 俗称を油虫といわれ、陰湿な場所を好み、夜間活動して食物をとる。茶羽ゴキブリが最も多く、黒ゴキブリ、大和ゴキブリなど、人家内に定住し、病菌の媒介をするので、その形態とともに嫌われている。

背のはげし本の膠はゴキブリの好き餌といへど防ぐ術なし　土屋　文明

ゴキブリは天にもをりと思へる夜　神よつめたき手を貸したまへ　葛原　妙子

すばやく逃げかくれするのみならず蜚蠊はときに颯爽と飛ぶ　野村　清

あぶら虫翔ちあまつさへ飴色に翅かがやけり明日平和祭　塚本　邦雄

ゴキブリの祭りの終り地上の果一切を賭け肢闘え

る

こころ止めず聞きて帰りしがゴキブリを飼ふとふ若き独居房の囚　岡井　隆

夕めしを食ふかたはらを人の世に住むゴキブリはひとつ走りぬ　田中子之吉

教室の隅に置きたる紙小屋にごきぶりの子の死ぬるあはれさ　黒崎善四郎

こくぞうむし〔穀象虫〕

ゾウムシ科の甲虫。体長3ミリ内外。黒褐色の体で、頭の先端が突出して象の鼻に似るので名がある。幼虫は米、麦、トウモロコシなど貯蔵穀物の中にすみ食害する。成虫は年に数回、連続して発生する。

母よ彼の穀象虫らが外国の小麦の粉にまみれ死にけり　小池　光

こくちょう〔黒鳥〕

ガンカモ科の水鳥。豪州原産で、観賞用として動物園、公園で飼育される。体形は白鳥に似ているが、全身黒色で風切羽の一部は白い。嘴は深紅色。幼鳥は黄白色の綿毛に包まれる。

嘴あかき黒鳥は体おもらかに水にうけつつ高啼くあはれ　秋元千恵子

黒鳥はひとりおろかや土にゐてあそべるなれば春はかなしさ　前田　夕暮

青山墓地の天の中辺を漕ぎをりて黒鳥二羽のひろがれる羽根　野村　清

こげら〔小啄木鳥〕

キツツキ科の鳥。日本の全国の平地、低山の林に留鳥としてすみ、木の幹や枝にいる昆虫、クモなどや、ハゼ、ヤマウルシの実を食べる。全長15センチ、羽は黒褐色に白色の横縞がある。幹に穴を掘って巣を作り、ギーッ、ギーッと鳴く。繁殖期にはキーキッキッキッと鋭く鳴き、タラララと短く木をたたくが、小形の割には音が大きい。近年都市部の公園、街路の樹木にも繁殖が見られるのは樹木が年々成長しているからという。→赤げら　啄木鳥　啄木鳥

珍しき鳥がゐるよとわが妻のゆび指すみればコゲラなりにき　森岡　貞香

もろごゑにこげらが鳴ける神保町この街にして夜すがらとほる　井上　只生

酸性雨浴びたる幹をかんかんとコゲラは叩く　叩く　篠　弘

ほかなく　　　　　　　　　武田　弘之

こさぎ〔小鷺（こさぎ）〕

サギ科の鳥で、小形の白鷺。留鳥として本州中部以南の水辺にすむ。全長60センチ。脚と嘴が黒く、指が黄色いのが特徴。竹やぶや松林に集団で営巣し、川・田・池などの浅い水の中で片脚をふるわせて、魚やザリガニを追い出して捕える。↓鷺　白鷺

生けるものひとつもすまぬ涸れ沼に鳴かざる小鷺が来て嘴（はし）を刺す　　　　築地　正子

首を身にをさめてしばしふくらめる小鷺は靄の底にも白し　　　　今野　寿美

こじゅけい〔小綬鶏（こじゅけい）〕

キジ科の鳥。中国南部原産で日本では一九二〇年ごろ狩猟鳥として東京と横浜に放鳥され、現在は北海道以外の各地に広まり、平地や低山のやぶにすむ。全長27センチ、ウズラに似てずんぐりするが、一まわり大きい。キジ科の鳥だが尾は短い。大きな声でピッググイーと鳴き、昔はこれをチョットコイと聞こえたことで有名。ピョッーという声も出す。小群で歩きながら草の実などを食べる。初夏から夏に雛を連れて歩く姿もよく見られる。

小綬鶏といふ名を知りて啼くきけば焼つちはらの春のあはれさ　　　　土岐　善麿

小綬鶏の囀るといふに躙り寄れ天よりの声はつね聞きもらす　　　　顕田島一二郎

砲声を聞きしは夢にて朝霧のきらめく庭に小綬鶏はなく　　　　加藤　克巳

子を連れて道よぎりゆきし小綬鶏を夜の山そよぐ時におもへり　　　　岡野　弘彦

小綬鶏のいまだに在りとこえとよむわが浅谷に立ちて嘆くも　　　　田井　安曇

小綬鶏は若葉の谷にかくれいて火を点じあうごとくにさけぶ　　　　松坂　弘

小綬鶏の声が鋭く駈けのぼるわれには見えぬ天の坂道　　　　佐佐木幸綱

鳴き終へて枝を離るる小綬鶏の胸ひいやりと濡れゐるを見つ　　　　栗木　京子

ことり〔小鳥（ことり）〕

小鳥は身近にいることが多いので親しみ深い鳥である。飼い鳥としてジュウシマツ、ブンチョウ、ベニスズメ、カナ

リア、セキセイインコ、ハトなどがあり、春にはウグイス、ヒバリなどが囀り、ツバメが渡ってくる。特に秋にはツグミ、ヒワ、アトリ、アオジなどが群れをなして渡ってきたり、山地から平地へ移って枝移りする姿はとりどりに美しく、また冬の間庭先や公園などで餌をついばみ囀る姿はまことに愛らしい。

てんぷら屋八百屋とのあひの小鳥店店うつくしく小鳥籠に遊ぶ　窪田　空穂

生きものの生くまくは悲し事なげに見ゆる小鳥の羽虫とりつゝ　宇都野　研

小鳥きて少女のやうに身を洗ふ木かげの秋の水だまりかな　与謝野晶子

運命にしたがふ如くつぎつぎに山の小鳥は峡を出でくる　斎藤　茂吉

窓さきに胸白き小鳥木伝ふをしばしの眠り覚めて見てゐる　五味　保義

ねんごろに小鳥の餌をする妻か父の葬より帰り来りて　木俣　修

よく見れば色小鳥ゐてかぎりなく雨木隠りにあらはれて飛ぶ　鈴木　幸輔

故旧みなちりぢりにして音もなし冬の小鳥のあそぶ墓原　岡野　弘彦

このしろ〔鰶・鮗〕

コノシロ科の魚。東京では12センチ位までの若魚をコハダといい、鮨の材料に用いる。各地の沿岸に分布し、内湾にも入る。体長25センチ。背は青黒く、腹は銀白色で肩に黒斑点が並ぶ。プランクトンを食べる。塩焼、鮨、あわ漬にして美味。

鰶のこまかに銀し四月のいまだ寒きにすがすがとあり　岡部　文夫

このはずく〔木葉木菟〕

フクロウ科の鳥。ユーラシア大陸、アフリカに分布し、日本へは夏鳥として九州以北に渡って来る。おもに針葉樹林にすみ、夜間、昆虫を捕食する。全長20センチ。羽は暗褐色に黒や黄褐色の斑があり、目は黄色、小さな耳羽がある。樹洞を巣として、夜に大木の枝で、ブッコッコーと甲高い声で鳴く。このため、ギッギッゲゲゲと鳴く仏法僧とまちがえられたほど、声のブッポウソウとして有名。↓青葉木菟　木菟

木の葉梟一羽ゐて啼く深谷の闇に入りゆく人に逢は

むため　岡野　弘彦

このわた〔海鼠腸〕　ナマコの腸の塩辛。酒の肴に美味。→なまこ

かの岸もみぞれ雪ふる海鼠腸をすすれば父が眸をほそめたり　中西　洋子

このわたを海の鼠の腸というたれの想像力か脱帽　小高　賢

こまい〔氷下魚〕　タラ科の魚。日本海と北太平洋に分布。タラに似るが小形で全長30センチ以下。背は灰褐色で不規則な斑紋がある。根室・厚岸地方では冬季、海面の氷に穴をあけて釣る。味は淡泊、練製品の原料にされる。

氷下魚食めば蝦夷の別れにオホックの天ひしめきてなだれ来るかも　鷲巣　繁男

こまどり〔駒鳥〕　ヒタキ科の鳥。日本列島特産種。夏、亜高山帯の笹などの下ばえの多い林で繁殖し、冬は中国南部に渡って越冬する。全長14センチで雀よりやや大きい。雄は頭から背は暗い赤褐色、顔と上胸と尾羽が明るい赤褐色、下胸から腹は灰色。雌は緑褐色を帯びる。昆虫類を食べ、巣は倒木の下や浅い窪みに作る。鳴き声がヒインカラカラカラと高くて大きく、馬のいななきに似るのでこの名があるという。鶯、大瑠璃とともに古来三鳴鳥の一つとされ、愛玩用に飼われたが、現在、非狩猟鳥である。

駒鳥のこゑきこゆ、誰が飼へるものか、彼方の棟の開かれし窻　尾山篤二郎

駒鳥は大きくまし子は小さく飛ぶ数もて来る尾長やかまし　土屋　文明

山にいりて世ははるかなり渓川やあを葉にひびく駒鳥のこゑ　中村　憲吉

東京に我はかへらむりんりんと朝の峡にひびく駒鳥　岡野　弘彦

ごめ〔海猫〕　カモメ類の俗称で、とくに海猫をいう。海猫は島や岬の地上に集団で巣をつくる中形の鳥。三年目で成鳥羽となり、一年目冬羽の若鳥は全身暗褐色で、大形カモメ類の若鳥と一様な色合いに見える。冬期には全国の内湾や港に普通に見られる。→海猫　鷗

春の海猫テトラポットの尖ざきに胸白の向き揃ひて

憩ふ　　　　　　　　　　　　　　　　　鎌田　純一

寒干しの鱈がからから吹かれゐる北緯四十五度海猫(ごめ)群れて飛ぶ　　　　　　　　　　　山名　康郎

こもりぐも〔こもり蜘蛛(ぐも)〕　ドクグモ科。網（蜘蛛の巣）を張らないクモで、地面や水辺を走りまわって（徘徊(はいかい)性）昆虫を捕え、畑や水田の害虫駆除に役立つ。体長は普通5～8ミリ、雄は小さい。茶褐色。雌は四～七月球状の卵嚢を体につけて生活し、卵嚢から出た子グモはしばらくの間母親の背にのって暮らす。毒蜘蛛ともいうが、人に危害を与えるような毒性はない。↓蜘蛛

草土手に徘徊性の蜘蛛跳べり羊蹄(ぎしぎし)あかく人日(じんじつ)微温　　　後藤　直二

ごり〔鮴(ごり)〕　淡水魚ハゼ類の俗称で、琵琶湖・淀川水系ではヨシノボリ、高知・和歌山ではチチブ、金沢ではカジカをいう。から揚げ、あめ煮、ゴリ汁などにして賞味するが、金沢のゴリ料理は名高い。↓かじか

ごり料理をりしも河は夕立のさゝにごりしてやがて霽(は)れたり　　　　　　　　　太田　水穂

ゴリラ　霊長目オランウータン科。ギリシア語。現地語は毛深い女の意という。最大の霊長類で雄は体長1.9メートル、体重270キロに達する。西アフリカのカメルーン、コンゴ地方の熱帯雨林にすむローランドゴリラと、コンゴ地方東部のキブ湖周辺の標高千メートル以上の山地林にすむマウンテンゴリラがある。一頭の雄を中心に、一、二頭の雌とその子で家族群をなし、果実、たけのこなどを食べる。夜は樹上に巣を作って休む。日本では動物園でしか見られないが、歩行には四肢を用い、後肢が短いので上半身を半分起こした姿勢をとる。知能が高く、温和な性質をもつ。大猩々(おおしょうじょう)。

どうして俺はここにゐるのかといふ貌にゴリラが空を見上げてゐたり　　　　　　　志野　暁子

鬱病を癒さむとして飲ませたる酒におぼれてゴリラ肥(ふと)りき　　　　　　　　　松坂　弘

飲み過ぎて酒肥りせるゴリラありさすがゴリラは人間に似る　　　　　　　　　　松坂　弘

堀割の水にうつりて二百十日ゴリラの影はうごかざるかな　　　　　　　　　　　小池　光

こるり〔小瑠璃(こるり)〕　ヒタキ科の鳥。本州中部以北の山地のやぶにすむ夏鳥。全長14センチ。雄の背は暗青色で腹は白色、雌はオリーブ色。雌雄とも脚が長く、水平姿勢をとる。駒鳥に似たやや低い美声でさえずるが、チッチッチッという次第に大きくなる前奏が必ず入る。ホトトギス科のジュウイチが小瑠璃の巣に托卵することが多い。↓大瑠璃

笹の葉を擡(もた)ぐれば目に入る小瑠璃の巣あないみじやと息呑みて視る　窪田　空穂

こんちゅう〔昆虫(こんちゅう)〕　昆虫とは体が頭・胸・腹の三部分に分かれ、頭には一対の触角・複眼・口器があり、胸には二対の翅と三対の肢があるなどと小学校で学んだが、トンボ、ハチ、チョウ、アリ、ハエ、カなど身近に接し、その大部分が発育途中に変態することや、益虫・害虫の別も生活の中で体験でき、犬や猫とはちがう親しみをもった。またファーブルの『昆虫記』を読み、科学者の緻密な観察眼と詩人の心で虫の生活や行動を描いているのに感動したものである。↓虫

昆虫の世界ことごとくあはれにて夜な夜なわれの灯火(ともしび)に来る　斎藤　茂吉

自然界の秘密無尽なり藤咲ける庭を光り飛ぶ昆虫幾種　田谷　鋭

さい〔犀(さい)〕　奇蹄目サイ科の総称。第三紀後半に繁栄したサイは、現在アフリカにクロサイ・シロサイの二種、南アジアにインドサイ・ジャワサイ・スマトラサイの三種が生息するのみである。頭胴長2～4メートル、体重1～3.5トン、シロサイは体重4トンもある。頭は大きく首は短い。四肢にはそれぞれ三本の指をもつ。皮膚は角質化して固い。特に鼻の上には角質化で骨芯のない一～二本の角がある。草原や湿地にすみ、草食性で、嗅覚・聴覚は鋭いが、視覚が鈍い。

鏡よりわれをし視るは年月のつもりて古りし顔の―犀の眼　玉城　徹

指させば子よ白犀が偉大なる愚直の如く立てり歩めり　佐佐木幸綱

犀の角雨をはじきて東京に流れ着きたるもの見つめ合う　三枝　昻之

ああかくも物の如くに犀は立ち疾走の衝動を踏んでいるのか　花山多佳子

雪が雨にかはる夕べは傷ついた緑の犀のねむりをぼくに　大辻　隆弘

テレビには犀の結婚ほのぼのと映りゐてわが戯画のごとしも　荻原　裕幸

さかな〔魚〕

魚類。食用のうお。↓いお　いろくず　うお　うろくず　魚類　な

手握れば海のさかなのつめたさよひくひくとうごくわが掌に　前田　夕暮

もの音は樹木の耳に蔵はれて月よみの谿をのぼるさかなよ　前　登志夫

肌青きからに下賤の魚にてわれに食われて満足をせよ　石田比呂志

さぎ〔鷺〕

サギ科の鳥の総称。日本には十六種がすむ。ツルに似るがやや小形で、飛翔時に首を乙字形にちぢめる。水田や川で魚、ザリガニなどを食べる。巣を木の枝に作るものと葭原に作るものとがある。雪客ともいう。↓青鷺　五位　五位鷺　小鷺　白鷺

鷺の群かずかぎりなき鷺のむれ騒然として寂しきものを　古泉　千樫

街空にうかぶごとくに鷺の飛ぶ久々にきたる浅草の空　中野　菊夫

首をのべ脚のべ二羽の鷺とびゆく夕茜にそみやや華やぎて　佐佐木由幾

脚あげて鷺が渉りの一歩二歩ほのかに冬の水霧らふかな　安永　蕗子

みづからの原風景をさがしつつこの冬川にきたらむ鷺か　築地　正子

多摩川の春秋のこと豊かなるつばさにたたみ鷺は佇ちゐつ　馬場あき子

脚を垂れ鷺とべりけり男とふ鬱悒せき性を思ひゐしとき　高野　公彦

消えのこる川原の雪に降り立ちて歩幅小さく鷺は歩める　永田　和宏

大川の流れの青く澄む時刻　発光体となる鷺の群れ　真鍋　正男

さくらえび〔桜蝦〕

サクラエビ科。河川が流れ込むやや深海の泥底質

の水域を好む。体長約5センチ、甲殻は柔らかく、体は透明で微小の赤い色素胞が散るので淡い紅色。体表に一五〇個ほどの発光器をもち、弱い緑黄色の光を放つ。駿河湾富士川河口付近で多く獲れるが、一時ヘドロで激減したことがある。干しエビにする。全国の山村まで独得の香と味で普及。

結婚したいならしてしまへふところにがさりと紙(かん)袋(ぶくろ)のさくらえび　　塚本　邦雄

さくらだい〔桜鯛(さくらだひ)〕　瀬戸内海沿岸などで桜の咲くころとれる真鯛をいう。真鯛は春産卵のため外海から内海に群れをなして入ってくる。鱗は鮮やかな紅色を帯びる。花見鯛、はなさくら鯛ともいわれる。↓鯛　真鯛

鬱金を放てる鯛のくれなゐを桜と言ひし人を思ひぬ　　稲葉　京子

豊予海峡かいくぐり来し桜鯛つよき鰭にて流しを叩く　　永野　燁子

さけ〔鮭(さけ)〕　サケ科のサケ・ベニザケ・ギンザケなどをいう。秋の産卵期になると北太平洋と日本海に注ぐ川に群れをなしてさかのぼる。全長1メートル。背は青灰色、腹は銀白色で、産卵期には紅色の斑紋が生じる。またこの時期、雄の吻(ふん)が突出して曲がるのを鼻曲(はなまがり)と呼ぶ。北海道・東北地方ではアキアジ、東京ではシャケという。鮮魚の肉は淡紅色（鮭色・サーモンピンク）で美味である。新巻、塩ザケ、缶詰、燻製などにし、卵は筋子・イクラにする。産卵に生まれ故郷の川をさかのぼるので、人工的に採卵、孵化、放流が行われている。↓新巻　サーモン　塩鮭　鼻曲　腹子　はららご

しらじらと波立ち騒ぐ堰堤にはや上り来る秋の鮭見ゆ　　吉田　正俊

たひらなる地の川に黒き鮭群れてのぼるを告げし少年も死す　　服部　直人

放たれて河に入りたる鮭の子は岸辺にながくあそぶことなし　　斎藤　史

川浅く透きつつ鮭の遡りゐむ夜を覚めてふしぎなる充足があり　　中城ふみ子

水浅き瀬の石の間遡(あひのぼ)る鮭音ぴしぴしと身と身打ち合ふ　　麻生　松江

産卵のためさかのぼる鮭思ひつつ眠る妻のかたへに

さざえ〔栄螺（さざえ）〕

リュウテンサザエ科の巻貝。岩礁にすみ、夜活動して海藻類を食べる。貝殻は厚く拳（こぶし）状。棘状の突起が特徴だが内海のものにはないことが多い。殻の外面は暗緑褐色、内面は平滑で真珠色。ふたは石灰質で厚く渦巻状。肉は壺焼などにし、殻は貝細工に使う。↓貝　　阿部　正路

吾が妻が提げ来し能登の栄螺には青青としたる石蓴（あをさ）が付きぬ　　岡部　文夫

ちかよりて吾がみつつゐる舗道には昼光（ひるひかり）差し栄螺を売りぬ　　岡部　文夫

栄螺のはらわたの濃むらさきとことはに日本の敗（まけ）戦（いくさ）を祝はむ　　塚本　邦雄

さしば〔鸇（さしば）・差羽（さしば）〕

ワシタカ科の鳥。本州から南の低山の林に夏鳥として渡来、秋に群れをなして南方へ渡る。全長49センチのカラス大で、背と胸は褐色。飛ぶと下面の翼と尾に横縞が出る。翼幅が細く長めのため全体にきゃしゃな感じ。高い木の枝に巣を作り、五、六月ごろ二～五個の卵を産む。ヘビ、カエル、昆虫などを捕食。飛びながらピックイーと鳴き、見上げるとヘビをぶら下げていたりする。↓鷹

かすかなる群をなしつつ飛ぶ鸇気流に乗るは安からず見ゆ　　佐藤　志満

舞いのぼるサシバの翼目に光りつぎつぎに佐多の海原へ消ゆ　　池田　純義

さそり〔蠍（さそり）〕

サソリ目の節足動物の総称。熱帯・亜熱帯に多く、沖縄にはヤエヤマサソリ、小笠原にはマダラサソリが、常に日光を避けて乾燥した樹皮下や材木の隙間などにすみ、夜行性で昆虫を食べる。体長4～6センチが多いが、西アフリカにすむダイオウサソリは18センチに達する。体は頭胸部と腹部に分かれ、口部の近くに鋏状の大きな触肢があり、腹部後端に毒針がある。一般に毒は強くないがアフリカ・メキシコには猛毒をもつものがある。脚は四対。交尾の際に雌雄が向かい合ってダンスをし、卵胎生で雌は孵化したばかりの子を背中にのせて保護する

烽火台の地下道に吾が下りむとし蠍の這ふを聞きたるごとし　　川田　順

蠍は穹の星となる　かれを見し古人の恐怖により
葛原　妙子

さなえとんぼ〔早苗蜻蛉〕

サナエトンボ科。晩春から初夏の早苗取りのころ発生する。体長40ミリ内外。黒地に緑黄色の斑紋がある。→とんぼ

大粒のなみだ堪へて見上げゐるさなへとんぼは空にかへさむ
真鍋　正男

さば〔鯖〕

サバ科の魚。マサバ（ホンサバ）とゴマサバ（マルサバ）の二種がある。体長40センチ以上の紡錘形。背は青緑色、銀白色の腹にある青黒い波状紋がマサバで、小黒点がゴマサバである。表層回遊魚で小魚、大形プランクトンを食べる。関東近海での産卵期は四、五月ごろで、秋になると脂がのり、秋鯖は嫁に食わすなというほどうまくなる。鰯、鯵とともに食生活に馴染みの大衆魚。しめサバ、煮付、塩焼などにする。

刺網の鯖の乏しきに堪へ来にし村は原電をいま立つといふ
岡部　文夫

放射能ふくめる雨に霧らふ店さかな屋の鯖ごろごろ光る
窪田章一郎

割き鯖を田に干し並めし浅峡に海のなぎさの近き白波
佐藤佐太郎

競り声にさばかれてゆくトロ箱の鯖の目澄みて海の色もつ
岸本　好普

網に入る子鯖は子鯵をくわえたりくわえたるまま網に息づく
川合　雅世

さめ〔鮫〕

サメ目に属する軟骨魚類をいう。温・熱帯の浅海・深海にすむもの、沖合を遊泳するものなど生息場所が多様で、てのひらに収まるものから全長18メートルに及ぶジンベエザメまで、大きさや形がさまざまである。皮膚は硬質の歯状鱗でおおわれ、左右の体側に五～七個ずつの鰓孔があり、歯は鋭い。魚類、浮遊性甲殻類、イカなどを食べ、運動迅速、狂暴なものも少なくない。体長5メートル以上の頬白は人を襲うので人喰い鮫とも呼ばれる。関西ではフカ（鱶）と呼び、関東では特に大形のものを指してフカという。肉は蒲鉾などの原料とされ、鰭は中国料理に用いられる。→ふか

艙口にわたす板の上ひきずられ鮫のからだの大き

かりけり
けだものの肌なす岩にくろき腹みせて日向に海鮫(うみざめ)死せり　川田　順
鱶(ふかざめ)は大地の上に歩かねばただにごろりところがされたり　前田　夕暮
たたきの上に山とつまるる鮫の体だらりぐたりと垂れてあへなし　北原　白秋
　橋本　徳寿

サーモン

鮭をいうが、とくに北海道以北に分布するマスノスケを、アメリカではキングサーモンといっている。サケの中では最大で全長2メートル近くになる。日本の漁獲量は少なく、カナダ産などが多い。↓鮭

まれまれに立てる厨にラップして花のごとしもサーモンの朱は　大西　民子

さより〔細魚(さより)・針魚(さより)〕

サヨリ科の魚。沿岸や入江・河口に小群をなして泳ぐ。全長30～40センチ、体は細長く、青緑色で銀色に光る。下顎が非常に長くとがり、先端が橙色をしている。晩春に粘着性の卵を生む。すし種、刺身、吸物にする。クルメサヨリは全長20センチで、純淡水域にもすむ。

作る田のなきは針魚を漁として今に貧しきこの能登の村　岡部　文夫
春の悍あらば奔れよ澄み透る針魚の繊き身を噛みつづく　春日真木子
花は花鬱は鬱なるさくらどきわがおんじきの針魚かをりつ　雨宮　雅子
橋のもと細魚は売られ遠街は夕べ弥生の雪に青めり　角宮　悦子
春のうを細魚の腹ゆほそほそと流れ出でたるくれなゐの糸　武下奈々子
くちびるは柔らかきゆゑ罪深し針魚の銀の細身を好む　松平　盟子
喉(のど)白く五月のさより食(は)みゐるはわれをこの世に送りし器　水原　紫苑

サラブレッドしゅ〔サラブレッド種(しゅ)〕

馬の一品種。乗馬、競争馬として、一七～一九世紀中期、英国原産種にアラブその他の馬種を交配し、それを近親交配により固定した。体高160センチ、体重480キロ位、毛色は

鹿毛(かげ)、栗毛。すぐれた疾走能力を発揮するのに必要な体型・体質・気質をもっとも多く有する。現在馬の中でもっとも速く走ることができる。↓馬

サラブレッド種の裸馬が一四、だだ広い道を来る、素晴らしい雨上り　前田　夕暮

美しき葦毛の馬も敗れたり知らざりき引退は死を意味するを　北沢　郁子

たてがみの丈を揃へて切られゐる競争馬の背にさくら散るなり　蒔田さくら子

勝ち馬も負けたる馬もさびさびと喧噪のなかにからだ光らす　杜沢光一郎

勝ちて後骨折死せし純血の馬の名の「素材(マテイリアル)」せつなき　藤原龍一郎

さる〔猿(さる)〕　人類を除く哺乳類霊長目の動物。南米、アジア、アフリカに約二百種が生息し、原猿類・メガネザル類・広鼻猿類・オナガザル類・類人猿類に分けられる。樹上生活に適応するため、四肢で物を握ることができ、両眼で物を見ることができる。植物食または雑食。昼行性のものが多く、色覚をもつ。群生または家族で群生し、繁殖期は一定しないことが多い。一腹一子。オナガザル類はニホンザル、アカゲザル、オナガザル、テングザルなどの典型的なサル類で、単にサルという場合、ニホンザルをさす。

ニホンザルは青森県下北半島以南の森林に群生し、体長50〜70センチ、尾5〜9センチ。顔と尻が赤く、茶褐色の毛をしている。果実や木の実などを食べ、一定の行動域を餌を求めて集団で移動する。本州、四国、九州にすむものをホンドザル、屋久島にすむものをヤクザルという。グルーミング（毛づくろい）は相手に親しみを、マウンティング（背中にのる）は相手に強さを表す行為である。大分県高崎山には野生ザルが群生する。また猿に芸をさせる猿廻しの大道芸人がいる。
↓ゴリラ　ましら

蚤とると寄れる雄猿(をざる)に首そらし雌猿(めざる)しみらに蚤とらせゐる　窪田　空穂

紐牽かれ道来る小猿つと手伸(の)べ行きずる犬の尻尾を摑む　都筑　省吾

与ふれば食ふいさぎよき猿に対す微かなるひもじさわれの感傷　服部　直人

金網をとどろかし餌にはしり寄るいま人の如くあり

たる猿ら　田谷　鋭

新宿の市民広場の猿まはし猿より少し苦がくほほゑむ　馬場あき子

風すぐるざわめきに似て猿の群の林を移る母のふるさと　小谷　稔

この森の猿ら相寄り土掘りて猿のなきがら葬むるといふ　青田　伸夫

霧状の雲吹きとほる山のうへに貌赤き猿飼はれゐにけり　高野　公彦

登りきて視線あぐればわが前にこちらを見つめ大猿の坐る　安田　純生

猿よ猿ふかく都会に生きるもの毛足のながき顔吹かれおり　佐伯　裕子

さわがに〔沢蟹（さはがに）〕

甲殻類サワガニ科。日本に産するただ一種の純淡水産の蟹。甲長2センチ、甲幅2.5センチくらいと小さい。甲は平滑で、はさみは多くの場合右が大きい。体色は青・褐・赤色など。渓流や水のきれいな小川などにすむ。から揚げなどにして食べる。↓蟹

沢蟹をここだ袂（たもと）に入れもちて耳によせきく生きのさやぎを　原　阿佐緒

山葵田（わさびだ）を走る真清水くれなゐの沢蟹いでてかぎろひにけり　村野　次郎

岬山（さきやま）の春日（はるび）に孵（かへ）るさはがにの朱（あけ）のあはきはあはれなりけり　生方たつゑ

悲しめるこころに沁みてあはれなり岩間に沈透（しづ）く沢蟹の朱　岡野　弘彦

さわら〔鰆（さはら）〕

サバ科の魚。南日本で冬から春に多く漁獲され、瀬戸内海では春に来遊、冬に外海へ出る。全長1メートル、背に青緑色の斑紋が密に散る。冬季の寒ザワラは味がよい。近年養殖されている。照焼、西京漬がうまい。

瀬戸の海や浪もろともにくろぐろとい群れてくだる春の鰆は　若山　牧水

船板のうへに緑色（みどり）の鮮（あざら）けき貫ひしままの鰆を裂（さ）かす　中村　憲吉

みそ漬の鰆ひと切れ焼くひまに貴の花関うつちやられゐる　川合千鶴子

さんご〔珊瑚（さんご）〕

沖縄諸島など清澄な暖い浅海にはイシサンゴによりサンゴ礁が

形成され、また、四国沖、九州西部、小笠原の海底の岩石にはアカサンゴ、モモイロサンゴ、シロサンゴなどが着生し、装飾品に加工される。いずれもサンゴ虫の群体の分泌した石灰質の骨格で、サンゴ礁はそれと石灰藻とが堆積して生じたものという。サンゴ虫は触手と隔膜をもち円筒形。口・胃・腔腸がある。受精は海水中で行われ、受精卵は浮遊し、着生、芽生により成長する。

　このちを何に癒されゆくわれか曇り帯び易し珊瑚の粒は　　大西　民子

満月の潮（うしほ）のまにまおびただしき珊瑚の卵遠くただよふ　　長沢　一作

海の碧（あを）にそれと知らるる色差あり珊瑚の礁（いくり）映れるといふ　　来嶋　靖生

さんしょううお〔山椒魚（さんせうを）〕

両生綱有尾目サンショウウオ科とオオサンショウウオ科の総称。山間の渓流・湿地にすみ、性質はきわめておとなしく、昼間は湿った倒木や石の下に潜み、夜間ミミズや昆虫、魚卵など捕食する。イモリによく似て、体長10～18センチ。おもに暗緑色で長い尾と四肢がある。幼生は側線があり、外鰓で呼吸し、それらは変態後消える。成体は肺と湿った皮膚で呼吸するが、ハコネサンショウウオのように急流にすむものには肺のないものがある。産卵期には水中に集まり、体外受精を行う。オオサンショウウオは西日本の山間の渓流にすみ、昼間は水面下の穴に隠れ、夜間魚介類を捕食する。最大の両生類で体長1.2メートルに達する。ハンザキともいい、暗褐色に黒色の斑紋が散る。幼生は三年後に変態する。生きた化石として世界的に有名で、特別天然記念物。

泥いろの山椒魚は生きむとし見つつしをればしづかなるかも　　斎藤　茂吉

高やまゆ下（お）りて吾が来し谷ふかくちさき山椒魚泳ぐ水あり　　川田　順

山沢の静けき季か水に透き山椒魚の卵（らん）は寄り合ふ　　田谷　鋭

あっけなく扶養家族をはずれゆきし　昼ねむる息子の眠り山椒魚　　永田　和宏

サンショウウオ水にいるごとやわらかく秋の陽ざしに包まれている　　早川　志織

さんま〔秋刀魚（さんま）〕

サンマ科の魚。北太平洋に分布し、秋風とともに群れをなして北海道から南下し、秋の深まるにつれて房総沖から紀州沖に回遊する。全長40センチ。刀のように細く、背は青藍色、腹は銀白色。背鰭は体の後方にある。焼いて大根おろしを添えて食べると美味である。季節の魚として、一般の家庭や、昔魚を食べる習慣のない農村の食卓を潤した。

収入のなきをおもへば売りに来る秋刀魚を買ひて食（くら）ふことなし　結城哀草果

選鉱のひと日了（ひを）へ来し婦（をみな）らの塩秋刀魚買ふ灯（ひ）とも る店に　木俣　修

憂ひある世にうなだれて食べむとす秋刀魚は今年青光りなし　久礼田房子

口（くち）細き秋刀魚を下げて夜の痛き風に逆（さか）ふわが息の緒や　宮　柊二

自炊くらしの貧しき我がよひよひにくらふ秋刀魚の骨も余さず　石黒　清介

水のやうに象（かたち）むすばぬ愁ひにて秋刀魚のはらわたしばらく苦し　島田　修三

シェパード

イヌの一品種。ドイツで改良され、肩の高さ55～65センチ。体色は茶褐色に黒色を交えたのが多く、他に褐色、灰黒色など。顔は狼に似て、体が強く利口。古くは牧羊犬として用いられたが、近年は軍用犬、警察犬、また盲導犬として利用されている。→犬

街かどを走り出で来しシェパードのかろがろとはやし夜のけものゆゑ　田谷　鋭

しおからとんぼ〔塩辛蜻蛉（しほからとんぼ）〕

トンボの一種で、四～十月まで各地に見られる中形のトンボ。腹の背の色が灰青色でいかにも塩辛そうな感じがする。実はこれは老熟した雄のしるしで、雌と未熟な雄は麦藁蜻蛉といい、鮮黄色である。→蜻蛉（とんぼ）

税務署の横を流るるこの川に塩辛とんぼ今年は多し　安田　純生

しおざけ〔塩鮭（しほざけ）〕

鮭の臓腑を取りのぞき塩をつめ、体にも塩をふり、納屋などに積んで途中積みかえてまた塩をふった鮭。塩辛く猫も食べないので、猫またぎと俗称。歳暮品にも用い

られる。塩の濃いのを塩引(しおびき)という。↓鮭

くりやべに鮭の片身をさげたるが幾日(いくか)になるとひとりごちつつ　岡　麓

塩鮭が厨に灰白の塩こぼす痙攣のごと風がうごきて　生方たつゑ

榾(ほだ)の火のけむりがかかる傍(わき)の壁吊(つる)す塩鮭に灯(あかり)は沁みぬ　木俣　修

孤独なる姿惜しみて吊し経し塩鮭も今日はひきおろすかな　宮　柊二

塩あらき鮭(さけ)を食ひつつすき間なく雪降る午後の時間を悼む　板宮　清治

しか〔鹿(しか)〕

偶蹄目シカ科の総称。日本にいるニホンジカは、本州・四国・九州にホンシュウジカ、屋久島にヤクシカ、沖縄の慶良間(けらま)諸島にケラマジカが分布する。ホンシュウジカは体長1.4メートル、肩高90センチほど。夏毛は褐色に白斑があるが、冬になると暗褐色で白斑が消える。雄は枝角をもち、毎年春に落ち、すぐに柔らかい皮で包まれた袋角を生じ、初秋皮がはがれ落ちて堅い角が現れる。草食性で反すう胃をもつ。他に北海道東部にエゾシカ、対馬にツシマジカが分布する。神の使いとされ、奈良などの神社に飼われている。↓牡鹿　牝鹿

夏山は聴きの邃(ふか)きかときをりを角高き鹿の伸びあがりつつ　北原　白秋

浅き水にすすき風さとはしるさへ驚きやすく鹿の子のゐる　前川佐美雄

ま盛りの桜の下に手触れたる鹿の袋角ぬくし柔らかし　菊地　良江

唇に舐めてととのふる筆毛のしなやかになめらかに鹿の毛のある　森岡　貞香

草に臥(ね)て石のごとくにいくつゐる鹿みな聡くその耳うごく　上田三四二

飛火野のつゆけき朝(あした)紅葉を映してしづむ鹿の眼の沼　藤井　常世

八木川のほとりに下りて鳴く鹿か時雨降る夜は幾たびも聞ゆ　有本　倶子

しぎ〔鴫(しぎ)〕

シギ科の鳥の総称。冬に旅鳥としてやってくるものが多く、日本で繁殖するのはわずかに五種。大きさは雀くらいから烏より大きいものまで。一般に嘴と脚は長く、嘴は上下に曲がる

場合もある。羽毛は褐色地に暗色斑のある地味なものが多い。旅鳥としては田鴫が水田や川岸、海岸の水際で見られ、人が近づくとジャッと鳴いて電光形に飛び立つ。磯鴫、山鴫、玉鴫などは水田や湿地の草の根元などに巣を作り、繁殖期に上空を飛びまわり誇示飛行をする。玉鴫は巣作り、抱卵、雛育てなどを雄が行い、雌雄逆の習性で知られる。↓磯鴫

秋の田の穂の上霧合へりしかすがに月夜さやけみ鴫鳴き渡る　長塚　節

夕照るや落葉つもれる峡の田の畔のほそみち行けば鴫たつ　若山　牧水

夜くだちて鴫渡りゆく声きこゆこのしづけさのしたたるごとし　中西　悟堂

鴫立つ噂はしじにあらむとも遠し東国春立ちぬらむ　岡井　隆

ひらめきて流るる川の浅湍に鴫うごかねばわれもうごかず　伊藤　一彦

しし〔獅子〕

ライオンのこと。↓ライオン

咆哮を終えたる獅子はしばたたく細き目尻をまこと痒げに　石本　隆一

雨の日に身伸べて眠る獅子を見ぬ獅子の見る夢わが夢に来よ　来嶋　靖生

月下の獅子起て鋼なす鬣を乱せ乱せば原点の飢え　佐佐木幸綱

しじみ〔蜆〕

シジミガイ科の二枚貝。河口や潟などの汽水域にすむヤマトシジミは漆黒色。河川や湖沼にすむマシジミは光沢の鈍い黒色に焦げたような黒斑がある。琵琶湖水系特産のセタシジミはヤマトシジミに似るが殻頂がふくらみ、近年は河口湖、諏訪湖などにも移植されている。舟や水中に入り蜆掻きで採取する。蜆汁、むき身を山椒と佃煮にする。蜆貝ともいう。↓貝

ゆくものは逝きてしづけしこの夕べ土用蜆の汁すひにけり　古泉　千樫

海砂に這ひもとほりたる年月のわれを越ゆるか小さき蜆　長沢　美津

朝夕の小鉢の蜆瀬田蜆小粒となりしをいとほしみつつ　三品　千鶴

朝に夕に苦しみ過しし一年のある日道路に蜆買ひけ

り　宮　柊二

幾十年変らぬ風景に心やさし満ち来る潮にきしむしじみ舟　扇畑　利枝

十三湖(じふさんこ)の黒きしじみ貝つぶらなるを味噌汁に煮る肝のやしなひ　玉城　徹

ひぬまなる水のそこひの黒しじみをんなとおもふこの黒しじみ　日高　尭子

しじみちゃう〔**蜆蝶**(しじみてふ)〕　鱗翅目シジミチョウ科の総称。小形の蝶ばかりで日本に約六〇種いる。成虫は春から秋まで年一回、または数回発生し、食草の自生地からあまり遠くへ移動しない。しかし一部の種類は風にのり遠距離まで飛ぶ。色彩は豊かで、翅の表面が青・緑・赤・白色に黒点のあるものが多い。↓蝶　姫蜆蝶

物の葉やあそぶ蜆蝶(しじみ)はすずしくてみなあはれなり風に逸(そ)れゆく　北原　白秋

近寄るを待てば遠のき　あじさいの花にまぎれてしじみ蝶深し　信夫　澄子

光の襞風の波より生(あ)れ出でてしじみ蝶しばし視野に漂ふ　稲葉　京子

ししゃも〔**柳葉魚**(ししゃも)〕　キュウリウオ科（ワカサギ科）の魚。北海道南部の沿海を群泳し、秋に産卵のため大群で川をさかのぼる。全長20センチで、口も歯も大きい。背は暗黄色、腹は銀白色。川をさかのぼり、雌が砂礫底に産卵のころ、雄は二次性徴が顕著になり、全身黒色を帯び、尻鰭が大きくなる。シシャモはアイヌ語で、散りゆく柳の葉を神が魚にしたという伝説がある。卵を持った雌が喜ばれる。

孕みたる柳葉魚焼くとも暖炉の火あかあかとして酒は寂しゑ　山下　源蔵

酒のみてひとりしがなく食うししゃも尻から食われて痛いかししゃも　石田比呂志

しじゅうから〔**四十雀**(しじふから)〕　シジュウカラ科の鳥。平地から山地の林、市街地の庭や公園でも見られる留鳥。頭と喉が黒く、頬の白色がめだつ。活潑な鳥で、ツピーツピーと明るい声でさえずり、昆虫、クモなどを食べる。木の洞、石垣のすき間、巣箱などに営巣する。

四十雀なにさはいそぐここにある松が枝にはしばし

だに居よ　長塚　節

低くして手の届きなむ下枝に啼きてあそべる四十雀の鳥　若山　牧水

いつも番で来る四十雀このあたりに幾組のゐて幾組で来る　吉野　昌夫

不時の声して四十雀が入りてあそぶ沙羅の木蔭の古りたる巣箱　上田三四二

ツピツピと問ひピッピッピッと答ふるは四十雀らしやがて去り行く　石川不二子

四十雀の馬鹿がまた雌をつれて来ぬ鉄骨の穴に巣をかけむとよ　石川不二子

朝鳥の来鳴く欅の窓を近み四十雀の小さき舌見ゆるなり　佐佐木幸綱

したたみ〔細螺〕

ニシキウズガイ科の小さい巻貝の古称。北海道南部以南の浅海底にすみ、殻は厚く堅い。多数の放射火焰状の淡褐色の斑がある。殻はおはじき、貝細工などに使う。きさご、きしゃごという。

物喰めば、／ほがらの心　わき来もよ。細螺の殻を、／歯に破らんとす　釈　迢空

細螺の蓋の薄きを針にして彫りなづむ児のその指をみつ　岡部　文夫

しちめんちょう〔七面鳥〕

シチメンチョウ科の鳥。野性種は北米原産。アメリカ大陸発見後、欧州で肉用家禽として拡まった。頭部には肉瘤が、頸部には肉垂が裸出し、これが鮮紅から白に変色するのでこの名がある。雄の成熟したものは10〜15キロに達する。雌は肉瘤や肉垂をもたず、体も小さい。羽色は品種により異なり、青銅・黒・白色、また黒色地に灰色斑のあるものなどがある。尾は平常畳んでおり、雄が雌に求愛するときに扇状に拡げる。特に欧米では飼育が盛んで、収穫祭やクリスマスの料理に用いる。ターキーともいう。

七面鳥ひとつひたぶるに膨れつつ我のまともに居たるたまゆら　斎藤　茂吉

七面鳥けけろ嘆けば斑碧の朱肉揺れ伸ぶくちばしのうへ　北原　白秋

七面鳥飼ひゐし頃はわれ若くその声きて気負ひたりしか　中野　菊夫

七面鳥いかり鋭く叫ぶとき東京の空茜に染まる

加藤　克巳

しばえび〔柴蝦〕　甲殻類クルマエビ科。東京湾、伊勢湾などの内湾の浅い砂底にすむ。体長10センチ位で車蝦より小形。体色は淡黄色に濃青色の小斑点がある。天ぷらの材料とする。↓えび

しば蝦の背わたのごとき日常に、ささ塩をふれ越のあら塩　岡井　隆

しび〔鮪〕　マグロの成魚のこと。なお関西・高知などではキハダをいい、壱岐ではビンナガをいい、沖縄ではキハダ、メバチ、ビンナガをいう。マグロの30～60センチ位の幼魚を関東ではメジという。↓黄肌　鮪

大鮪の頭を　ブッツリと打割る　大鉈のひびき——七月の朝風のこころよさ　小倉　三郎

スプリンクラー水噴きてゐる荷揚場に横たはる鮪解凍しゆく　和歌森玉枝

じひしんちょう〔慈悲心鳥〕　ホトトギス科の十一がジュイチー、ジュイチーと鳴き、ジヒシン、ジヒシンと聞こえるのでこの名がつけられた。夏鳥で山地の広葉樹林にすみ、蛾の幼虫を食べる。姿はなかなか現さないが非常に大きな声で、夜も鳴く。↓十一

谷川の早湍のひびき小夜ふけて慈悲心鳥は啼きわたるなり　島木　赤彦

さ夜ふけて慈悲心鳥のこゑ聞けば光にむかふこゑならなくに　斎藤　茂吉

夕かげのさやかに明る深谷より啼き移りくる慈悲心鳥のこゑ　植松　寿樹

慈悲心鳥三たび啼くやとわが待つに三たびは啼かず頬白啼くも　江連　白潮

あけ近き木むらにひそむ鳥のこゑ慈悲心鳥は身を悔み鳴く　岡野　弘彦

慈悲心鳥とふ呼び名よきかないかならむ鳥かと眠り待ちつつ思ふ　角宮　悦子

しまうま〔縞馬〕　奇蹄目ウマ科。東・南アフリカの草原に大群ですみ、キリン、レイヨウなどと一緒にいることが多い。ロバに似て、肩高1.3メートル。白ないし淡黄褐色地に幅の広い黒い縞がある。動物園で普通見られるのはグランドシ

マウマ、チャップマンシマウマなど。ゼブラ、斑馬ともいう。↓ゼブラ

生れて間なき縞馬の仔は仔ながらの縞鮮やかに午後の陽を浴ぶ　菊地　良江

人間に視つめらるれば炎天の縞馬の白き縞よごれたる　塚本　邦雄

孤と個あい寄りあいつながりて疾駆するあしたの底の縞馬のむれ　岡井　隆

かすかなる紫ひかり縞馬の縞ひとしづく冬土に垂る　米川千嘉子

しまだい〔縞鯛〕 石鯛のこと。また、縞模様のある鯛をいうこともあるので、九条の横縞のある鷹の羽鯛などをいうこともある。↓石鯛

ゆたかなるわき腹をいま縞鯛はあらはにしつつまなさきを過ぐ　玉城　徹

しみ〔紙魚〕 総尾目シミ科の昆虫。屋内の暗所を好み、書物などの紙、人絹などのセルロース質を食べる。体長10ミリ内外、銀白色の鱗粉におおわれるので雲母虫ともいわれる。原始的な昆虫で無変態。また翅がないがよく走る。

紙魚のごと気味悪きものつぶしつつ経繰りひろげ誦む母の日に　前川佐美雄

本の間に押されし紙魚の出で来しを暫くありて弾きとばしぬ　高安　国世

簒奪の史を喰ひぬきし紙魚一尾父が曝書の日に追はれをり　安永　蕗子

つひにしてわれのみ黒く歩みをりこの白き野に動く紙魚なれ　前　登志夫

紙魚のあと深く残りて文字かくす南北朝期の乱れさながらに　市野千鶴子

じむし〔地虫〕 地虫はふつう植物の葉や花粉、樹液を好むコガネムシの幼虫をさす。土中にすみ植物の根を食害するので、根切虫ともいう。また、土中にすむ虫をさす。俳句で詠まれる地虫鳴くの地虫は、土中にすむ昆虫が夏から秋の夜に地底でジーッ、ジーッと鳴くことをいう。実際は螻蛄などの鳴く声である。↓螻蛄　黄金虫　蚯蚓鳴く

山岸に、昼を　地虫の鳴き満ちて、このしづけさに身は　つかれたり　釈　迢空

降りくだつ大雨(たいう)の中に地虫なき鳴き満ちにつつ昼たけむとす　宮　柊二

立ちて来て用なく居たりわが魂を鎮まらしめず地虫鳴く夜半　田谷　鋭

洗いざらい事は眼前に曝されて地虫の鳴きもはたと止みたり　川口　常孝

しゃこ〔蝦蛄(しゃこ)〕

甲殻綱シャコ科。北海道以南の沿岸の泥地に穴を掘ってすむ。体長15センチ位、エビに似るが平べったく、体色は淡褐色で青・赤の縦線が走る。茹でると紫褐色になる。初夏が産卵期。漁獲期は五、六月ごろ。酢の物、すし種にされる。

厨戸(くりやど)は夏いち早し水かけて雫したたる蝦蛄のひと籠　北原　白秋

仰向けにデッキに落ちし蝦蛄の足ドミノの牌のごとくにうごく　川合　雅世

しゃち〔鯱(しゃち)〕

クジラ目イルカ科。世界中の海に分布。体長9メートル。背は黒色で腹は白色。頭は円錐形で歯が鋭く、背鰭は大きく逆鉾状。小群を作り、遊泳速力は速く、性質は獰猛、貪食で、魚類以外にコクジラ、オットセイ、サメなども殺して食べる。逆又(さかまた)ともいう。

鯱のむれ追ひて入り来し船の舳(へ)に顔ぐらぐらと立ちつくす男　岡野　弘彦

獰猛の鯱もあはれぞ養はれ身をくねらせて水より跳ねる　長沢　一作

しゃも〔軍鶏(しゃも)〕

鶏の一品種。語源は原産地のシャム（タイ）に由来する。江戸初期に移入されて主に闘鶏用に改良された。体は直立して丈が高く、脚は太く丈夫。羽色は黒・白・赤褐色や赤黒の混じり（赤笹(あかざさ)）などがある。肉質もよく、現在は観賞用、肉用として飼われている。↓軍鶏(ぐんけい)　闘鶏(とうけい)

秋晴るる大手の筋の朝市(あさいち)に土佐なれば売れり軍鶏も長尾鶏(ながをどり)も　吉野　秀雄

じゅういち〔十一(じふいち)〕

ホトトギス科の鳥。夏鳥として渡り、山地の森林に多くすみ、明るい場所へはあまり出てこない。全長32センチ。背は灰黒色、腹は灰褐色、尾に四本の黒い帯模様がある。九州以北で繁殖し、自分で巣を作らず、小瑠璃、大瑠璃、駒鳥、瑠璃ビタキなどに托卵する。ジ

ュイチー、ジュイチーと鳴くのでこの名がある。また鳴き声がジヒシン、ジヒシンとも聞こえるので慈悲心鳥ともいう。→慈悲心鳥

啼くこゑはみじかけれどもひとむきに迫るがごとし十一鳥のこゑ　斎藤　茂吉

ほがらかにこゑは啼かねど十一鳥のおもひつめたるこゑのかなしさ　斎藤　茂吉

しゅうせん〔秋蟬〕 秋になって鳴く蟬。蟬時雨ではなく、あちこちから時に聞こえる、細く澄んだ声の蟬。蜩、法師蟬をいう。
→蟬時雨　蜩　法師蟬

せきせきと秋蟬鳴けり王禅寺百の石段上りてゆくに　宮　柊二

しょうじょうとんぼ〔猩々蜻蛉〕 赤とんぼの一種。
初夏から秋まで暖地の池沼周辺に多く、雄は水辺の草などに静止して縄張りをもつ。雌と未熟な雄は体が橙色だが、夏成熟した雄は頭から尾まで、その名の通り美しい深紅色になる。翅の根元も雄は紅く、雌は橙色。
→赤とんぼ　秋茜

あかね濃きしやうじやうとんぼ流木にとまりそのまま流れ去りたり　伊藤　雅子

しょうどうぶつ〔小動物〕 植物に比べて、動物は神経系が発達し、感覚機能と運動にすぐれ、更に吸収、消化、排出、循環などの分化の程度がいちじるしく高い。小動物は身近なものでは、牛馬などの大きな動物に対し、犬や猫などをさしていう。

つくづくと小動物なり子のいやがる耳のうしろなど洗ひてやれば　森岡　貞香

じょうびたき〔尉鶲〕 ヒタキ科の鳥。冬鳥として日本に渡り、林のふちや農耕地にすみ、市街地でも見られる。雀大で、雄は頭と喉と背が黒く、腹が橙色、頭頂は灰白色。雌は黄褐色と赤褐色。雄も雌も一羽一羽が縄張りをもち単独ですみ、あまり人をおそれない。頭をぴょこりと下げ、尾をふる習性がある。昆虫や小果実をついばみ、ヒッヒッと澄んだ声とカタカタと聞こえる声で鳴く。
→ひたき

じようびたき水のみこぼす燦きも睦月はじめの空脆

き日日　河野　愛子

尉鶲渡りの途次を枝に遊ぶつかのまといふ間の来訪者　高橋　幸子

しょうりょうとんぼ〔精霊蜻蛉〕

トンボ科。精霊祭のころに多く現れ、赤トンボぐらいの大きさで、体が黄色または赤色のトンボの俗称。ふつう薄翅黄蜻蛉をさす。このトンボは翅が体に比べて大きいので飛ぶ力が非常に強く、壮大な北上の旅をして滅びるといわれる。↓蜻蛉

物部川山のはざまの風さむみ精霊蜻蛉飛びて日暮るる　吉井　勇

高速道の車に打たれ死ぬるなる精霊蜻蛉あはれみて言ふ　森岡　貞香

しょうりょうばった〔精霊飛蝗〕

直翅目バッタ科の昆虫。七月ごろから秋まで草原に見られる。雄は55ミリ、雌は85ミリと大きさが非常にちがう。体はスマートで色は緑か茶。イネ科の雑草を食べ、雄はよく飛び、飛ぶときキチキチと高い音をたてる。俗にキチキチバッタという。別に精霊バッタモドキがあり、八月ごろから湿った草原に見られる。精霊バッタより少し小形で、淡緑色、背は淡紅色。別名キチキチバッタというが飛ぶとき音は出さない。↓きちきちばった　ばった

誰のたましひ来て遊ぶのか秋の日の草葉に遊ぶ精霊ばつた　福田　栄一

つむぎいるは愛惜の歌　暁闇の精霊バッタわれ越えて飛べ　大野とくよ

精霊ばつた草にのぼりて乾きたる乾坤を白き日がわたりをり　高野　公彦

しらうお〔白魚〕

シラウオはシラウオ科の魚で全長10センチ。生きているときは殆ど無色透明で、日本海全域と本州中部以北の太平洋汽水域にすみ、春に産卵のため、川をさかのぼる。吸物、天ぷらにする。白魚ともいう。

これとは別にハゼ科の魚のシロウオがあり、全長5センチ、体は細長く、淡黄色で透明。鰾が腹部に赤い点として見える。加熱すると白色となる。沿岸にすみ、春に産卵のため川をさかのぼる。石の下面に産みつけられた卵を雄が保護する。福岡県室見川のおどり

食いは有名である。白魚（しろうお）、素魚（しろうを）、いさざともいう。なおシロウオをシラウオということもある。↓いさざ

七尾より春の白魚ともしきを商（あきなひ）に通るこゑの聞こゆる　岡部　文夫

さからはずげにもすなほに白魚や青菜などある日本の食　斎藤　史

すみやかに過ぎゆく日々はわすれつつ白魚が風のやうにおいしい　塚本　邦雄

ひかり差す皿の白魚たばしれる水の雫の色なしにけり　伊藤　雅子

改元のしづかなる夜黒き眼の白魚一寸のみくだしたり　雨宮　雅子

箸先に生きて身をそる白魚をのみこみし夜半ひとりするどし　松坂　弘

白魚のひかりまがなし科（とが）ありて海に咲きたるさくらと思ふ　水原　紫苑

しらがたろう〔白髪太郎（しらがたらう）〕 樟蚕（くすさん）の幼虫。樟蚕はヤママユガ科の大きな蛾で、黄褐色ないし赤褐色。各翅に一つずつの眼状斑と、数本の波状線がある。年一回九月ごろ現れ、灯火にくる。幼虫は体長約10センチ、青白色に白い長毛のある大きな毛虫。クリ、クス、イチョウなどの葉を食べ、特にクリの害虫として知られる。繭は淡褐色の網目状で透俵（すかしたわら）という。卵で越冬する。幼虫の絹糸腺を取りだし、てぐすを作る。

白髪太郎といへる毛虫の腹裂きて魚釣る糸を人は作りぬ　斎藤　史

しらこばと〔白子鳩（しらこばと）〕 ハト科の鳥。林が散在するひらけた土地に生息し、日本では埼玉県越谷市付近に少数が繁殖するだけで、天然記念物に指定され、埼玉県の県鳥とされている。全長32・5センチ、淡灰褐色で後ろ頸の黒色の斑紋が目立つ。農家付近の林に営巣し、農耕地で穀類や雑草の種子を食べる。ポポー、ポポー、ポッポロローと鳴く。↓鳩

わが家に来る白子鳩と見ていしに隣の家の庭にも居たり　石井　利明

しらさぎ〔白鷺（しらさぎ）〕 サギ科の鳥のうち全身白色のものをいう。日本には大鷺・中鷺・小鷺などが、本州以南の水辺にすみ、竹やぶや

松林に集団で巣を作り、湿地や川でザリガニ、小魚などを食べる。中鷺は冬に南方へ去るが、小鷺と大鷺は留鳥としてすむ。大鷺は全長89センチ、中鷺は全長68センチ、小鷺は全長60センチ。羽ばたきは小さい種の順に早い。↓小鷺　鷺

水の辺に歩みを運ぶ白鷺の翼がうつくし水に映りて　　半田　良平

四五十羽群れたる鷺は白し白し木の上にくだりしづまりにけり　　松村　英一

うち晴るる雪の野に舞ふ白鷺の羽のひかりは天にまぎれぬ　　木俣　修

鷺白く佇ちて真冬の千曲川　一縷の意志のあはれ細臑　　斎藤　史

水の上すれすれに翔ぶ鷺の白さざなみ光るたびに浄くして　　河合　恒治

濁り川次第に静まるときにして吹かるるごとく降りし白鷺　　藤井　常世

しらす〔白子〕

カタクチイワシ、マイワシ、ウルメイワシ、アユ、エソ、シラウオなどの、ほとんど無色透明の稚魚のことをいう。捕獲は沿岸の表層近くで目の細かい網を引いてする。生食もするが、ゆでて干し、白子干しとして食べる。

秋の来ていよいよ暗き腹腔にしらすの青き目を食み落す　　富小路禎子

しらとり〔白鳥〕

白い羽毛の鳥、例えば白鷺などを一般にさしていう。またハクチョウをいう。「白鳥の」と用いて鷺にかける枕詞となる。↓白鳥

白鳥は哀しからずや空の青海のあをにも染まずただよふ　　若山　牧水

やはらかき羽交にうなじさしかはし夜を眠るなり二羽の白鳥　　岡野　弘彦

ジラフ

キリンのことをいう。アラビア語で、早く歩むものの意。↓キリン

翳りもつその眼の表情をいかに言はむ若きジラフは青葉に脣ふる　　服部　直人

しらみ〔虱〕

シラミ目に属する昆虫の総称。不完全変態で、全部が哺乳動物に寄生し、幼虫、成虫とも皮膚から吸血する。体色は淡黄色から濃褐色で、翅は退化して無い。人に寄生するの

は、衣服の内側に産卵・付着する衣虱、頭髪に産卵・付着する頭虱が主で、いずれも体長2～3ミリ。雌の方が大きい。陰毛に産卵・寄生する毛虱もある。犬や豚にも寄生し、宿主の体から離れるとまもなく死ぬ。「たくづぬの」は白、白などにかける枕詞。

たくづぬの虱もつけてゐけむかと子をあはれみて強く抱きしむ　前川佐美雄

しろあり〔白蟻〕　シロアリ目に属する昆虫の総称。完全変態をする蟻類とは異なり、不完全変態をし、常に暗所にすみ、体長5～10ミリ。体は軟弱で、乳白色または薄茶色。木材内に直接巣を作る大和白蟻と、土中に巣を作って地上の塔や木材に坑道で連絡する家白蟻がある。一定の季節に有翅虫（羽蟻）が現れ、営巣は有翅虫の雌雄（女王・王）一対で行われ、女王は卵巣が肥大し、種類により数十年も生存する。兵蟻、働き蟻ともに雌雄両性があるが、生殖能力はない。社会生活を営む。↓羽蟻

白蟻の吻など見えてわが血液は少しづつ蝕ばまれゐるべき　葛原　妙子

白蟻のぬけ出しあとの杭幾本曝れつつ冬に真向える坂　高安　国世

しろくじゃく〔白孔雀〕　キジ科の鳥。インドクジャクの白変種。↓孔雀

冬の日のまあかく空にしづむころ白き印度の孔雀を見たり　前田　夕暮

ふるひつつ雌追ふときに白き尾羽きぬがさのごとくひろがるあはれ　服部　直人

白孔雀街なかの家に飼はれをり春の日ぐれににぶき音して　佐藤佐太郎

しろくま〔白熊〕　食肉目クマ科。北極熊の別名。北極地方の海岸や、沿岸のツンドラ地帯に普通一頭ですみ、流氷にのり遠くへ移動することもある。泳ぎが巧みで、アザラシ、セイウチの子、魚などを食べる。体長2.9メートル、肩高1.5メートルほど。鼻先が黒い他は全身白色。足の裏に毛が密生し、氷上でも滑らない。クマ類の中で最も肉食の傾向が強く、体も他のクマより細長く、頭や首も長めである。国際保護動物。↓熊

熊を見て白熊を見ていらだたしきこころやうやくお

ちつきて来し　矢代　東村

白熊の白うちかえす忙(せわ)しさを囲みの底に見つつ疲れぬ　石本　隆一

しろちどり〔白千鳥(しろちどり)〕 チドリ科の留鳥で、海岸や広い河原にすみ、小千鳥よりやや大きく、体長17センチ。背面灰褐色、腹面白色。胸の黒帯は中央が切れている。脚は黒い。雄の夏羽の頭上は赤褐色。冬は大群を作る。小さな蟹やゴカイなどを食べる。ピュルッピュルッと鳴く。↓千鳥

海に入る多摩の川みづ太(ふと)けくも川波すりて翔ぶ白ちどり　中島治太郎

しろながすくじら〔白長須鯨(しろながすくじら)〕 クジラ目ナガスクジラ科。動物中最大で体長30メートル、体重100トン以上に達する。体は灰青色。北太平洋、北大西洋、南氷洋などに分布、オキアミ類などを食べる。かつては捕鯨の主目標とされたが急激に減少し、国際捕鯨条約により捕獲を禁止されている。白鯨(はくげい)。↓鯨

夢はまた巨(おお)白鯨の腹の中あさきゆめみじゑひもせずんん　松平　盟子

しんかいぎょ〔深海魚(しんかいぎょ)〕 大陸棚より沖合の水深二百メートルの深海にすむ魚。高水圧・暗黒の環境に適応し、発光器をもつもの、目の大きくなったもの、逆に目の非常に退化したもの、体の軟弱なもの、単純な体色などが多い。チョウチンアンコウ、ハダカイワシ、リュウグウノツカイなど。

客乏しき地下レストラン気泡立つ大き水槽に深海魚飼ふ　礒　幾造

深海魚生きつぐ地球(テラ)のあるかぎりまだいくたびも世紀末ある　安森　敏隆

しんじゅ〔真珠(しんじゅ)〕 主として阿古屋貝などの二枚貝の体内に生ずる球状のかたまり。白・ピンク・銀色など優雅な美しい光沢があり、装身具に用いられる。養殖真珠は人工の核を外套膜に入れて作らせたもの。貝殻の内面には強い真珠光沢がある。↓黒真珠

貴きは真珠を生みし真珠貝ひとの知らざる胸の苦しみ　中原　綾子

表現は直接を忌むたとうれば真珠を指せり「陰(いん)の

精」とぞ　岡部桂一郎

すいぎゅう〔水牛〕　偶蹄目ウシ科。インド水牛、アフリカ水牛などがある。インド水牛は家畜として東南アジアや南欧などで広く飼われ、運搬や水田耕作に使役される。野性種がインドの一部に分布し、水辺に群生する。肩高1.5〜2メートル、黒灰色の体で、角は三日月形。アフリカ水牛はサハラ以南に分布し、群生、季節的に大群を作る。肩高1.3メートル程、灰褐色。

由布島はあやにつややに仏桑華咲きて水牛は人乗せてゆく　馬場あき子

すいっちょ　直翅目キリギリス科の馬追虫の別名。鳴き声からこの名がある。↓馬追

前の世はすいっちよなどにてありけらし野つ原に来てくつろぐが好き　安立スハル

すういっちよわづかに向きを変へて鳴く長夜の命父惜しむらむ　馬場あき子

すいっちよのすういっちよと鳴きしあとしづかなるかも千年の闇　高野公彦

すがる　一般に蜂の古名であるが、とくに美女の細腰にたとえる似我蜂や地蜂などをさす。似我蜂は胸と腹を結ぶ腹柄が長くほっそりとして、きゃしゃなので万葉集に「腰細のすがる少女のその顔のきらきらしきに…」などと詠まれている。地蜂は黒雀蜂ともいって長野県ではこの幼虫（蜂の子）を食べる。巣を探すのに蛙の肉などに真綿をちぎってつけ、蜂がそれを運ぶのを目印にして追う。井伏鱒二の「スガレ追ひ」のスガレもこの蜂のことである。↓蜂

酒ほがひ蜜蜂のごとく酔ひ癡れて羽な鳴らしそ君もおはすに　吉井勇

花かげに立ちよりみればすがるらのうなりは籠る山茶花の花に　尾山篤二郎

すずがも〔鈴鴨〕　ガンカモ科の水鳥。北半球の寒帯で繁殖し、日本には冬鳥として渡って来る。全長45センチ。雄は白い体に緑黒色の頭と胸をもち、冬、波の静かな湾内や河口に群れている姿は二色の配色がくっきりとして美しい。潜水しておもに貝を採食する。雌は褐色で、嘴の根元に小さな白斑があり、俗に鼻白羽白という。↓鴨

すずがも―

みづがきの社の池に眠れるは帰りおくれしすず鴨の群　　山中智恵子

すずき〔鱸（すずき）〕

スズキ科の魚。沿岸の浅海に生息し、川にも上る。出世魚といわれ、東京付近では幼魚をセイゴ、やや成長したのをフッコ、成魚をスズキと呼ぶ。全長90センチに達し、背は灰青色で腹は銀白色、口が大きい。釣りの対象魚。夏から秋が美味で、洗い、刺身、塩焼にしてうまい。

さわさわと我が釣り上げし小鱸（を）の白きあぎとに秋の風吹く　　落合　直文

大いなる夏夕焼となりにけり背びれが針の鱸が跳ぬる　　角宮　悦子

すずむし〔鈴虫（すずむし）〕

コオロギ科の昆虫。古来鳴く虫の代表として親しまれ、飼われることも多い。八月から十一月まで湿った草むらの深くにすみ、雄はリーンリーンと鳴く。体長17ミリ内外、西瓜の種によく似て、黒褐色。鳴くときは翅を上げて広げる。シーズンの終わりに共喰いをする。

鳴かずなりしすず虫放ちわが童庭を見つめゐる小腰かがめて　　窪田　空穂

夏はさびしコロロホルムに痺（しび）れゆくわがこころにも啼ける鈴虫　　北原　白秋

鈴虫は哀しき虫ぞ美声ゆゑ籠に飼はれて夜すがらを鳴く　　君島　夜詩

それぞれの部屋に子は去り夜の部屋に波よするごと鈴虫の鳴く　　田谷　鋭

鈴虫の最後の雄の喰われゆく夜頃と思えば四囲より気配す　　中野　照子

騒がしと鈴虫飼ふを難ずとふとめどなく人間（ひと）はわがままになり　　蒔田さくら子

鈴虫の身をふるはせて鳴く聞けば生き耐へをるは人のみならず　　来嶋　靖生

甕に飼ふふたつ鈴虫ちやうちやうと鳴くしづけさに灯をともしをり　　杜沢光一郎

すずめ〔雀（すずめ）〕

ハタオリドリ科の鳥。人家付近にいる鳥で、山道などで雀を見たら近くに人家が必ずある。四季を通して見られるが、繁殖期は春から夏で軒下や瓦屋根のすき間、木の洞、巣箱に営巣し五、六個の卵を産む。雛は孵（かえ）って半月ほどで巣立ち、この間大量の昆虫を食べる。親鳥の中に群れる子雀の姿は愛らしい。秋から冬には竹やぶ、雑木林、街路樹にねぐらを作り大群ですみ、稲や雑草の種子などを食べる。都会にいる雀は薄汚れているが、郊外の雑木林の雀は色鮮やかなのに驚かされる。鳴き声も変化に富み、町中に沢山いてもうるさくない。↓寒雀

夕光（ゆふかげ）となれど新樹の明るさに塒（ねぐら）もとめず庭すずめども　窪田空穂

砂浴びてはしやぐ雀子（すずめご）立て尻の鳴く音につれてうごきつつ見ゆ　吉植庄亮

飛びあがり宙にためらふ雀の子羽たたきて見をりその揺る枝を　北原白秋

華やかにさびしき秋や千町田（ちまちだ）の穂波が末をむら雀立つ　北原白秋

雨一日訪ふ人もなく夕暮れて塒すずめは鳴きひそまりぬ　明石海人

鳴き交すこゑ聴きをれば雀らの一つ一つが別のこと言ふ　明石海人

子雀の巣に入る前のささ啼きの覚つかなくて夏の夕暮　市来勉

精米所が移転せしより群れてゐし雀もいつかちりぢりとなりぬ　岡山たづ子

日の常のこゑにあれども雨樋の末端いでて入る雀ごのこゑ　森岡貞香

たわやかに梢しなわせて雀子の冬篁（たかむら）と睦み合う声　武川忠一

たへまなく日の粒子降るにあたたかく春を知る声朝のすずめら　中村純一

銃眼の中の一羽の雀かな潑剌として天を呼びおり　佐佐木幸綱

すずめが〔雀蛾（すずめが）〕

鱗翅目スズメガ科の総称。四～九月、年数回発生する。体は流線形で、翅は細長くほぼ三角形。飛ぶ力が強く活潑で一直線にピュッと飛ぶ。おもに夜間活動し、オオマツヨイグサ、ホウセンカなどの花にやってきて吸蜜するが、花にとまらないで蜜を吸う。幼虫は芋虫の代表で、円筒形、無毛、第八腹節に尾角がある。紅雀（べにすずめ）蛾（が）は体も翅も紅色で、翅に褐色の斑紋があり、美しい。↓蛾

灯のとどかぬ森の奥よりましぐらにすずめ蛾は来て

我にうたるる　斎藤　史

すずめばち〔雀蜂(すずめばち)〕　スズメバチ科の大雀蜂をさし、俗にクマンバチという。日本のハチ類中最大で働き蜂は体長25ミリ、雌は40ミリ内外。体は赤褐色に黒条がある。雌を中心に雄、働き蜂から成る社会生活を営み、一群は数百匹、巣は直径80センチに達することがあり、地面の下や古木の洞など目立たない所に作る。樹液によく集まり、人が近づくと攻撃し、毒性も強い。秋に蜜蜂の巣を襲うこともある。↓蜂

油蟬の身を咲ひゆく雀蜂固きところを嚙む音ひびく　後藤　直二

黄色光の匂ひを放つ木犀がまひるすずめ蜂を育てゐる音　馬場あき子

花のため野の鳥のため汲みておく水にいかめしき雀蜂きてゐる　藤井　常世

すっぽん〔鼈(すっぽん)〕　スッポン科の亀。日本南西部の河川や池沼の砂底にすむ。亀特有の亀甲(きっこう)模様はなく、甲はやわらかくて背が緑褐色で腹が淡黄色。魚介類を捕食し、性質は荒い。スッポン料理として賞味され、血は強壮剤にされる。浜名湖などで養殖されている。↓亀

厨べにうつし世の命せまりたるすっぽんがあはれ足振りてをり　河野　愛子

せいれい〔蜻蛉(せいれい)〕　トンボの別名。↓とんぼ

蜻蛉(せいれい)をおさへむとする女の手わかき女の手のなつかしさ　前田　夕暮

影のみを石に焼きつけ蜻蛉(せいれい)はひかりのなかにたちまちに消ゆ　渡辺　松男

せきれい〔鶺鴒(せきれい)〕　セキレイ科の鳥の総称。水辺の鳥で、日本には黄鶺鴒、白(はく)鶺鴒、背黒(せぐろ)鶺鴒が繁殖する。白鶺鴒は川の下流域に生息し、顔が白く見える灰色の鳥。背黒鶺鴒は川の中流より上に生息する黒と白の鮮やかな鳥。黄鶺鴒は谿流に生息し、腹部が黄色で、セキレイ類の中で最も尾が長い鳥。水辺を歩いて昆虫などをあさり、尾を上下に振る。↓石たたき　黄鶺鴒　白鶺鴒

行く水の目にとどまらぬ青水沫(あをみなわ)鶺鴒の尾は振れにたりけり　北原　白秋

鶺鴒の二羽きて啼きて一羽たち一羽去りつつはやし峡の瀬　中西　悟堂

ひとは夢見る　夢みるなかの鶺鴒の石たたきゆく谿歩みしか　山中智恵子

たぎつ瀬に暁の霧立ちながら鶺鴒はたえず処を移す　尾崎左永子

石の上をさばしる水に鶺鴒の触るる触れざる尾のかなしけれ　雨宮　雅子

ひたぶるに向こう岸へと翔けてゆく声まぎれなしセキレイ一羽　水野　昌雄

若草はひばりを隠しはつなつの心にわれは鶺鴒を飼う　佐佐木幸綱

せせりちょう〔挵蝶(せせりてふ)〕

鱗翅目セセリチョウ科の総称。蛾に最も近いチョウの一群で、翅は小さく、翅に比べて体は太い。色も暗色の地味なものが多い。触角の先は鉤状で、多くは花に集まり蜜を吸う。静止時に翅を半開または全開する。↓蝶

せせり蝶はたはたと土を飛びつつ羽鳴りに影のたのしく添へり　森岡　貞香

せっか〔雪加(せっか)〕

ヒタキ科の鳥。本州以南の草原、川原などにすみ、冬に暖地へ移ることが多い。全長13センチ、褐色の小さな鳥で、飛びながらさえずる。繁殖期にはヒッヒッヒッと鳴いて上昇し、ジャッジャッジャッジャッと鳴きながら降下する。雄はススキなどの草間にイネ科の草をクモの糸でからげ、コップ状の美しい芸術的な巣を作り、雌を呼ぶ。

絶えずして琉球せっか鳴き澄むを聞きとめ歩む摩文仁への道　近藤　芳美

ひばりの音そらに満つるを縫ふごとくセッカ鳴くなりひねもす浜に　玉城　徹

ぜにがめ〔銭亀(ぜにがめ)〕

石亀の孵化後まもない子をいう。甲が丸い銭に似ているのでその名がある。夜店などで売られてをり、飼育するには容器に陸と水をつくり、ゆで卵、煮魚、パンを与え、よく日光浴をさせる必要がある。なお最近は銭亀の代わりに草亀の子が売られている。↓石亀　亀

洗面器のへりに這ひ上がらむとして銭亀よ一日(いちにち)からしてをらむ　吉野　昌夫

ゼブラ

縞馬のことをいう。
↓縞馬

雪盲のまならら駈くる縞馬ゼブラ　砂塵にあらぬ地吹雪を蹴よ　　轟　太市

せみ〔蟬せみ〕

半翅目セミ科に属する昆虫の総称。日本に三〇余種、全世界に約千五百種いるという。口吻こうふんは長くて樹液を吸うのに適し、前翅は長大。雄の腹部に発音器がある。梅雨の晴れ間に木立よりニイニイ蟬の声が聞こえると、ああ梅雨明けも間近いぞと真夏のまばゆい青空を待ち望み、次いで油蟬や熊蟬、ミンミン蟬の鳴きしきる声に盛夏そのものの壮快さを味わい、他方で責めさいなまれるような気分にもなる。雨上がりや夕暮れのカナカナ、またツクツク法師の声が聞こえると、残りの夏の日を思う。蟬の声に対する愛着は人それぞれに深いものである。さらに蟬の地中生活が長いのに地上での寿命は一〇日以内、とくに雄は短命だというのには身につまされる。鳴かない雌は唖蟬おしともいう。↓油蟬　空蟬うつせみ　落蟬　かなかな　熊蟬　秋蟬しゅうせん　蟬時雨　蟬声せんせい　つくつく法師　春蟬　ひぐらし　法師蟬　松蟬　みんみん蟬

鳴く蟬を手握たにぎりもちてその頭あたまをりをり見つつ童わらべ走はせ来る　　窪田　空穂

殻を脱ぐ蟬をまもりて見る夜なり羽根はしまらく青かりしかも　　今井　邦子

脱皮する蟬はうす蒼き片羽かたはねを伸ばし切りてより又片羽を　　加藤　将之

蟬捉へられたる短き声のしてわが髪の中銀の閃くに暑し　　葛原　妙子

湧き出づる声にきこゆる蟬のこゑ家居の午後の俄かり　　中野　菊夫

曇淡き林に一つ蟬の声しろがねのごと照り出づるなり　　高安　国世

命責めて蟬が鳴きをりいかやうになりても泣かぬ我が耳よ聴け　　安永　蕗子

三声ばかり鳴きて一呼吸休むらし晩夏のゆふべわが聞く蟬は　　長沢　一作

庭土にこもりて冬を越すものも絶えしか蟬も鳴かざりし去年　　富小路禎子

蟬鳴けばここの木立のよろこびの沁みわたるかな吾のからだは　　大島　史洋

しんしんとひとすぢ続く蟬の声産みたる後の薄明に聴こゆ　河野　裕子

かくのごときものとして在るを耐うべしや——。み空にひびく諸蟬のこえ　阿木津　英

せみしぐれ〔蟬時雨〕　沢山の蟬がいっせいに鳴きたてる様子を、時雨の音にたとえていう。→蟬　蟬声

蟬坂を今日は下りてゆきにけりつかのまの夏蟬時雨坂　石川　恭子

蟬しぐれはたと途切れし空白を祈りのときとして諸はぬ　内田　紀満

せんせい〔蟬声〕　蟬の鳴くこえ。→蟬　蟬時雨

横たはるわれを通過し行く時間二十四時間のなかの蟬声　上田三四二

ぞう〔象〕　長鼻目に属する最大の陸生哺乳類。草原や森林に群生し、樹の葉や枝、草などの植物を一日当たり45～90キロ、水を90～180リットルもとる。皮膚は厚くて毛が少ない。鼻は極めて長く、屈伸自在で、先端で上手に物をつまみ上げる。上顎の一対の門歯は牙となる。一腹一子、寿命約六〇年という。化石種は多いが、現存種は二種。アフリカのサバンナにすむアフリカゾウは、耳が大きく、雌雄とも牙が大きい。南アジアの森林にすむインドゾウは、雌の牙は小さい。性質が温和で利口なので、家畜として運搬・狩猟用、サーカスの曲芸などに使役される。朝夕に主に活動し、夜は眠る。

大正のマッチのラベルかなしいぞ球に乗る象日の丸をもつ　岡部桂一郎

象といふ反時代的実在にかくも惹かれて女童と居り　岡井　隆

象を撫づる群より撫でざる群に入りその退嬰を責められてゐる　馬場あき子

死にざまを見せざる象の死ぬときを月なき夜に想ひてゐたり　来嶋　靖生

象の足の屑籠といふものあり　象の足きられ四つのくづかご　小池　光

時間です耳をたたんで眠りなさい象には象の悲しみがある　山田富士郎

患者の血飛びし靴下まるめ捨て夫は老いたる象の目

をせり　栗木　京子

灰色の背中にしずかに粉をふいて春の象らが時間をあゆむ　井辻　朱実

象来たる夜半とおもへや白萩の垂るるいづこも牙のにほひす　水原　紫苑

そうしょくじゅう〔草食獣〕 主として草を食物とする哺乳類。牛、馬、象、兎など。

草食獣の闘争的にあらざる眼おほむね細くほそく窺ふ　蒔田さくら子

ぞうりむし〔草履虫〕 原生動物繊毛虫類。池や溝、溜り水に普通に見られる。体長最大0.3ミリ。草履のような紡錘形で無色透明。無数の繊毛がはえ、体を回転しながら泳ぐ。二分裂、接合により増殖する。

新しき墓園麗日かがやかにぞうり虫ぞくりぞくり生れゐつ　馬場あき子

たい〔鯛〕 タイ科の魚の総称であるが、普通、真鯛をさす。定着性の近海魚で、全長80センチ以上に達する。体は側扁し、赤色地に青緑色の小さな斑点が散り、尾鰭の先端が黒い。四～六月に産卵のため沿岸に来遊する。一本釣、延縄、ごち網などで漁獲され、刺身、塩焼、うしお、浜焼、鯛みそなどにされる。古来、海魚の王といわれて祝事などに必ず登場したが、最近はなかなか天然ものは食べられず、養殖ものや黄鯛、血鯛などが代用される。→桜鯛　真鯛

鳴門鯛うましき春を来遊びてこりこりかたき鯛の刺身くふ　吉植　庄亮

黒潮の流れを切りてきらめける大鯛一つ灘にまぎれつ　生田　蝶介

弾力に充ちて跳ねあふ大鯛の光りを束ね網あがり来る　岡山　巌

店に積む魚類濡れつついろ鮮し子に食はす鯛をいつぴきもとむ　筏井　嘉一

運命を決する神の手の如し網は一尾の鯛を掬ひぬ　稲葉　京子

鳥ならば猛禽ならむ怒りたるごとき鯛の歯みな外を向く　稲葉　京子

たか〔鷹〕 ワシタカ科の鳥のうち、中・小形の一群の総称。大形のものはワシと呼ぶ。暗褐色のものが多く、嘴は強くて鋭く曲り、脚に強い大きな鉤爪があり、小形の鳥獣などを襲って食う。日本にはノスリ、クマタカ、チュウヒ、オオタカ、ハイタカ、ハチクマ、ハヤブサなどがいる。大きさではクマタカ、オオタカの順で、雄よりも雌のほうが大きい。オオタカは古くから鷹狩の主役を努め、すばやいはばたきと滑翔をまじえて低く飛び獲物をねらう。飛翔している時の下面は見上げると白いタカに見える。灰色チュウシの雄は全体に白っぽい。サシバ、ハチクマなどは夏鳥で、秋に大群をなして南へ渡る。↓さしば　鳶

雪山のいただき低く翔る鷹の胸のひかりをいつくしく見し　古泉　千樫

鷹の渡り空一方へ移り行き秋の山河を離れんとしおり　前田　透

南を指すかなしき鷹の志　白き岬の上をめぐりて　前田　透

聳え立つ一位の秀つ枝に白鷹といふを見にけり現かこれは　白石　昂

いづれか一羽わがまぼろしと疑わず昨日の鷹と今日見たる鷹　佐佐木幸綱

たかあしがに〔高足蟹〕 甲殻類クモガニ科のカニ。本州、四国、九州の太平洋岸の海底にすむ日本特産で、世界でもっとも大きい。西洋ナシ形の甲は大きいもので甲長38センチ、甲幅29センチ、はさみ脚を広げると3メートル以上もある。体色は黄色に赤い斑紋がある。雄は食用。↓蟹

みなと風さむき春日を二階に坐て高足蟹の茹であがる待つ　玉城　徹

水族館にタカアシガニを見てゐしはいつか誰かの子を生む器　坂井　修一

たこ〔蛸・章魚〕 軟体動物頭足綱八腕類の総称。体は頭、胴、腕から成り、腕は八本とも口のまわりに生え、吸盤がある。多くは墨汁嚢をもち、水中に煙幕のように拡がる墨を噴いて敵から逃げる。マダコは各地の沿岸にすみ、大形のミズダコは北太平洋の海底にすむ。イイダコは内湾の浅い砂地にすむ。体色は紫褐色または灰色のものが多く、

煮ると赤くなる。ミズダコは太い腕を食紅で染められ正月用として市場に出る。貝ダコは海面に浮遊する。西洋ではデヴィルフィッシュ（悪魔の魚）として嫌われる。↓飯蛸

海潮（うみじほ）に群れて泳げる章魚のさまふと思ひやり声立て笑ふ　窪田　空穂

寂しさに海を覗けばあはれあはれ章魚逃げてゆく真昼の光　北原　白秋

いくばくの章魚釣りけむか古びたる章魚釣道具みればかなしも　植松　寿樹

よろこびの失はれたる海ふかく足閉ぢて章魚の類は凍らむ　中城ふみ子

わが菩提寺の和尚におくるマルセイユ埠頭魚市の巨いなる章魚　塚本　邦雄

己（おの）が足一ぽん呉れてさてやをら鱓（うつぼ）締めあげ章魚ぞ笑へる　玉城　徹

すさまじき蛸の交尾を水槽に見てゐたりけり燈を暗くして　中西　輝磨

水族館に入れば耳より溶けはじめきみが見えなくなる蛸の前　佐佐木幸綱

墨吐きて自ら汚れゐる蛸の気性はげしき一匹を買ふ　青井　史

たず〔鶴（たづ）・田鶴（たづ）〕

鶴の別名。鶴（たず）は、鶴群（たずむら）として多く用いられる。↓丹頂　鶴　鍋鶴　真鶴（まな）

紀の国の皐月はうれし花柑子（はなかうじ）つづく畑（はたけ）に鶴むらの来て　与謝野晶子

りようりようと頸（うなじ）をのべて鳴く田鶴のこゑは寒土（かんど）にひびきたるかも　前田　夕暮

真白羽を空につらねてしんしんと雪ふらしこよ天の鶴群　岡野　弘彦

身震ひてわれは耐へゐつ夜の雪の渦巻くに似てめぐる鶴群　岡野　弘彦

北の空恋ふるか春のあかときを高鳴きかはす潟の鶴群　来嶋　靖生

たちうお〔太刀魚（たちうを）〕

タチウオ科の魚。本州中部以南の暖い海にすみ、瀬戸内海に多い。全長1.5メートルと長く、体は著しく側扁し、後方は次第に細くなる。銀白色で、背鰭は頭の後方から尾端まで続き、腹鰭と尾鰭はない。六〜十月が

漁期、惣菜用。体表の銀粉状のグアニンは模造真珠の原料となる。
太刀魚は銀に光りてとらはれきその亡びたるしろがねを購ふ　斎藤　史
太刀魚のようなる腕がのびてきて祖母の力ぞわが手にうつる　花山多佳子

だちょう〔駝鳥（だてう）〕　ダチョウ科の鳥。アフリカの草原に群生し、全長1.8メートル、体高2.6メートル、体重130キロに達し、現存の鳥類中もっとも大きい。頸が非常に長く、頭と頸には毛がなく皮膚が裸出。翼は小さく飛ぶ力がないが、二趾しかない脚が太く、時速90キロに達する速さで走る。雑食性。雄の翼と尾が純白色で装飾用にされる。卵も16センチ×12センチと鳥類中最大である。動物園に飼われる。
孤独とは息（やす）らふためか風の中われと駝鳥は柵をへだてて　小中　英之

たなご　コイ科の魚。関東・東北地方の湖沼の水草の生える浅い所にすみ、鮒に似ており、体長8センチ内外。背は青灰色で腹は銀白色。またヤリタナゴ、ゼニタナゴ、バラタナゴ、ミヤコタナゴなどをタナゴと呼ぶこともある。これらは本州、四国、北九州の湖沼、河川にすむ。すずめ焼、つくだ煮などにされ、冬が美味である。
水底にたなごはつねに沈みゐてはかなき銀のひかりを放つ　大野ひで子
ゆるやかに雑木林へ逝く水にみやこたなごのいのちを見たり　黒崎善四郎

たにぐく〔谷蟇（たにぐく）・谷蟆（たにぐく）〕　ヒキガエルの古名。↓蝦蟇（がま）　蟇（ひき）　蟇蛙
草むらに息づきふかし谷蟆よわたしの帰る村はあるのか　前　登志夫
谷ぐくを久しく聞かず雨ふかき夜に起きいでてこゑ真似てみぬ　成瀬　有

たにし〔田螺（たにし）〕　タニシ科の巻貝。北海道南部から九州の河川、湖沼、水田などに春姿を見せる。貝殻は卵円錐形で灰黒色。蓋は褐色。卵胎生で、夏に幼貝を産み、冬は泥中で越冬する。蓋は殻口にぴったり合うので乾燥にも耐える。↓貝
赤いろの蓮（はちす）まろ葉の浮けるとき田螺はのどにみご

もりぬらし　　　　　　　　　　　　　　斎藤　茂吉
とほき世のかりようびんがのわたくし児田螺はぬる
きみづ恋ひにけり　　　　　　　　　　　斎藤　茂吉
命なれや泥田の田螺はるかぜに目ざめて蠢くそれの
不思議さ　　　　　　　　　　　　　　　岩谷　莫哀
飽くまでに越後の田螺煮し思ふ老いて田螺を食へぬ
今夜に　　　　　　　　　　　　　　　　岡部　文夫
すぎし日のきのふも今日もかなしみてわれは田螺に
なりたく思ひぬ　　　　　　　　　　　　福田　栄一
田螺らの臓ゑぐり食ふ　貝もわれももとより皎き
肉ならず　　　　　　　　　　　　　　　斎藤　史
春水の底に身沈め泥を食む田螺よ何を思ひ出でつつ
　　　　　　　　　　　　　　　　　　　寺井　淳

たぬき〔狸〕

食肉目イヌ科。本州、四国、九州にホンドタヌキ、北海道にエゾタヌキがいる。ホンドタヌキは体長50～55センチ、尾長13～18センチ。エゾタヌキはそれより大きい。体は黄褐色で、目のまわり、頸、胸、四肢など黒褐色。昼間はアナグマなどの穴にすみ、夜行性でネズミ、蛙、芋などのほか、木に登ってビワ、カキなども食べる。じぐざぐな歩き方をし、足跡は猫に似ているが、爪あとが残る。狸寝はショックによる仮死状態という。一腹一～八子。毛皮は防寒用、毛は毛筆用にされる。徳利を提げた信楽焼の狸が縁起物として店先などに飾られている外、昔噺や俚謡で親しまれている。

集りて立つ人間等生きて居り足々みだれ狸横たはる
　　　　　　　　　　　　　　　　　　　土屋　文明
たはむれに檻の狸をのぞきしにいちづなる眼もて吾
は見られつ　　　　　　　　　　　　　　鈴鹿　俊子
声かけしかばふりむける狸はもあかき李の実をくは
へ居る　　　　　　　　　　　　　　　　石川不二子

たまご〔卵・玉子〕

とくに鶏卵をさすが、鳥、魚、虫などの卵をいう。

ふつう栄養物質の卵黄のまわりにはさまざまな被嚢物でおおわれている。鳥の卵では卵白と石灰質の殻、昆虫の卵では厚い卵胞膜、蛙やイモリではゼリー状物質などである。ウミホオズキは海産巻貝の卵嚢である。大きさの順ではジンベエザメが68センチ×40センチ、ダチョウが16センチ×12センチなど。産卵数では一般に魚類が多く、マンボウが2～3億粒といわれる。哺

乳類でもカモノハシ、ハリモグラなどの単孔類は卵を産む。↓魚卵　鶏卵　はらこ　はららご　卵(らん)

幾億万の鮎の卵とおもへどもかく鮎となるに数かぎりあり　斎藤　茂吉

大きなる手があらはれて昼深し上から卵をつかみけるかも　北原　白秋

白飯(しらいひ)に卵をかけて食ふときに何にむかひて動くこころぞ　柴生田　稔

卵もちし鯉魚(りぎょ)さきゐてふと思ふきのふ女囚(ぢょしう)のだきし幼子　生方たつゑ

群(むら)がれる蝌蚪(くわと)の卵に春日さす生れたければ生れてみよ　宮　柊二

おどおどとありし日過ぎてたぎる湯に卵をひとつわれは沈めぬ　岡部桂一郎

八月の卵をえらびつつわが手ともすれば流血のつぶえらぶ　塚本　邦雄

わかさぎは卵をとられ死ぬといふみづうみに聞く春の叫喚　北沢　郁子

孵(かへ)さむと卵をいだく鶏もゐて独身(ひとりみ)の昼寝はりつけのざま　前　登志夫

人間になき行為にて白き白き卵を抱ける鶏(とり)を清(すが)しむ　富小路禎子

摑みたる卵はいまだあたたかく朝よりこころかなしみにけり　田井　安曇

沖よりの津波とどろくごとき世を卵いだきて春も逝きたり　小中　英之

たまむし〔玉虫(たまむし)〕

タマムシ科の甲虫。六～八月頃現れる美しい甲虫。体長35ミリ内外。金緑色に二本の銅紫色の縦条がある。幼虫はサクラ、エノキ、ケヤキ、カシなど衰弱木の材部を食べ、成虫になるのに三年ほどかかる。翅が色彩華やかなので簞笥(たんす)に入れておくと着物が増えるといわれ、女性は桐の小箱に綿で包んで入れて置いた。また古来から厨子(ずし)などの美術工芸品や、種々の装飾品に利用されている。姥玉虫(うばたまむし)はその名の通り、にぶい銅金色でなかなか渋い色彩をしている。幼虫はマツの枯材を食べて育つ。↓甲虫

玉虫の羽白妙にならむ世を待つにひとしき心さびしさ　石榑　千亦

玉虫の一つ光りて飛びゆけるその空ながめをんな寝

そべる　　北原　白秋

玉虫をあまた集めき玉虫をなべて逃がしきこの白き手に　　大西　民子

わづかなる糞をのこして玉虫は輝きにつついまはうごかず　　後藤　直二

玉虫の羽をもて厨子を貼りし者の不穏のこころひと日見ゐつ　　稲葉　京子

たら〔鱈（たら）〕

タラ科の魚。日本海から北太平洋に分布し、北にいくほど浅海にすむ。全長95センチ。体色は淡灰褐色で、背中に斑紋がある。きわめて貪食（どんしょく）で夜間活動し、甲殻類や底生魚類を食べるので大口魚（おおくちうお）の異名がある。まだらともいう。ちり鍋や惣菜用にされ、また棒ダラ、干ダラ、塩ダラなどにする。スケトウダラの卵巣を塩漬けにしたのが、たらこである。→寒鱈　真鱈

仙台の冬の夜市（よいち）をふたりゆき塩辛き鱈を買ひし思ほゆ　　木俣　修

ばらまきて半旗のごとき鱈を干す陸（くが）の末尾の岩昏きかな　　安永　蕗子

港町ゆくトラックが落としたる鱈一本の腸（わた）まで真冬　　三井　修

たらばがに〔鱈場蟹（たらばがに）〕

甲殻類タラバガニ科。北海道から北太平洋の海底にすむ。甲は前方にせばまった円形で、甲面に約20数個と周辺に約30個の円錐状の棘がある。はさみ脚と三対の歩脚は強大で棘が多く、第四歩脚は縮小して甲の陰に隠れる。色は紫褐色、甲長は雄22センチ、雌16センチくらい。近縁種に花咲蟹（はなさきがに）がある。缶詰にされる。→蟹

タラバガニとならびてとりし写真（うつしえ）を妻が引き伸ばしたり　　高瀬　一誌

たんちょう〔丹頂（たんちやう）〕

ツル科の鳥。現在北海道釧路地方に特別天然記念物として保護されている大形の鶴。全長140センチ。白と黒の羽に、頭頂の赤色が美しい。三～九月には各つがいが湿原に広大なテトリーをかまえて繁殖する。その時はねたり飛び上がったり、求愛の鶴の舞いを行う。湿原の地上にアシなどで営巣し、卵を二つ産むが雛は一羽だけ成長する例が多い。冬は人里の給餌場に家族群で集まる。クルルオー、クルルーと鳴く。鹿児島県

出水（いずみ）市に他の鶴にまざって冬まれに一、二羽くることがある。↓鶴

松蔭に丹頂の鶴二羽ならび一羽静かにあなたに歩む　窪田　空穂

吹き過ぐる風は光れり丹頂の鶴翼（つばさ）張りひろげ声啼きにけり　川田　順

うちつれて雪に啄ばむ丹頂の自在にくねるその長き頸　大悟法利雄

遠き木に陽光けむれる雪の原丹頂の鶴寂莫とたつ　久方寿満子

湿原の神（カムイ）と呼びし丹頂の白き一点こゑ高くあぐ　千代　国一

雪の上にあひ群れて啼く丹頂のほのかに白きこゑの息あはれ　上田三四二

丹頂の一軀（く）を支え一本の鋼（はがね）の脚は冬ふかく差す　石本　隆一

海わたる丹頂の頭（づ）にみちびきの地磁気影さす花のごとけむ　小池　光

ちぎょ〔稚魚（ちぎょ）〕　卵からかえって、体形がほぼその種の特徴を示すまでに成長した魚。

縫ひ針を撒きたるごとく光りつつ消えつつ稚魚は水にちらばる　大西　民子

生まるべき稚魚のいくつをかなしめば眼ふとつむりイクラを嚙みき　富小路禎子

多摩川に放たれいづくの海を指す稚魚なる鮭の行方を想ふ　市村八洲彦

透きとほる稚魚のいのちはまぎれつつ夜の水槽に眼のみ群なす　志垣　澄幸

ちちろむし〔ちちろ虫（むし）〕　蟋蟀（こおろぎ）の異名。その鳴き声からいう。↓蟋蟀

ちちろ虫耳にいちじるく街（まち）あかり雨夜（あまよ）を遠くにじむかなしさ　吉野　秀雄

ちどり〔千鳥（ちどり）〕　チドリ科の鳥のうち小形のものは三種である。海浜に多い白（しろ）千鳥、海浜や川原にすむ小（こ）千鳥、川の中・上流にすむイカル千鳥、みな留鳥である。全長は15～20センチ位で、嘴が短く、脚が長い。背面が褐色、腹面が白色、頭と胸に黒帯をもつものが多い。四月ごろ、川原や海辺の砂礫に浅い窪みを作り、小石や貝殻などを敷いて巣と

する。繁殖期に親鳥は翼をひろげ、傷ついたように地上をひきずり歩く擬傷を行う。雛から害敵を引き離すためである。餌の採食は地上で行い、立ちどまって頭を動かさずに注視し、数歩あるいてまた注視し、餌を見つけるとす早く走り寄ってつかまえる。秋から冬に群生する。小千鳥はピッピッと鳴き、イカル千鳥はピィオピィオと鳴く。他に中形の旅鳥として春と秋に干潟などにやってくる大膳がピューイと鳴く。胸黒はキビョーと鳴く。↓白千鳥

満潮のいまか極みに来にけらし千鳥とび去りて浪ただに立つ　若山　牧水

冬さびし河原の石になく千鳥川瀬の音にまぎれずきこゆ　石井直三郎

長波をよぎりとぶとき伴ひてつぶての如し千鳥のかげは　五味　保義

とらへがたく微けきひかり千鳥ゐて冷砂のあひに抱卵のさま　葛原　妙子

うねりやまぬ浪の秀つたふ千鳥ありいづ辺にゐきて休らふとする　大屋　正吉

さむく明るく水流れつつなぎさ辺の千鳥は水に入ることもなし　斎藤　史

鮎食めばましてしのばゆ襲の国の梟師が裔を泣く川千鳥　安永　蕗子

生きてなほ一寸先の闇わたる冬夜の凍みを啼け川千鳥　馬場あき子

鏡面に下れるごとく濡れ砂に漁る千鳥の幾十の影　御供　平佶

ちゃぼ〔矮鶏〕

ニワトリの小形種の総称。江戸時代に原産地のベトナム地方から渡来、現在の体型に改良された。小形で、尾羽が直立し、脚が非常に短い。全身白色のシロチャボ、黒い尾羽のカツラチャボ、また尾羽のないウズラチャボは天然記念物に指定されている。いずれも観賞用。↓鶏

厩舎には神馬のをらず二羽のちゃぼ春の驟雨の止むを待ちゐる　大井　三則

ちょう〔蝶〕

蛾以外の鱗翅目の総称。全世界に約一万三千種、日本には約二四〇種いる。青虫または毛虫の幼虫から蛹、成虫へと完全変態する。成虫は昼間活動して花蜜を吸うが、樹液などにも集まる。二対の大きな翅は鱗粉と鱗毛により美しい

色彩を現すが、薄くて破れやすい。口器は螺旋状に巻いた管で、花蜜を吸うのに適している。脚はか細く他物に止まるのに適しているが、歩行には適さない。主なものにシロチョウ科、マダラチョウ科、ジャノメチョウ科、シジミチョウ科、セセリチョウ科、タテハチョウ科、アゲハチョウ科などがある。春から夏に盛んに活動する。↓秋の蝶　揚羽蝶　黄蝶　蜆蝶　せせり蝶　蝶々　夏の蝶　初蝶　春の蝶　冬の蝶　紋白蝶

生きながら針に貫(ぬ)かれし蝶のごと悶えつつなほ飛ばむとぞする　　原　阿佐緒

漂へる白き蝶にもただならぬ予感あり東京中央街の道の一角　　小暮　政次

蛹やぶり出てくる蝶のからだ見ゆ変身よなまぐさく美し　　高安　国世

漂ひて来し蝶ひとつ塀際の風のながれにしまし耐へゐる　　田谷　鋭

番ひつつ蝶吸はれゆく永却に夏日の及ばぬ谿の一角　　川合千鶴子

美しく漂ひよりし蝶ひとつわれは視野の中に虐(しひた)ぐ　　中城ふみ子

音もなくぶつかりあへる蝶のさまかの日も茜美しかりき　　大西　民子

ふいにわが内に展(ひら)きし帆がありて脹(ふく)らむ蝶が麦越えしとき　　平井　弘

ちょうちょう〔**蝶蝶**(てふてふ)〕　チョウのくだけた言い方。ちょうちょ。↓蝶

丘の上を白いちょうちょが何かしら手渡すために越えてゆきたり　　山崎　方代

ちりめんざこ〔**縮緬雑魚**(ちりめんざこ)〕　カタクチイワシの稚魚を煮て干したもの。またハゼ科のシロウオを煮て干したもの。ちりめんじゃこともいう。↓片口鰯　白子(しらす)　白魚

山と積むちりめんざこを売れる見つ路上思考の尽くるなき中　　玉城　徹

るいるいとちりめんじゃこの目の玉が骨灰のごと皿に盛らるる　　沖　ななも

ちんちろりん　コオロギ科の昆虫の松虫。鳴き声からこの名がある。ちんちろりとも。↓松虫

ちんちろり男ばかりの酒の夜をあれちんちろり鳴き

いづるかな　若山　牧水

つきのわぐま〔月輪熊〕　食肉目クマ科。日本の本州、四国、九州に産する熊で、ヒマラヤグマの亜種。体長1.2〜1.9メートル、尾8センチほど。体毛は黒色。普通、前胸に三日月状の白斑をもつので月輪熊と呼ばれる。また、全身光沢のある黒毛なのでクロクマとも呼ばれる。山地にすみ、おもに夜出歩き、草・果実や蟹・魚などを食べる。晩秋から大木の樹洞などで冬眠、そこで二子を産む。母子以外は単独で生活する。肉は食用、毛皮は敷物、胆嚢は熊の胆として薬用にされる。↓熊

童話的結末と呼ぶ葡萄食みをりて撃たれし月輪熊を　山田富士郎

つくつくぼうし〔つくつく法師〕　半翅目セミ科の昆虫。

秋風をわずかに感じるようになると、オーシツクツク、オーシツクツクと鳴きはじめる細形の蟬。体は暗黄緑色に黒斑があり、翅は透明で褐色の翅脈がある。名前は鳴き声による。つくつくほうしと濁らないでも用いる。法師蟬ともいう。↓秋蟬　蟬　法師蟬

つくつくぼふし三面鏡の三面のおくがに啼きてちひさきひかり　葛原　妙子

つくつくほうしひとつに啼けば道たどる千鳥ヶ渕墓苑夏空の下　近藤　芳美

大きい風いちど二度きてうつしみの齢かたぶくつくつくぼふし　二宮　冬鳥

日落つるまでつくつく法師つくつくと伊豆のもなかに来し秋を鳴け　馬場あき子

ゆふぐれの嵐のなかを啼きしきるつくつくぼふしの声は闘ふ　伊藤　一彦

暑気払ひ　否、あざやかに決めたるは一本背負ひつくつく法師　永井　陽子

つぐみ〔鶫〕　ヒタキ科の鳥。秋に大群をなして冬鳥として渡ってくる。疎林、農耕地、川原などにすみ、木の実などを食べるが、ミミズ、昆虫なども好む。全長24センチ。背は灰褐色に暗褐色の斑紋がある。かつて霞網で大量に捕獲され食用にされたが、現在は狩猟鳥から除かれ捕獲できない。餌が少なくなる冬には平地に移り、群れも次第に小さくなり、都会の餌台などでは一羽ずつとなり、他のツ

グミと争う。キィキィ、クワックワッなどと鳴く。↓黒鶫

私の体のなかで啼くものがある、鶫だ、外は夜あけだ　前田　夕暮

悲し小禽(ことり)つぐみがとはに閉ぢし眼に天(あめ)のさ霧は触れむとすらむ　新井　洸

鶫囀むおのが羽音をおのれ聞き年越してゆく命なりけり　宮　柊二

傷つきし鶫なるらし笹むらの枯葉が中にうずくまり居り　高安　国世

蒼ぞらに冬の木の間にうかびたる鶫の顔ぞ覚者(かくしゃ)のごとき　玉城　徹

銀(しろがね)の鋸の挽く夢なれとつぐみの森に雪はふり来つ　前　登志夫

霜厚き朝につばさの鳴るきけば待ちし今年の鶫来てをり　石川不二子

つちばち〔土蜂(つちばち)〕

ツチバチ科の昆虫。比較的大形のものが多く、黒色地に黄の横縞、橙や赤の斑紋がある。他の昆虫やクモ類などを捕えて巣に貯蔵し、幼虫の餌とする狩人バチの一種で、雌は地中にもぐりコガネムシ類の幼虫に産卵し、土蜂の幼虫はこれも食べて成長する。↓蜂

土蜂のうなりを聴きてわれは寝(ぬ)る恋もものうく砂山に寝る　吉井　勇

つつどり〔筒鳥(つつどり)〕

ホトトギス科の鳥。北海道、本州、四国に夏鳥として四月中旬ころ渡ってくる。全長33センチ。カッコウに似るが、腹面の横縞の幅が広い。丘陵地から山地の森にすみ、毛虫類を好んで食べる。センダイムシクイなどに托卵する。ポポ、ポポと竹筒を叩くようなよく透る声で鳴く。

山うらの一つところより聞えくる筒鳥のこゑは呼ばふに似たり　島木　赤彦

をちこちに啼き移りゆく筒鳥のさびしき声は谷にまよへり　若山　牧水

火の山の裾のゆふべを郭公に応(こた)ふる声は筒鳥にして　吉野　秀雄

咲きのこるうすべにざくら白桜ポポとかなしき筒鳥のこゑ　石川不二子

つばくらめ〔燕〕

ツバメの古名。↓つばくろ　燕

つばくらめ飛ぶかと見れば消え去りて空あをあをとはるかなるかな　窪田　空穂

つばくらめ飛びかひ暮るる川の瀬の末遠くゐる梅雨ばれの雲　宇都野　研

つばくらめちちと飛び交ひ阿武隈の岸の桃の花いま盛りなり　若山　牧水

天命と非命のあはひ何ほどと思ふまぎれに飛ぶつばくらめ　安永　蕗子

鉄骨を組みて緊まれる空間ありつばくらめひとつくぐりゆくなり　稲葉　京子

たちまち朝たちまち晴れ一閃の雄心としてとべつばくらめ　佐佐木幸綱

つばくらめ首塚めぐり飛ぶま昼うつけのごとく春の遊びす　辺見じゅん

つばくろ〔燕〕

ツバメの別名。ツバクラの転。↓つばくらめ　燕

わが家に育つつばくらの雛三羽日に日に染まる胸の紅　土屋　文明

つばくろが帰り来してふ嘘をつきに隣町までゆくおとうとよ　寺山　修司

今度生るるときは燕遂げざりしことも遂げ得しことも所詮は　大塚　陽子

つばめ〔燕〕

ツバメ科の渡り鳥。夏鳥として渡る。全国各地の人家や駅のホームの軒、梁などに巣を作り、飛んでいる昆虫を主食とする。秋には南方へ去るが、浜名湖など各地で越冬するものもある。全長17センチ、翼は大きく、尾も長く叉状になる。背は光沢のある藍黒色、腹は白い。羽毛には油がぬってあるので雨をはじき、雨の中でもさえずる。飛翔力が強く速力も早い。ビチュビチュビチュジューイなどと聞こえる。つばくろ、つばくら、つばくらめなどともいう。↓秋の燕　岩燕　つばくらめ　つばくろ　夏の燕　春の燕　飛燕

天井低く来舞ふ燕のしたしければ腹の白きをあらはに見つつ　中村　憲吉

平なる小鉄板が風に乗り黒く去るごと燕らの翔ぶ　宮　柊二

うしろから来ていきなり翻る燕よ燕　尋ね人ある

岡部桂一郎

越えんとし海原にむくろ沈めしや燕らのいのちも死の灰の中　武川　忠一

大工町寺町米町仏町老母買ふ町あらずや燕よ　寺山　修司

つやつやと紫紺の羽のかがやきに流れよつばめここ過ぎてなほ　今野　寿美

つる〔鶴〕

ツル科の鳥の総称。かつて日本に七種が全国に分布していたが、現在は丹頂、鍋鶴、真鶴が天然記念物に指定されて生息するほかは稀である。サギに似て頸や脚の長い大形の鳥で、沼沢地や平原にすみ、昆虫や蛙などのほか、穀粒も食べる。一雄一雌制で、ヨシ原などに枯草や小枝で円錐形の巣を作り、普通二卵産む。古来、長寿の動物として尊ばれた。全世界に十七種の記録がある。↓冠鶴　丹頂　たず　鍋鶴　真鶴

春泥の上に求食れど腰ほそく清らなるかな鶴の姿は　北原　白秋

春さむき梅の疎林をゆく鶴のたかくあゆみて枝をくぐらず　中村　憲吉

こうこうと鶴の啼くこそかなしけれいづべの空や恋ひ渡るらん　岡本かの子

そらに伸べし長き頸骨ふと折れなば傷ましき白き鶴と思へり　葛原　妙子

長嘴の先もそそけて子育つる鶴を見たりき　見て言はざりき　斎藤　史

雪原に招び合ふ舞ひのたをやかな鶴住む国に生れ合はしき　久礼田房子

みづからの翼たたみてまのあたり鶴はおもむろにからだひきあぐ　川島喜代詩

種の生きのあかしと咽喉垂直に並み立つ鶴は青天に鳴く　石本　隆一

北指して帰る鶴らが行き行かむ天路を想ふ地上にわれは　来嶋　靖生

痩せてゐる神ならなくに立ちどまる鶴の一羽のめぐり明るむ　松坂　弘

一輪と呼ぶべく立てる鶴にして夕闇の中に苔のごとし　佐佐木幸綱

鶴の首夕焼けてをりどこよりもさびしきものと来し動物園　伊藤　一彦

欲と俗見てしまひたる夕ごころそろそろ鶴に還りませうか　今野　寿美

春の鶴の首打ちかはす鈍き音こころ死ねよとひたすらに聴く　米川千嘉子

ででむし〔蝸牛〕　かたつむり、でんでんむしの別名。二対の触角が角のように見えて伸縮自在なので、角の出出虫の意ではないかといわれる。→蝸牛　かたつむり　まいまいつぶろ

家負ひてあるく蝸牛、思ひ出も残さであはれあるく蝸牛。　窪田　空穂

ぬぎすてし娘が靴にでで虫の大きなる居り朝つゆの庭に　若山　牧水

わが歩みとどめて一つでで虫の露に濡れて路地を横切る　千代　国一

信濃よりででむしひとつご到着送られて来しセロリに乗りて　安田　純生

てんぎゅう〔天牛〕　甲虫カミキリムシの漢名。→髪切虫

くちなしの花の上にゐし天牛と心刻みてふつかを過す　百々登美子

でんしょばと〔伝書鳩〕　通信に利用するためカハラバト（ドバトの原種）を改良した鳩。帰巣性にすぐれるので訓練し、交通不便な土地からの通信に多く用いる。飛翔速度一分間に約1キロメートル。日本には一九世紀末おもに軍用バトとして輸入され、戦時に使われた。現在主としてベルギーで改良が盛んである。→鳩

伝書鳩主なくなりし一群が雀をまじへ畑にくだり来　松村　英一

伝書鳩を飼ふ少年はもう居らず寒かりし冬の錫いろの色　大西　民子

てんとうむし〔天道虫・瓢虫〕　テントウムシ科の甲虫。植物の豊富な野原や庭の草花などによく見られる。小さな球形の背に赤や黒のさまざまな模様のある益虫。三〜十一月頃には七つ星の七星天道虫、斑紋のデザインがさまざまな並天道虫が現れ、五〜十月頃には亀甲模様の亀の子天道虫が現れる。成虫も幼虫もアブラムシやカイガラムシなどを食べる。

五月野の青草のなかに相寄れば天道虫が君の手を這

ふ　川田　順

てんたう虫の漆のごとき甲をみよあざやかにして赤き星七つ　岡部　文夫

よき友とならむと近づきゆくわれに何故逃げまどふ天道虫は　築地　正子

天道虫に死に真似の智慧さづけたる神の諧謔をたたへゐるかな　築地　正子

てのひらにのせて眺むる天道虫天地に生くるものは孤絶す　白石　昂

てのひらの迷路の渦をさまよへるてんたう虫の背の赤と黒　塚本　邦雄

てのひらの天道虫をいじめおり行けども行けども手の野つづくぞ　佐佐木幸綱

草をのぼる天道虫よ汝はまだ地球が丸いことを知らない　高野　公彦

とうぎょ〔闘魚〕

トウユウ科の魚。マライ半島とタイの原産のベタをいう。全長6センチ、赤・青・白・紫など色彩はさまざまで、鰭が発達していて美しい。雄は相手が倒れるまでたたかう性質がある。熱帯魚として飼われる。または同じ科の台湾や沖縄に分布する台湾金魚、中国大陸にすむ朝鮮鮒をいう。体長ともに5～7センチ。闘争性が強く、観賞用に飼われる。

百貨店朝まで涼し影追うてきほふ闘魚にひとかかはらず　穂積　忠

五十八歳となりし我かな扁平の身をかがやかす闘魚を見をり　初井しづ枝

とうけい〔闘鶏〕

鶏の一品種のシャモは、鶏の中で最も精悍なため、闘鶏に用いられる。春先、蹴爪の強い雄鶏を蹴合わせて勝負を争う。→軍鶏　しゃも

片付かぬ思ひなりしが闘ひて飽かざる鶏をしばし見下ろす　小暮　政次

闘鶏の鋭き眼此方見る　澄みたる冬の光の中に　草間　正夫

敗れしはふたたび立たず闘鶏のはてしんかんと昼の砂の上　森　淑子

とうすみとんぼ〔燈心蜻蛉・灯心蜻蛉〕

イトトンボ科などの糸蜻蛉のことをいう。また、カワトンボ科

の翅黒蜻蛉の別名でもある。とうしんとんぼ・とうしみとんぼ、とうせみともいう。↓糸蜻蛉
御翅黒蜻蛉夜の風に灯心蜻蛉ただよへり汝がたましひはすでにいづくぞ　吉野　秀雄
アカシアも実となり真菰乱れ伏しとどめもあへじ灯心蜻蛉　馬場あき子
つるみたる灯心とんぼ山の湖のただなかにして水に触れたり　石本　隆一
羅の翅をたたみて草に依る灯心蜻蛉この指に来よ　山埜井喜美枝

とうてんこう〔東天紅〕

土佐（高知県）原産。声を長くのばして鳴く長鳴鶏の代表的なもので、15～20秒鳴き続ける。天然記念物。↓にわとり
東天紅こころふるえてきかんとすあわれほろびのわれのまぼろし　坪野　哲久
やうやうに東天紅の声ひびき暁闇の川朱泥を流す　草野源一郎

とうろう〔蟷螂〕

カマキリの漢名。蟷螂の斧は、自分の微弱な力量をかえりみずに強敵に反抗することで、はかない抵抗をたとえたものだが、現実のカマキリは鎌のような形をした前肢をふるって獲物をとらえ、たくましい。多分あのやせた細長い体で、大きな複眼を三角形の頭にギョロつかせた姿から想像したのではなかろうか。↓かまきり
朝さむきやぶれ障子の桟にゐて蟷螂われをとがむるに似つ　前川佐美雄

とかげ〔蜥蜴〕

爬虫類トカゲ科。冬眠からさめる春暖のころから草むらや石垣の間にすみ、昆虫やミミズを捕食する。体長20センチで、尾はその五分の三ぐらい。背は緑色を帯びた暗褐色、四肢はやや短く、円筒状の腹を地につけて敏捷に運動する。幼時は斑紋が鮮明で、特に尾は美しいコバルト色。尾は切れやすく、敵から逃げるときに自ら切断するが、不完全ながら再生する。夏に土中に十個位の卵を産む。
雨の間の花に遊べる蝶襲ふとかげを見守り鉛筆けずりかけて　土屋　文明
日がさせば野べの落葉も乾きつつ蜥蜴さ走る音のかすけさ　土田　耕平

檜葉垣に巣立てる蜥蜴めらめらとつめたき翳をひき遊ぶなり　坪野　哲久

欠落も増殖もともに異形なれ　然り　蜥蜴の尾の再生も　葛原　妙子

草に土に常に恐れてやすらはぬ蜥蜴は美しき尾を引きにけり　斎藤　史

乾びたる身のなほ艶やかなる蜥蜴軽きをつくづく手の平に置く　菊地　良江

蜥蜴座から今朝来しやうなる青蜥蜴石にのぼりて陽を嘗めてをり　築地　正子

この石の下に蜥蜴の卵六つ在るを知らぬは月とわたくし　築地　正子

庭隅に濃きむらさきの花つけし茄子の下びに蜥蜴あらはる　小山朱鷺子

時折は敷石に出でしたたかに陽に打たれいる青き蜥蜴は　花山多佳子

とき〔朱鷺・鴇〕　トキ科の鳥。朝鮮、中国のほか、かつては日本にも全国に分布していた水鳥。全長67センチ、黒い嘴は長大で下方に曲り、羽は白色であるが、風切羽が淡紅色（とき色）。後頭に冠毛があり、顔は裸で赤く、脚も赤い。水田、湿地でタニシ、ドジョウを食べる。タァー、タァーと鳴く。少数生息していた新潟県佐渡のトキは、一九八一年以降、野性のものはいない。天然記念物、国際保護鳥。

八羽行く鴇の写真のあはれさやわが同類としてぞ眺むる　吉野　秀雄

朱鷺の住む森の真上にひろがれる空青ければ踵かへしぬ　太田　青丘

朱鷺いろを何に喩へていふとせむ腋羽根の艶も佐渡に滅ぶと　大滝　貞一

休めゐる羽根汚れゐき救世主朱鷺の生みたる卵やいかに　松坂　弘

わが生に見尽ししものあらざるに朱鷺の滅びにいま遇はむとす　藤井　常世

百歳の婆なりき朱鷺のおもいでを童われ坐して聞きしおもいで　下村　光男

春くれば巣ごもる朱鷺の求愛の様なすあわれただ一羽にて　三井　修

とけん〔杜鵑(とけん)〕　ホトトギスの漢名。↓ほととぎす

梟(ふくろふ)のごとくわれを見守るもあり、杜鵑の如くかすめ行くもあり、悔(くい)ぞ群れたる　若山　牧水

とこぶし〔常節(とこぶし)・床節(とこぶし)〕　ミミガイ科の巻貝。北海道南部から九州までの浅海の岩礁にすむ。高さ2センチ、長さ7センチ、幅5センチの卵形。アワビに似るが小さく、殻口近くに穴が六、七個（アワビは四、五個）ある。殻の表面は褐色またはオリーブ褐色、平滑のものもあるが多くは肋が走る。美味。正覚坊は↓青海亀の別名。常節づれは常節のようなものの意。

水底(みなそこ)に正覚坊(しやうかくばう)が噛み散らせし常節(とこぶし)づれがかけらきらめく　尾山篤二郎

どじょう〔泥鰌(どぢやう)・鰌(どぢやう)〕　ドジョウ科の魚。江戸時代にはしばしば「どぜう」と書いた。水田、沼などの泥底にすみ、泥土中の有機物や小動物を食べる。全長18センチ。体は円筒形で五対の口ひげがある。背は暗緑色、腹は淡色、不規則な斑紋がある。尾鰭は円い。四～七月に産卵。生活条件が悪くなると腸呼吸する。養殖も行われ、柳川鍋(やながわなべ)、鰌汁で食べ、暑気払いによいとされる。

泉の水かへし鰌を今朝は煮つ吾には二三疋多く分ける　土屋　文明

自在にてまた荒涼と遊びゐる泥鰌の桶をのぞきて立てり　鈴木　幸輔

駒形のどぜう食わんと冬の日の橋ある道を渡り来たれり　前田　透

開きたるどぜうは食へど丸のまま食むは些か辟易われは　草柳　繁一

なまぬるき花鳥風月黙殺し泥に棲む泥鰌の歌うたわんか　水野　昌雄

にんげんに明日は食はるる泥鰌とて定め知りなばかなしからんに　角宮　悦子

とど〔胡獱(とど)・魹(とど)〕　食肉目アシカ科の海獣。北太洋に分布し、冬は北海道まで南下する。ニシンなどの魚を捕食する。雄は体長4メートル、体重680～900キロ。雌は体長2.5メートルほど。夏は淡赤褐色、冬は暗褐色。繁殖期に雄は十頭から二十頭の雌を伴ってハレムを作る。一腹一子。子は初め

母の背に乗せられて海に入り、泳ぎを覚える。

わあおおと鳴くなる胡獱を見にくれば髭ふるはせて
のび上がり鳴く　片山　貞美

どばと〔土鳩〕 ハト科の鳥。市街地、とくに神社や寺などにすみついている鳩。イエバトまたはカイバトともいう。↓鳩

家鳩の巣藁はこぶと病む妻につげかねておもふ愛し
きことを　頴田島一二郎

どばとなくあわれさびしくなきつぐはこの世あの世
とよびあうがごと　加藤　克巳

土鳩はどどっぽどどっぽ茨咲く野はねぬたくてど
どっぽどどっぽ　河野　裕子

とび〔鳶〕 ワシタカ科の鳥。留鳥として全国に生息し、特に小山に近い海岸や市街地に多い。全長雄58センチ、雌68センチ。全身暗褐色で、他のタカ類と区別できるのは尾の先の中央が叉状になっていることである。高い木の上に枯枝で大きな巣を作る。生きた動物をとることは少なく、ネズミや魚の死体などを食べる。数十羽で輪を描いてとび、ピーヒョロロと鳴く。↓鷹　とんび

大き鳶たわたわと来て過ぎるとき穂にあざやけき丹
波栗の花　北原　白秋

港町／とろろと鳴きて輪を描く鳶を圧せる／潮ぐも
りかな　石川　啄木

高空に集まる鳶よ稍色ある暁の雲動きはじめて　小暮　政次

何か見つめ急降下なす鳶の姿態ひき緊り翼の先のと
がれる　佐佐木由幾

韻とも鳶鳴く空の日曇おほき一羽の海にくだりく　田谷　鋭

安房のくに布良の海べの宿にきて冬夕ぐれの鳶の声
きく　千代　国一

氷湖の雪巻き上げて吹く疾風に流されて舞うとびは
鳴きつつ　武川　忠一

岬山のさびしきまひる海にいでて鳶みな風に羽根も
てうかぶ　上田三四二

洲のうへの気流の壁をのぼりつめ鳶の羽交ひの荒く
もあるか　岡井　隆

とびうお〔飛魚〕 トビウオ科の魚の総称。日本近海には二〇数種おり、八十

八夜のころから種子島あたりでとれはじめ、七～八月には北海道南部にも北上する。体長約30センチ、背は青黒色、腹は淡色。胸鰭が極めて大きく、消化管などの形が単純なので飛ぶのに都合がよく、海面から飛び上がって200メートル位空中を飛行する。卵は糸状の突起をもち、これで海藻などにからみつく。アゴ、ツバメウオ、トビなどともいう。

飛ぶ、飛ぶ、とび魚がとぶ、朝日のなかをあはれかなしきひかりとなり　若山　牧水

青透るとび魚はじける如く跳ぶ海風冷えてわたれる沖に　樫井　礼子

蒼空(あをぞら)に青海原の睦び寄り陽をよろこびてとびの魚飛ぶ　山埜井喜美枝

婚姻のやはらかき時間(とき)のかたはらをはたたきて迷ふことなき飛魚(とび)よ　川野　里子

とら〔虎(とら)〕

食肉目トラ科。インド、東南アジアから中国、シベリアまでに分布。森林や草やぶ、湿地などに一頭ですみ、日中は深い茂みの中や岩穴などにひそみ、夜歩きまわってシカ、イノシシなどを襲う。背は黄褐色で黒い横縞がある。泳ぎが巧み。老獣は人を襲うこともある。毛皮用に乱獲され、現在各地で保護されている。

尾上(をのへ)にはいたくも虎の吼(ほ)ゆるかな夕(ゆふべ)は風にならむとすらむ　与謝野鉄幹

まどろめる虎はまなこを爛としてみひらきたれどふたたび眠る　玉城　徹

獰猛(ねいまう)の性失ひし虎たちの猫のごときが放ち飼はるる　武田　弘之

捉われの虎が卑屈に唸る声たなびく声は裏切り知れり　佐佐木幸綱

わが胸の山野の月に吼えて哭く哀しきなにぞ『山月記』の虎　中川　昭

とり〔鳥(とり)・禽(とり)〕

さまざまの野の鳥は渡り鳥や留鳥として四季の移ろいを感じさせ、さえずりや姿、色彩の美しいものは飼い鳥として生活にうるおいを与え、家禽は食生活を豊かにしてくれる。このような小さな鳥も翼の大きい猛禽類も大空を自由に飛ぶことができる。視覚が特に発達して空中から餌をめがけて降下し捕えることができる。繁殖期には羽毛が美しくなりその誇示や求愛の動作が著しい

など、鳥類は人間生活に密着し、親しみのある動物といえる。絶滅した鳥、滅亡に瀕する鳥、山林湖沼海辺を追われる鳥が多い、保護育成したいもの。↓色鳥

春の鳥　冬の鳥　渡り鳥

朝鳥の声立ちて鳴き夕鳥の声入りて鳴く秋深む森　福田　栄一

いささかはきらめき失せて・射たれたる鳥の砂嚢にある硝子片　斎藤　史

風あらき夕べ飛翔のかたちして禽が翼を展く籠のなか　安永　蕗子

かろがろと展くる晨(あさ)にあらざれど嘴(はし)細き鳥日に向きて翔(た)つ　富小路禎子

かたはらに人なき時は鳥よ来よ人くる時は人も鳥も居よ　岡井　隆

ぴり・るるる・ちり・るるるると鳴けるなり言葉も意味もなきこゑ清し　杜沢光一郎

わが胸郭鳥のかたちの穴もてり病めばある日を空青かりき　寺山　修司

翔ぶ鳥の臓器を思へばをりをりに発火すらむと空あふぎをり　松坂　弘

ピラカンサの実を食べつくし鳥去りぬ鳥は森なりつばさもつ森　栗木　京子

水浴ののちなる鳥がととのふる羽根のあはひにふと銀貨見ゆ　水原　紫苑

とり〔鶏(とり)〕

ニワトリのことをいう。羽の抜けかわるのは六月から八月。↓にわとり

ときつくると首そらしたる若き鶏そらし過ぎてはよろめきにけり　窪田　空穂

ついばみつつやさしき鶏を相手としこもらふ我を妻のいやがる　吉田　正俊

この年はまして身に沁む秋風の抱けば羽抜けの鶏の小ささ　斎藤　史

方便(たどき)なく眼つむりて水を呑む鶏も老いては止むを得ざるべし　石田比呂志

換羽期の鶏に見られてみづからを絞るごとくにわれも見返す　小中　英之

とんび〔鳶(とんび)〕

ワシタカ科のトビと同じ。↓とび

筒鳥が鳴けり鳶(とんび)が輪をかけり鳶に声をかけてはたらく　石川不二子

とんぼ〔蜻蛉(とんぼ)・蜻蜓(とんぼ)〕 トンボ目に属する昆虫の総称。前と後の翅がほぼ同様の均翅類、形の異なる不均翅類、その中間のムカシトンボ類に分けられる。不完全変態（幼虫から蛹(さなぎ)を経ないで成虫になる）。幼虫（ヤゴ）は大部分が水生で、成虫になるまで短くて約半年、長ければ数年、ムカシトンボは七〜八年を要する。成虫は発生地の水辺に生活するが、成熟するまで平地と高山を往復するもの、風により南から北に移動するものもある。眼は複眼で大きく、触角はごく短い。細長い透明の二対の翅は強く、飛ぶ時には前後翅が別々に運動する。雄の生殖器は円筒形の腹部にあり、特異な姿勢で交尾する。羽化には、途中で体をのけぞらして20〜30分休む倒垂(とうすい)型と、起き上がるように立って5〜10分休む直立型、また草などにつかまって体をまっすぐに抜き出す直立型の変形がある。↓赤とんぼ　秋あかね　あきつ　糸とんぼ　鬼やんま　お翅黒とんぼ　銀やんま　塩辛とんぼ　猩々とんぼ　精霊とんぼ　せいれい　燈心とんぼ　やんま

日の盛り細くするどき萱の秀に蜻蛉とまらむとして翅(はね)かがやかす　北原　白秋

翅(はね)ふるふ蜻蛉をみれば生きてゐて心切なきわれもふるひぬ　福田　栄一

のけぞりにヤゴより脱皮の蜻蛉あり生きゐることは楽しからむか　中野　菊夫

棒の頭にとんぼが陣を張っているとんぼは未来をかぎわけて居る　山崎　方代

自転車に触れてあやふくよぎりたる今年の蜻蛉油なす翅　田谷　鋭

カルデラに蜻蛉の一翅止(し)まる影この天地に動くもの無し　白石　昂

日の暮の畑の上の動くものとんぼ群れたり漂ひながら　吉野　昌夫

生殖は営みなれば清清(すがすが)しつがひの蜻蛉庭にきてをり　宮岡　昇

とんぼ来て水の辛さをささやけり流れに逆ふあめんぼの顔に　木村　修康

な〔魚(な)〕 肴(な)と同語源で、食用、とくに副食物とするための魚をいう。↓いお　いろくず　うお　うろくず　魚類　さかな

日蓮の生れし国の海岸(うみぎし)に大魚(おほ)悲しも血にまみれたり　前田　夕暮

なつご〔夏蚕(なつご)〕

夏に飼うカイコ。ふつう七月上、下旬に上簇する（繭を作らせるために成熟したカイコを簇(まぶし)に上らせる）。↓秋蚕　蚕(かいこ)　蚕(こ)　繭

夏の蚕はいまだ稚(をさな)し。／背戸にそひ／柘榴(ざくろ)のはなのあかくさきゐる　石原　純

長篠のいくさの日にもこの村落(むら)は夏蚕養(か)ひにけむ今日のごとくに　川田　順

桑を呉(く)れつつ摘(つま)みてみれば蚕(かひこ)まであつくなりをる暑さなりけり　結城哀草果

なつのちょう〔夏(なつ)の蝶(てふ)〕

五〜八月頃あらわれる蝶。一般に春の蝶より大きく、色彩も鮮やかな揚羽蝶が多い。また春の蝶もいきおいが出る。↓揚羽蝶　蝶

草踏めばたちまち湖が滲(にじ)みくる水国江津に夏の蝶湧く　安永　蕗子

わが庭の蝶もいさむか五月来てロベリアの花の鉢置きてより　小野興二郎

なつのつばめ〔夏(なつ)の燕(つばめ)〕

五〜六月頃、雄と雌が交たいで二週間あたためた卵がかえり、四、五羽の嘴の黄色い子燕が大きな口をあけ、親燕の運んでくる餌をねだる。この間親燕は町を飛び交い、空中で餌を捕え、子育てにいそがしい。巣立った若鳥は成長するとアシ原などに集団ねぐらを作り、夏の終りには親鳥も合流する。↓燕

あけ放つ五層の楼の大広間つばめ舞ひ入りぬ青あらしの風　太田　水穂

夕野良(ゆふのら)の小藪が下(もと)の合歓(ねむ)の花きり雨(さめ)かかる雛燕のこゑ　北原　白秋

石垣に飛びつきかねしひな燕羽ばたきにつつ声うひうひし　藤沢　古実

水甕の空ひびきあふ夏つばめものにつかざるこゑごゑやさし　山中智恵子

なべづる〔鍋鶴(なべづる)〕

ツル科の鳥。現在は山口県熊毛町、鹿児島県出水市などに冬鳥として渡来し、天然記念物に指定されている。全長96センチ。頸が白いほかは全身暗灰色。V字形の編隊を作り長距離をとぶ。水田、湿地に群生し、クルル

ルーとよくひびく大声で鳴く。↓鶴

火山灰こめて濁る茜に鍋鶴か冬田をゆるく巨き影発つ　池田　純義

なまこ〔海鼠〕

棘皮動物ナマコ綱の総称。浅海の岩礁の間にすむマナマコは体長20～30センチ。円筒状で、前端の口の周囲に触手が発達し微生物を捕える。柔軟な体は黒褐色で微細な突起がある。また東北地方以北に分布し、古来宮城県金華山付近の漁場が有名のキンコは体長15～20センチ。長楕円形で、口の周囲の十本の触手は太く、枝分かれする。灰褐色をしている。グロテスクな格好だが、ともに冬期が美味で、三杯酢にして生食にする。腸は塩漬にして海鼠腸とし、卵巣は乾燥して海鼠子とし、共に酒の肴として珍重される。またキンコの煮干したものを光参といい、中華料理の材料に用いる。約五億年前のオルドビス紀に出現したといわれる。↓このわた

寒の水に海鼠の総身角立ちてみな沈みたり動くとも見ゆ　鹿児島寿蔵

海鼠さへうすむらさきに眠りゆく暮春のころはいつそ海鼠に　前川佐美雄

赤き海鼠黒きなまこを桶に飼ふ　このわたを抜くまでのあひだ　斎藤　史

うつしみを出でたる影は冬の夜の皿の海鼠に酢をたらしたり　岡部桂一郎

底にのこる青新鮮のなまこにて酔ひたるわれの箸逃げやまぬ　千代　国一

ダリを父として大雪の魚市の箱に睡魔のごとき海鼠ら　塚本　邦雄

風花のローザ・ルクセンブルグ忌の海よりもどる海鼠をさげて　原田　禹雄

甘酸攻めでは言うこときかぬこの海鼠沼津産なり塩をよろこぶ　高瀬　一誌

こたへせぬなまこの矜持、魯鈍にて身にしみとほる三寒四温　中西　洋子

なめくじ〔蛞蝓〕

ナメクジ科の軟体動物。昼間は陰湿な場所にひそみ、夜間活動し、草食性で野菜などを食害する。体長6センチほどで殻は全く欠き、汚れた灰褐色。触角は二対で、長い方の先端に目があり、触れると収縮する。腹面の伸縮により徐々に移動、這った跡に粘液の筋を残す。

また山地には体長10センチのヤマナメクジがすむ。他に台所や風呂場などにすむコウラナメクジは体長7センチ、欧州原産。雌雄同体、卵は白く丸い。

ふる家の石さへおこし売るとせば念仏のこゑはなめくぢ等より　前川佐美雄

なめくぢのしきり湧く日本の家にゐて土乾きゆく大陸をおもふ　宮　柊二

唾湧きてみつむる昼や生れ来し醜さ知れとなめくぢ動く　前　登志夫

卵塊とおぼしきものをいだきあひ蛞蝓二匹恍惚とゐる　後藤　直二

蛞蝓の這いたるみれば「輝かしい確かな足跡」とはこんなもの　沖　ななも

大いなるなめくじとして棲むわれの首を掻くべし天の利鎌よ　阿木津　英

にお〔鳰〕

鳰鳥ともいう。カイツブリの古名。万葉集よりしばしば詠まれており「鳰鳥の」は枕詞として、潜く、なづさふ、などにかけて用いられている。有名な鳰の浮巣は梅雨の前後に多く見られ、水が増しても水草が浮き上がり滅多に水中に沈むことがない。親鳥が巣から離れる際には水草を卵の上にかぶせて外から見えぬようにしてゆく。雛は生まれるとすぐに泳げる。鳰の湖は琵琶湖の別名。↓かいつぶり

夕ぐれの池の真なかの暗がりにいまだも潜く鳰つがひどり　中村　憲吉

城の町かすかに鳰のこゑはして雪のひと夜の朝明けんとす　木俣　修

鳰うける堀はにごりて藻草多しこのきたなさをよしと思へり　加藤　克巳

かがやける水のおもてに浮びつつ一羽の鳰のその身は暗き　玉城　徹

雪ふかき海津大崎にほどりは岸によりゐて水に潜かず　岡野　弘彦

流れゆく小さき鳰の四つ五つ見てゐて夕日落つる多摩川　馬場あき子

与呉の湖寒き波寄る片寄りに鳰ら番ひのおのづからなる　米田　律子

鳰のうみまこと鳰鳥浮かべゐて波間にひゆるる声洩らすなり　大塚布見子

目にあひし鳰（かいつぶり）まさに潜る（くぐ）べし「ポチャン」と声をかけてやるかな　石川不二子

にし〔螺（にし）〕　赤ニシ、田ニシなどの巻貝をいう。赤ニシは内湾の浅い砂泥地にすみ、夏産卵し、卵嚢はナギナタホオズキとなり、肉は食用、殻は貝細工にする。二枚貝類に穴をあけて食うので養殖の害貝である。→田にし

引き揚げる魚網の中に抱き合えり八月は螺の愛の季にて　川合雅世

にじます〔虹鱒（にじます）〕　サケ科の魚。現在各地に養殖されているのは一八七七年以来、数回移植された北米西部原産の陸封型。全長50センチ。緑褐色の地に黒斑が多数あり、雄には体側に紫赤色の縦帯が走る。塩焼、フライなどにして食べる。→鱒

虹鱒の紅のくれなゐにひらめけば無慙（むざん）に蒼き山川の水　吉植庄亮

虹鱒の虹のうろこを焼くに馴れ塩壺の塩砂より乾く　斎藤史

虹鱒の腹をしぼりて真珠（ま）なす卵を採るも春の慣ひぞ　田谷鋭

にしん〔鰊（にしん）〕　ニシン科の魚。茨城県以北の北大平洋に分布。寒流性の回遊魚で、春の彼岸ころ沿岸に卵を産みに近づく時漁獲される。全長30センチ余、鱗は剝離しやすい円鱗、背は暗青色で腹は銀白色。漁場は北海道西海岸で鰊御殿が出来る程漁獲が多かったが、現在は明治・大正の盛時の20分の1以下に激減。鰊をふやすため漁師が山に植林している。鮮魚や身欠きニシン、燻製、塩漬にする。卵巣は数の子。

秋の夜の月おしてれり地にしみし鰊のいまだほの匂ふ浜に　北原白秋

日の光薄き浜びの板びさし春の鰊は燻（いぶ）し了へにし　石榑千亦

ワビシといふ日本語今に伝はりて雨になびける鰊のけむり　土屋文明

いつしかに厚岸（あつけし）の鰊食ひなれてこの古き町は新しく富む　樋口賢治

干鰊くくりて吊す向ひ家（や）の部屋見えてをり一部なれども　宮柊二

生みつけし鰊の精子数キロの幅にただよふといふ北の海　由谷　一郎

にな〔蜷〕

川蜷、海蜷などの巻貝をいう。↓川蜷

蜷の動き見つつ泉に春を待つはや幾年の経験となりて　土屋　文明

蜷の腸箸の先にてつき刺せりこもれる仔をもさりさりとかむ　土屋　文明

水漬きたる石菖の葉に蜷の児はいかなるさまに生れむとすらむ　岡部　文夫

袋川の飲み水いつも清かりしが蜷とりて食べし記憶鮮烈　倉片みなみ

蜷といふ貝楊枝もて取り出だすこと下手にして坐す花の宴　馬場あき子

にわとり〔鶏〕

キジ科の家禽。原種はインドから東南アジアの森林にすみ、飛ぶこともできる野鶏。日本へは中国、朝鮮から家禽化されたものが伝来し、庭鳥として飼った。品種により姿形、羽毛、肌色、冠などは多様に変化する。卵用はレグホン、ミノルカなど。肉用はコーチン、ブラマなど。卵肉兼用はプリマスロック、名古屋コーチンなど。愛玩用は尾長鶏、チャボ、東天紅など。闘鶏および肉用はシャモなど。なおブロイラーは肉を採ることを目的に、高エネルギー、高タンパク質の飼料を与え、去勢及び運動制限し、八〜十週間で体重を1〜1.5キロに肥らせた鶏の雛である。↓尾長鶏　かけ　くだかけ　しゃも　ちゃぼ　闘鶏　東天紅　鶏　牝鶏　レグホン　ひよこ

罪ふかきもののごとくに昼ながら浅草寺のにはとりの声　斎藤　茂吉

霜どけのうへに午前のひかり満ち鶏はみなひとみ鋭し　佐藤佐太郎

にはとりは高き体温を抱きねむるきしきし砂嚢に貝殻を詰め　葛原　妙子

砂を浴びて鶏啼けり夕づく日いや寂けきにその声透る　宮　柊二

ま向いの二階のてすりに首をまげ下を見横をみ鶏一羽　加藤　克巳

にはとりは道の日向をみづからの影に入らむと小走りに来る　草市　潤

だらしなく尾羽ひろげゐる鶏を男を憎むごとくに憎む　石川不二子

くびられし鶏ひとつぶらさげて白昼ふかく老婆あゆみ来　坂井修一

ヌートリア
齧歯目カプロミス科。南米東部の草原や湿地の原産。日本では軍用毛皮獣として飼育されたものが野生化している。ドブネズミに似るが、はるかに大きく、体長40センチ、尾35センチ内外。毛は赤褐色から黒色。夜行性で、後足の指の間に水かきがあり泳ぎがうまい。一腹三～六子。水辺の作物を荒らしたり、堤防に大きな巣穴を掘り危険なため、駆除される。沼狸、海狸鼠ともいう。

木曾川の河川工事に追われつつヌートリアは北上すわが故郷へ　大島史洋

ヌートリアの興国の祖は五十年前毛皮となるため拉致されて来し　大島史洋

ねこ〔猫〕
食肉目ネコ科の飼い猫をいう。紀元前二千年ころエジプトで飼われ神聖視された記録があり、日本へは奈良時代に中国から渡来したといわれ、毛色により黒、白、三毛がある。外国種には短い毛のシャムネコや、長い毛のペルシャネコなどがある。しなやかな体で、聴覚が鋭く、瞳孔は昼には小さく細長く閉じ、うす暗くなると開いて光る。木登りがたくみで、前肢の鉤爪はふだんはしまってあるが獲物を巧みにとらえる。足裏に柔らかい肉球があり音をたてずに歩く。ひげは敏感で暗所の活動やドアの隙間、穴をくぐるときに役立つ。ざらざらした舌は骨についた肉をなめ取り、毛づくろいに役立つ。一腹四～五子。生まれて三週間から一ヵ月すると子猫は外へ出て遊びはじめ、その間に母猫から敵・仲間・狩の仕方を教わる。ネズミをとるのが下手な猫は小さい時に狩の仕方をおぼえなかったからという。寿命は十五年。犬に比べて野性的性質を残し一般に従属性に乏しいといわれる。↓白猫　春の猫

猫の舌のうすら紅き手ざはりのこの悲しさを知りそめにけり　斎藤茂吉

さびしきは老が命かかの小猫庭のおち葉を追ひてよろこぶ　松村英一

迷ひ来し子猫なりせばその頸にリボンを巻きて捨ててやるべし　前川佐美雄

薔薇の刺のやうなる青き爪研きて出でゆけば猫は深夜のけもの　真鍋美恵子

塀つたひ柿の木より帰りくる家猫を待ちゐて声立てて呼ぶ　中野　菊夫

みちのくの夜空は垂れて電柱に身をすりつける黒猫ひとつ　岡部桂一郎

爪たてしまま庭の松よりずり降りし猫ありそこまでは及ぶ夜の灯　森岡　貞香

暗黙の了解われに得しごとく塀のうちに今日もねむる野良猫　川合千鶴子

わが家に居すわる猫を蹴飛ばしぬ上目づかひに見る眼が憎し　宮地　伸一

春の家族みな家出でて森閑と家霊のごとく猫の眼ひかる　前　登志夫

母刀自のわれであるよと野良猫が産みし仔五匹を日向に遊ばす　河野　裕子

猫の子は橋のたもとの箱のなか捨てられてありむかしのごとく　小池　光

悪霊の飛び込みたらむわが猫か体擦り寄せて見上げては鳴く　阿木津　英

煙色にヴェネチア暮れて海も暮れてヴィオラの声の猫がよこぎる　松平　盟子

ねずみ〔鼠〕

小形の齧歯類で、種類も個体数も多く、現生哺乳類の約半数一七〇〇種を占めるといわれる。ノネズミとイエネズミがあり、ノネズミは山林や原野、農耕地にすみ、種子や種実、草や根を好む。イエネズミはハツカネズミとドブネズミ、天井裏などにすむクマネズミの三種がある。主に夜行性で、上下顎に一対ずつある門歯が丈夫で一生のびつづけ、先がどんどんとがり、農作物や森林、家具や食物などを害する。妊娠期間二〜三週間、出産当日にも受胎可能で殆ど周年にわたり一腹五〜十子を産む。↓ハムスター

鼠等を毒殺せむとけふ一夜心楽しみわれは寝にけり　斎藤　茂吉

わが家にはこれのみの豆と大根を選り好みして鼠の食らふ　植松　寿樹

ねずみの仔生れたらしと眼をあげてしまし居らしむ屋根裏の音　山本　友一

わが家に一月あまり棲みつきし鼠を捉へ安らぐあは

れ　　　　　　　　　　　　　　　佐藤　志満

四谷駅構内の溝に鼠ひとつ尾を曳きいづる見つつ追はずき　　片山　貞美

泥つかぬ桃色の足の裏見せて鼠走れり冬の畑を　　石井　利明

ねずみとりの中のねずみを水中にああ静やかに沈めんとする　　石田比呂志

ねったいぎょ〔熱帯魚（ねったいぎょ）〕

観賞用に飼育される美しい姿、色彩の熱帯性の魚。中南米、アフリカ、東南アジアなどが原産の淡水魚のエンゼルフィシュ、グッピー、ソードテール、ネオンテトラ、スマトラ、ゼブラダニオなどが有名。近年は海水魚の飼育も技術進歩により容易になり、チョウチョウウオ科、スズメダイ科などの種類が輸入されている。

美しきものとし飼へる熱帯魚夜は濁声で語りをらむか　　対島　恵子

熱帯魚飼ふ少年は海底に潜みゐるごときまなこ持ちをり　　木幡　良夫

のうさぎ〔野兎（のうさぎ）〕

ウサギ科。本州、四国、九州、佐渡、隠岐に分布し、平地より高山の原野や疎林に多くすむ。体長45～60センチ、尾2～7.5センチ、耳6.5～10センチ。背は灰褐色～暗褐色で、腹は白色～淡黄褐色。夜出て草、木の芽、樹皮などを食べる。一腹に二～六匹子を産む。北陸・東北地方のものは冬に白色に変わる（越後兎ともいう）。北海道にはユキウサギという品種がすむ。↓兎

白きうさぎ雪の山よりいでて来て殺されたれば眼（め）を開きをり　　斎藤　史

血の垂るる兎のむくろさげきたり山の男のすくと立つ庭　　岡野　弘彦

目の黒き越後野兎ましぐらに駆けりしからに罠にかかれる　　轟　太市

雪山を歩まむかなと語りをり雪の兎に相逢ふ日あれ　　来嶋　靖生

わが家のめぐり雑木の林ありて野兎、鼬、蝮も出でくる　　浜田　康敬

のみ〔蚤（のみ）〕

ノミ目に属する昆虫の総称。哺乳類の種類により異なった種類のノミが寄生

する。人間の血を吸うのはヒトノミだが、ネズミに寄生するノミも人の血を吸うことがある。褐色で縦に扁平の体は4ミリ以下と微小である。後肢が発達し跳躍する。翅は退化して全くない。完全変態し、一般に約一ヵ月内外の寿命。

おのづから疎開の記憶うすらぎて蚤の少なき床に臥し居り　斎藤　茂吉

古畳を蚤のはねとぶ病室に汝がたまの緒は細くなりゆく　吉野　秀雄

蚤ひとつ見つけし夜のよろこびもほしいままにして人を厭えり　岡部桂一郎

日々に新しく　蚤など知らぬ爪ながら忘れゐずその蚤をつぶしし感触　吉野　昌夫

はあり〔羽蟻〕　繁殖期に翅を生じた雌雄のアリ。空中で交尾の後、雌は地上におりて翅を落とし巣を作り、女王となる。または白蟻の雌雄が羽化して飛び立つのをいう。白蟻は雌雄（女王・王）一対で営巣する。↓蟻　白蟻

電燈にむれ飛べる羽蟻おのづから羽をおとして畳をあるく　斎藤　茂吉

日の光こもりてあつき芝生より羽蟻ひらめきまひのぼりたつ　前田　夕暮

蘭の葉をのぼり極めて次々に羽蟻は立つも雨の晴間を　松田　常憲

ひざまづき堪ふるレスラーいま汝が獅子身中の羽蟻の娶り　塚本　邦雄

ばい〔貝〕　エゾバイ科の巻貝。浅海の砂底にすみ、肉食性。貝殻は堅く、高さ7センチ。魚肉などを入れたバイかごで採取し、肉は食用に、殻はべいごま、貝笛などの玩具にされる。

膝の前に海螺を商ふ媼あり生きたる海螺は笊の縁を匍ふ　岡部　文夫

はえ〔蠅〕　種類が多いが一般にイエバエ科の昆虫をいう。幼虫は蛆で、蛹化は主として土中で行われ、完全変態する。成虫は口が吻状に長く突き出て、液体や顆粒をなめやすいように先端に唇弁をもつものもある。伝染病の媒介をする。↓家蠅　蛆　金蠅　銀蠅　冬の蠅

留守をもるわれの机にえ少女のえ少男の蠅がゐらぎ舞ふかも　斎藤　茂吉

蠅一つつきて離れず病みこやるわがうつし身の匂ふなるべし　林　光雄

キリストの生きをりし世を思はしめ無花果の葉に蠅が群れゐる　佐藤佐太郎

布に汚点ある喫茶店などに入り来て蠅もわれらも掌を磨る午後は　斎藤　史

一匹の蠅が翅ふるひ翅の上にひかれる埃はらひはじめつ　香川　進

牛乳の中に飛込みし蠅の黒いのは明晰にして知らぬものなし　山崎　方代

あえかなるにんげんの卓掠めとり蠅ら連なる水無月の婚　辰巳　泰子

ばく〔貘・獏〕　奇蹄目バク科。吻が突き出ており、かなり自由に動く。体の前半が黒くて後半が白いマレーバク、全身黒褐色のブラジルバクやパナマバクなどがあり、密林で単独にすみ、夜行性で木の芽や水草などを食べ、敵に襲われると水中に逃げる。

また中国での想像上の動物をいう。形は熊に、鼻は象に、目は犀に、尾は牛に、脚は虎に似て、黒白の斑毛で、頭は小さく、人間の悪夢を食うと伝えられる。

信ずるもの実在とのみ言ひきれずわが奥底に貘は夢食ふ　中城ふみ子

はくせきれい〔白鶺鴒〕　セキレイ科の鳥。河口付近や海岸に生息し、繁殖期にはつがいで行動する。それ以外の夜に橋の下などで数百から数千羽が群れて、ねぐらをとる。物陰に巣を作る習性から駐車中のボンネットの中に営巣し、持主をあわてさせることもあるという。全長21センチ。昆虫類を食べ、チュチュッ、チュイリーと鳴く。↓石たたき　鶺鴒

白せきれい岩より飛びて中空に銀の光となれるときのま　渡辺　元子

はくちょう〔白鳥〕　ガンカモ科の大形の水鳥。日本には冬鳥として北海道や本州中部以北に渡来する。全身純白で頸が長く、嘴の基部は濃い黄色で先が黒い。大白鳥は全長140センチ、家族関係が保たれていて成鳥二羽と若鳥が行動を共にし、大群になっていることが多い。湖沼、浅瀬のある湾内で主に水草などを食べる。水面を脚と翼を使って

長距離助走し、きれいな編隊を組んで飛ぶ。餌付けをされている所もあり、よく通る声でコオーッと鳴く。小白鳥は全長120センチ、湖沼、大きな川に多く見られ、湿地などで草などを食べる。低い声でコーココと続けて鳴く。動物園などに飼われている瘤(こぶ)白鳥は嘴の基部に黒色のこぶ状突起がある。欧州から東シベリアに分布する。→しらとり

たましひになりてもかかる淋しさか水に流れて眠る白鳥　福田　栄一

白鳥は渡り鳥ゆゑつれなしよ春ふかみつつかへる日近づき　中村　正爾

生ける魚生きしがままに呑みたれば白鳥のうつくしき咽喉(のど)うごきたり　真鍋美恵子

白鳥の群とびたちてひとしきり雪山の上ゆれつつわたる　佐藤佐太郎

氷彫刻人に見らるる白鳥は長き首より溶けはじめたり　斎藤　史

傷つきてとどまる白鳥水にあり来む年の群を待つとにあらし　扇畑　忠雄

朝鮮の山はるかなる海峡をわたる白鳥かがやきにけり　白石　昂

荘厳の夜の中よりうかび出で白鳥の数羽すべり来向ふ　玉城　徹

たましひの澄みとほるまで白鳥の舞ふを見てゐて去りなむとする　岡野　弘彦

餌(ゑさ)をまくひとりに蹤(つ)きて白鳥の頸のうねりの揃ふさびしさ　春日真木子

渤海のかなた瀕死の白鳥を呼び出しており電話口まで　岡井　隆

雪おほふ山脈(やまなみ)を背に翔びきたり湖(うみ)に下り立つ白鳥三羽　来嶋　靖生

白鳥の来しこと告げて書く手紙遠き一人に心開きて　道浦母都子

うしろより首を抱きてひたにひたに白鳥の首を洗ひたかりき　坂井　修一

はくびょう〔白猫(はくべう)〕

ネコ科の飼い猫で、毛色の白いものをいう。目が青色のものとオレンジ色のものがあり、また片目が青色で片目がオレンジ色のものもある。青いものは生まれつき耳がきこえないものが多いという。はくみょうとも

いう。↓猫

胡桃ほどの脳髄をともしまひるまわが白猫に瞑想ありき　葛原　妙子

生みし仔の胎盤を食ひし白猫かけさは白毛となりてそよげる　葛原　妙子

緑蔭夢かたむけてのそりのそり風のながれて白猫のあゆむ　加藤　克巳

磨きゐるわれの鏡を一閃の光となりし白猫走る　富小路禎子

曇り日のなぎさ岩むら白猫はアンチ・ロマンのごとく歩めり　小中　英之

不可思議なる発光体と見てゐしが冷えて白猫あゆみ去りゆく　藤井　常世

はす〔鰣〕　コイ科の魚。琵琶湖、淀川水系、福井県三方湖とそれに注ぐ河川に分布。全長30センチ、雄は一般に雌より大きく、尻鰭が著しく伸長する。上顎がへの字形に曲がっている。近年他の河川に見られるが移殖によるものが多い。旬は初夏、刺身、塩焼などにする。

われ逝かば湖に墓標を建ててくれ鯉鮒鰣と暮らさむがため　小西久二郎

はぜ〔鯊〕　ハゼ科の魚のマハゼをいう。内湾や河口に多く、暖かい季節に淡水域に遡るものもある。全長20センチ、淡黄色に斑点があり、腹面は平たく、左右の腹鰭は吸盤となっている。一〜五月に泥底に穴を掘って産卵する。釣の対象魚として東京湾や松島湾など人気があり、てんぷら、甘露煮にする。

冬ふかみ潮にちかく下りたる鯊五六寸の大いさにして　岡部　文夫

はたおり〔機織虫〕　キリギリスの異名。鳴き声が織機の招木を踏む音と筬を打つ音に似ているからという。↓ぎす　きりぎりす

機織虫は雨降る土に鳴きつぎて静かなる夜の女のわらひ　宮　柊二

薄暗き駅の石壁に草葉いろのはたおり一つ見しといふこと　田谷　鋭

はたはた〔鰰・鱩・燭魚〕　ハタハタ科の魚。北日本のやや深海の砂泥底にすみ、初冬の産卵期には海藻の多

い沿岸に来遊する。全長22センチ、口が大きく鱗がない。黄白色の地に褐色の斑紋がある。秋田・山形県の名産だが、山陰地方でもとれる。干物、しょっつる鍋の材料とし、卵はぶりこと呼ばれ賞味される。

鰰のはらゝごの　口に吸ひあまる　腥(なまぐさ)さにも　したしまむとす　釈　沼空

鰰を吊り干す軒に夕しばし潮(うしほ)の照りの寒くかがやく　木俣　修

鰰のはじけし身をば積みあげて秋田の朝の市に雪落つ　石本　隆一

鱩の上半身を喰いちぎり酒飲めり寒雷とどろく夜　佐佐木幸綱

はち〔蜂(はち)〕　アリ科を除く膜翅(まくし)目の昆虫の総称。一般に四枚の膜状の翅をもち、雌の産卵管が毒針も兼ね、防御や狩に用いられる。完全変態をし、幼虫（蜂の子）の多くは、うじ状。腹部のくびれがない腰太のハバチ、キバチ類と、腹部がくびれる腰細のヤドリバチ類、狩人バチ類、ハナバチ類がある。ミツバチ、スズメバチ、アシナガバチのような社会性のあるものもある。↓足長蜂　熊蜂　すがる　雀蜂　冬の蜂　蜜蜂

われを過(よぎ)りかがやく空に飛びゆきし蜂の光はしばらくありし　吉植　庄亮

夢殿の階(はし)のすきまの巣をいでて蜂はつるめりかがやきながら　植松　寿樹

夜の炉辺に蜜をのみつつ眼(め)つむれば幾百幾千の蜂と花々　結城哀草果

路地の空をいのち自在に流れきて蜂のつばさは一夏(いちげ)光りき　山田　あき

脚垂りて蜂の下り来てとまるまで息のむまでに静かなる刻　高安　国世

夏はよし昼寝の夢の最中にちくりと蜂の灸を受けたり　山崎　方代

蜂の子にバッタの足をくれてやる蜂の子どもは口だけである　山崎　方代

白藤の花に憑く蜂、日を浴みて静止飛翔(ホバリング)せり人死にし昼　高野　公彦

はちゅうるい〔爬虫類(はちゅうるい)〕　脊椎動物の一綱。体は鱗でおおわれ、四肢は短く、ヘビなどでは退化する。変温動物で、空気

を呼吸し、陸上で産卵する。古生代末に両生類から分かれ、中生代に恐竜などが著しく繁栄したが、末期には殆ど滅び、現在ではムカシトカゲ、カメ、トカゲ（ヘビを含む）、ワニの四目約六千種を数えるにすぎない。しかし鳥類、哺乳類を生む母体となって、生物進化の過程に重要な位置を占めたといわれる。

野にかへり野に爬虫類をやしなふはつひに復讐にそなへむがため　前川佐美雄

ばった〔飛蝗〕

直翅目バッタ科の昆虫の総称。触角は短く、後肢は長く発達して跳躍に適する。雄は肢と翅を摩擦して発音し、鳴蝗はカシャカシャ、精霊ばったはキチキチとかなり大きく音を発する。それ以外は低音で聞きとりにくい。一般に植物の葉を食べるが、稲を食べるイナゴや、飛蝗するトノサマバッタのような害虫も少なくない。↓いなご　負んぶ飛蝗　精霊ばった

飛蝗の頭には鋭三角形鈍四角などありて仮睡のわれをとりまく　山下　陸奥

紫蘇を食す飛蝗つくづく身の青く汝が息の緒やかぐはしからん　山本かね子

銹びつきし錨のごとき影ひきてバッタ死にゐる海岸倉庫　吉田弥寿夫

ゆらゆらと風に揺れつつ青ばった高層の窓の灯に来てをりぬ　石川　恭子

はっちょう〔初蝶〕

その年の春、はじめて見た蝶をいう。↓蝶　春の蝶

蒼天に初蝶のぼりゆきにける齢五十に吾はなりたり　宮岡　昇

はと〔鳩〕

ハト科の鳥の総称。日本産の野生のハトにはキジバト、アオバト、シラコバトなどがあり、カワラバトを原種に作り出された家禽のドバトは家鳩、飼鳩ともいう。伝書鳩もカワラバトが原種である。↓雉鳩　白子鳩　伝書鳩　土鳩　山鳩

とびたてる鳩の尾羽のふくりんのあざやかに黒くわが上をゆく　宮　英子

生くるとは愛にこころを砕くこと嘴合はす鳩は日向をあゆむ　上田三四二

旧約の日より生れ継ぎ春の土ついばむ鳩の浄くしあらず　雨宮　雅子

遠くにて鳩群れ遊ぶ園が見え摑みたきまでに羞し小

世界　　石田比呂志

青葉闇ふかき寺庭　巣籠れる鳩かときをりこゑくくみ鳴く　　杜沢光一郎

ポプコーン食べんと集ふ鳩たちの鴇色(ときいろ)の足絶えず土を踏む　　奥村　晃作

わが耳にきこえてくるはくくるくくうくくるくくうと啼く鳩の声　　外塚　喬

はなあぶ〔花虻(はなあぶ)〕

双翅目ハナアブ科。体長1.5センチほど。蜂に似ており、冬でも暖かい日には、花の蜜や花粉をとって活動する。幼虫は汚水や汚物中にすみ、オナガウジの俗名がある。優雅なお尻には蜂のような毒針はない。↓虻

花虻のひそかに飛べる時の移りやすらふ思ひなきにしもあらず　　吉田　正俊

いきおいのおもむくところ花虻の花粉まぶれて溺るる如し　　山崎　孝

千年を変ることなき愛の秘儀花虻に見て漠々とゐる　　後藤　直二

不即不離萩をめぐれる花虻は花にひかりの糸からめゆく　　玉井　清弘

はなくいどり〔花喰鳥(はなくひどり)〕

梅や桜の花にきて、花弁を食べる小鳥。ウグイスなど。↓鳥

嘴(はし)鳴らし花喰鳥のくるといふ花喰鬼とわれはならむか　　斎藤　史

鳥が来てゐる桜の花を吸つてゐる見おろす我は斯く暇あり　　小暮　政次

はなまがり〔鼻曲(はなまがり)〕

雄の鮭が秋の生殖期になると吻がつき出て曲がるので名がある。新巻にして珍重される。↓鮭

鼻まがりの一尾やはらかく重くありて抱きて来り厨に吊す　　森岡　貞香

はまぐり〔蛤(はまぐり)〕

マルスダレガイ科の二枚貝。内湾の潮間帯付近の砂地にすみ、東京湾や伊勢湾などが産地で、養殖もされる。貝殻はほぼ三角形で、表面は平滑、黄褐色に栗色の二放射帯のあるものが一般的。潮干狩の獲物の王とされ、吸物、つくだ煮などで食す。↓貝

人は死に生きたる我は歩(あり)きゐて蛤をむく店を見透かす　　北原　白秋

雉子(きぎす)海に入りて染むとふ蛤のしろき身肉の熱きを啜る　　大滝　貞一

蛤は蹠(あなうら)まわし取るものぞ強き引潮を利して取るものぞ　　晋樹　隆彦

蟹食いておりし蛤　もろともに食らいつつ灯のなかの家族ら　　永田　和宏

はむし〔羽虫(はむし)〕　ハジラミのことをいうが、翅のある小昆虫をさしていうこともある。ハジラミはおもに鳥の羽毛に寄生する体長5ミリ以内の微小な昆虫で、薄茶色で扁平、翅がない。吸血することはないが鶏などの産卵能力を低下させる。翅のある小昆虫はおもに夏に発生する蛾の類、また虻類などである。

友鳥に羽虫とらせてうつとりと目をふたぎつつ心地よげなる　　宇都野　研

空見れば円弧灯(アークライト)に雪のごと羽虫たかれり春よいづこに　　北原　白秋

死にし鶏(とり)を離れてわれに移り来し羽虫おもへばわれは苦笑す　　柴生田　稔

落ちて来し羽虫をつぶせる製図紙のよごれを麺麭で拭く明くる朝に　　近藤　芳美

南無(なむ)といひしのきこゆ咲く萩の枝をくぐれる羽虫のこゑ　　森岡　貞香

吹き飛ばす壁の羽虫は反転しなほ縋りをり嗚呼いのち持つ　　大神善次郎

ハムスター　キヌゲネズミ科。日本では実験用やペットとして飼う。ゴールデンハムスターともいい、体長12〜16センチ、尾1.7〜2.2センチで、形は天竺(てんじく)ネズミ（モルモット）に似る。毛は絹毛状。↓鼠

クレラップの芯にもぐれるハムスターのやわき毛は見ゆ振らるるたびに　　花山多佳子

はや〔鮠(はや)〕　コイ科の淡水魚で、ウグイ、モツゴ、オイカワなどの地方名。オイカワは関東地方以西（近年東北地方にも移殖された）の湖沼、河川の中流から河口近くにすみ、釣の対象魚。産卵期の雄はあざやかな婚姻色と追星(ついぼし)を現し、鰭が大きくなる。この頃のハヤを桜鮠という。モツゴはクチボソ、ヤナギジャコともいい、関東以西の平野部の浅い池や細流にすみ、すずめ焼にされる。↓うぐい

鮠の子の走る瀬清み水(みな)そこにひそむかじかの明かに見ゆ　長塚　節

ふるさとはかなしかりけり高田川水のくされて鮠の子し跳ぶ　吉野　秀雄

岩間つたひながるる水に日のさせばひそめる鮠のおどろきやすし　大岡　博

桜鮠に炭火のいろののぼりくるひとときのまの吾がこころ愛(を)し　岡部　文夫

しがらみをくぐりぬけいでし一疋の鮠にあらずや過去世のわれは　大野　誠夫

水いろに拇指ほどの鮠おればまたも悲しく詠わんわれか　石井　利明

はらこ〔腹子(はらこ)〕

魚の卵のこと。→魚卵　卵　はららご

幼子は鮭のはらこのひと粒をまなこつむりて呑みくだしたり　木俣　修

川鮭の紅き腹子をほぐしつつひそかなりき母の羞恥は　中城ふみ子

炉辺に来て魚の腹子を抜く見れば山国も山の業(わざ)生臭し　富小路禎子

はららご〔鮞(はららご)〕

魚類とくに鮭の産出前の卵塊をいう。また、それを塩漬けにしたもの。筋子。イクラ。→魚卵　卵　腹子

めがね三つのいづれに見ても心ゆく魚のはららごの紅に透く玉　河野　愛子

はりねずみ〔針鼠(はりねずみ)〕

食虫目ハリネズミ科。欧州から中国、朝鮮に分布、日本には野生しない。体長27～34センチ、尾2.5～4センチ。吻はとがり、背には短硬の針のような毛を密生する。夜行性で草の根、果実、昆虫、ミミズ、蛇などを食べ、敵に襲われると体を丸めてクリのいがのようになり身を守る。冬は落葉の下などで冬眠する。

針鼠とく奔りけり人の世の鬼才といふはさびしかりけり　前　登志夫

はるぜみ〔春蟬(はるぜみ)〕

セミ科の昆虫。本州から九州に新緑のころだけ現れる。体長23～32ミリ、小形の黒っぽい体で、好んで松林にすみ、ゲーゲーと合唱する。鳴きながら這いまわるので姿を見つけにくい。松蟬ともよぶ。→蟬　松蟬

春蟬はかぎりしられず鳴けれどもみぢんみださずそ

の静けさを　吉植　庄亮

移り来ていくだもあらず春蟬は岬の松におとろへにけり　中村　憲吉

はるのか〔春の蚊〕

春の宵に思いがけず出て来る蚊は、翅音もかぼそく姿も弱々しい。まだ刺すほどではない。→蚊

過ぎにける人を呼びける母の辺にまだ弱弱と春の蚊はたつ　川合千鶴子

意のままにならぬ焦りか飛びてくる春の蚊を本にはさみて眠る　藤岡　武雄

草色の蚊をつぶしたるてのひらに顔埋めて君も透きゆくばかり　平井　弘

はるのちょう〔春の蝶〕

三〜四月頃あらわれる蝶。紋白蝶や紋黄蝶が多い。→蝶　初蝶　紋白蝶

春潮のあらぶるきけば丘こゆる蝶のつばさもまだつよからず　坪野　哲久

山原は科の木の原さゐさゐと春蝶の声しみ徹るなり　森村　浅香

妻とわれの農場いちめんに萌えたれば蝶は空よりあふれてきたり　時田　則雄

はるのつばめ〔春の燕〕

ツバメは春先に南から渡ってくるが、一度巣をかけた家などを覚えていて毎年戻ってくる。そのためツバメの渡来を、帰ってくるともいう。まず軒先や梁などに泥と唾液で巣を作る。→燕

営巣の泥の得がたく春燕東京の空をかなしみて去る　窪田　空穂

はるのとり〔春の鳥〕

春のきたことを知る鳥としてウグイスが名高い。しかし、鳥たちには春の季節は繁殖期である。雄鳥の翅も彩りが美しくなり、囀りが賑やかになる。→鳥

春の鳥な鳴きそ鳴きそあかあかと外の面の草に日の入る夕　北原　白秋

春鳥のとびたつ雪はくれないのひかりとちりて音さえもなし　加藤　克巳

はるのねこ〔春の猫〕

猫は年二回さかるが、春めいた頃から夜昼問わず、物狂おしく鳴き立てて往き来するのを聞くと、なんとなくなやましい。→猫

春を呼ばう恋猫のこゑ昨日けふ不躾にしてなまめく暖冬　中村　正爾

春さきの曇れる土をゆきあゆみみごもる猫は鳴くこともなし　木俣　修

物陰に潜み目合する猫のかの恋愛もあな寒ざむし　石田比呂志

ばん〔鷭〕　クイナ科の鳥。夏鳥として日本全土に渡って来るが、九州などでは冬もとどまるものがある。大きさはハトぐらい、全身灰褐色で、嘴の基部と前額が赤い。平地の湖沼などにすみ、岸近くの浅水中に営巣し、草の種子、昆虫、貝などを食べる。クルルッと鳴く。鷭より大きい大鷭は全身灰黒色で、嘴の基部と前額は白色。本州中部以北で繁殖し、冬は南へ移る。鳴き声クックッ。

短く鷭啼けばわが立ち止るこの瞬間のこの現実は言ひ難し　吉田　正俊

古墳繞る濠広々と菱茂り争ふは鷭か水打ちて走る　熊沢　正一

はんみょう〔斑猫〕　ハンミョウ科の甲虫。五月ごろから山間の路上に多く飛び、人の歩く先へ先へと軽快に飛ぶので、道おしえとも呼ぶ。体長2センチ、濃紫色地に金赤または金緑の帯があり、前翅に白斑がある。幼虫は地面に穴を掘り近よる昆虫を捕食する。古来有毒といわれたがこれはツチハンミョウで別科のもの。

わらわらと斑猫のたつ雨後の土秋めきてあらき光と思ふ　石川不二子

ひえん〔飛燕〕　敏捷に身をひるがえして飛んでいるツバメ。↓燕

峡の空をおし移りゆく霧の中にこもる飛燕の声のかなしさ　村野　次郎

濃密な時間の闇を切り裂くは飛燕！　華麗なフットワークよ　福島　泰樹

ひがら〔日雀〕　シジュウカラ科の鳥。留鳥として全国の山地の林に分布する。全長11センチ。色彩はシジュウカラに似るが、背は青灰色。特に針葉樹林に多く、木の穴などに営巣し、梢近くの細枝から細枝へ活溌にとび移り、おもに昆虫やクモなどを食べ、ツピン、ツピンと細い声でさえずる。秋冬には平地へ漂行し、シジュウカラ、コガラなどに

混じり群れを作る。

冬のまを涸れたる泉湧きいでて森は日雀の雛孵るころ　後藤　直二

蕊ながき冬の桜をとびまはるひがらのこゑは痴痴とも悧悧とも　後藤　直二

ひき〔蟇・蟾蜍〕　両生類ヒキガエル科。本州、四国、九州の平地や山地の湿地にすむ。蛙の中では一番大きく、肥えていて四肢が太く短い。体色は黄褐色または暗褐色で背に多くの疣に似た隆起がある。春から初夏の繁殖期と産卵に、水へ入る。動作がにぶく、道路で車に轢き殺された姿がよく見られる。おもに夕方あらわれて蚊やみみずなど捕食する。自衛のため毒液を出す。蝦蟇、古名を谷蟆ともいう。→蝦蟇　谷蟇　蟇蛙

ことなくていま暮れかかる二月の夕はぬるし蟇いでにけり　斎藤　茂吉

いまはまだ落葉のうへを歩みゐるねむりに入らむ大き雌蟇　森岡　貞香

わが庭に去年は棲めりし大き蟇ことしは来ずて夏すぎむとす　岡野　弘彦

朝戸出のわれの門口塞ぎをるやさしき蟇は地に蹲る　前　登志夫

啓蟄の穴出でて轢かれたる蟇の大いなる肉や赤かりにけり　田井　安曇

ひきがえる〔蟇蛙・蟾蜍〕　冬は土中で冬眠し、早春あらわれて池溝に長い紐状の卵塊を産み、再び土中に入って春眠し、初夏に再び出て来る。姿はぶざまながら、鳴き声はものさびしさをさそう。→蝦蟇　谷蟇　蟇

蟾蜍幽霊のごと啼けるあり人よほのかに歩みかへさめ　北原　白秋

ひきがへるおんみも肉はたるみたれ老境にして生くる楽しさ　土岐　善麿

電柱のかげに夜を待つひきがへる怺へ怺ふるもののかたちに　清水　房雄

ひぐま〔羆〕　食肉目クマ科。日本では北海道に産する。体長1.9～2.2メートル、尾20センチほど。体毛は長く、褐色または黒褐色。そのためアカグマとも呼ばれる。川近くの森林にすみ、草・木の実・根、鮭、蜂蜜など食べる。冬は穴に入って

冬眠。この間二子を産む。性質が荒く、よく人畜を襲う。毛皮は敷物、胆嚢は薬用にされる。↓熊

行って帰れば又檻の壁たましいの野生責めつつ熊また行き戻れ　佐佐木幸綱

ひぐらし〔蜩(ひぐらし)・茅蜩(ひぐらし)〕セミ科の昆虫。北海道南部から九州に、六月下旬ころより八月下旬ころまで現れ、低山地や丘陵地の林間に多い。体長21〜38ミリでニイニイ蟬の次に小さいが翅は長い。雄の腹部は大きな空洞で共鳴室となる。日の出前と日没時、曇り日は昼に、カナカナ……と銀の箔を振るような声で鳴く。↓かなかな　秋蟬(しゅうせん)　蟬

ひぐらしの一つが啼けば二つ啼き山みな声となりて明けゆく　四賀光子

ひぐらしのひた鳴くこゑも流し場に影たつ鍋もゆふべに棲まふ　森岡貞香

蜩は三度は鳴かずしづまりし山はふたたび小鳥らの声　小市巳世司

永らへてことしまた聴くひぐらしのこゑ澄むかたにいざなはれゆく　上田三四二

終極のごとし狂ひたるひぐらしのこゑ一つ長き夕ばえの後　玉城　徹

亭亭と立つ樹にすがりまぐはへるひぐらし澄みて空中の恋　岩田　正

わたくしはいつか蜩暗緑の小さき眼もてひとひ鳴きゐつ　山中智恵子

暁の闇(やみ)はやさしも蜩は水の輪のごと声重ねゆく　尾崎左永子

生死(しやうじ)のことたやすく言ふな確実に畢はり近づくひぐらしのこゑ　蒔田さくら子

いつまでも旅に馴れない旅行者のやうに晩夏のひぐらしを聞く　香川ヒサ

ひしくい〔鴻(ひしくひ)・菱食(ひしくひ)〕ガンカモ科の鳥。日本に冬鳥として全国の広い湖沼、干潟などに飛来し越冬する。全長75センチ、全身暗褐色で羽の縁は淡色。マガンに似るがやや大きい。夜間農耕地などで水草の茎や葉を食べる。飛ぶときに直線またはV字形の隊列を作り、グワン、グワンと大声で鳴く。天然記念物。↓がん

きさらぎの寒寒とありこの水にひびきつつきゆ菱食

のこゑ　　岡部　文夫

ひしこ〔鯷・鯷魚〕　カタクチイワシ科の魚。地方名ヒシコイワシの略。他にセグロイワシ、シコイワシなどの地方名がある。本州太平洋岸に多く、産卵期は殆ど一年中。全長15センチ。背は暗青色、下顎が上顎よりかなり短い。鮮魚を塩焼などにし、田作り、煮干の材料や、カツオの生餌などにされる。稚魚はしらす干しの原料。↓鰯

水揚げして混れるものを除きゐる鯷まばゆきまでに燿く　　由谷　一郎

ひず〔氷頭〕　鮭の頭部の軟骨。透明でやわらかい歯ごたえで特に新巻の軟骨はナマスなどにして食べる。↓新巻

氷頭食めば歯に砕けつつ溶けやらぬ　忘れず壮年死の男一匹　　斎藤　史

みづからを励まして割く鮭の頭の氷頭凛しきに微光のありき　　春日真木子

雪雲のやうなる氷頭で飲む酒は雪の来る前、雪の降る夜　　佐佐木幸綱

ひたき〔鶲〕　くちばしが細く、虫を食べ、大きさが雀ぐらいの小鳥を指していう。ヒタキ科に属するキビタキやツグミ科に属するノビタキ、ルリビタキ、ジョウビタキなどがあり、特にヒッヒッ、カタカタ……と鳴くジョウビタキが火焼（火打石）の音に似るので、これをさしていうことが多い。↓黄鶲　尉鶲

年ごとに時としなればわが庭に来啼くひたきの声のしたしさ　　若山　牧水

鶲来て薄ら曇りの庭に啼くばさりと厚朴の葉のおつる音　　尾山篤二郎

美しき胸毛を風にふるはせてひたき輝く冬ざれの庭に　　安藤佐貴子

夢醒めて立ち出でつれば庭の木にひたきの腹のふくらみ赤し　　阿木津　英

ひつじ〔羊〕　偶蹄目ウシ科。紀元前六千年ごろから家畜とされ、乾燥した涼しい高原などで飼育された。体には灰白色の巻毛が密生し、多くのものは角をもつ。あごひげはない。消化力は強く、粗食に耐え、反芻する。性質は温順で、常に群棲

する。羊毛をとるほか、肉もマトン（羊肉）と呼ばれ食用にされる。乳は脂肪が多くてチーズのよい原料となる。緬羊は毛用品種のヒツジをいう。↓緬羊

雲しづむ夕牧のはてに点々と羊は黒き星のごとしも　佐佐木信綱

乳房の張りし羊がふえてきて草擦りをればあをき草の香　生方たつゑ

剪毛されし羊らわれの淋しさの深みに一匹づつ降りてくる　中城ふみ子

山ひだの翳りしづけき昼たけて羊のむれは谷にくだりぬ　岡野　弘彦

水流す床につぎつぎ投げおろす屠殺を終へし羊十数頭　今西　久穂

声高く啼かぬ羊のかなしみをわがものとしてこの丘に立つ　来嶋　靖生

ひとで〔海星・人手〕

棘皮動物ヒトデ綱の総称。浅海から深海までの岩礁や泥底などにすむ。普通五本の腕をもち、星形または五角形に放射状に突出する。腹面の中央に口があり、各腕の管足により運動する。雌雄異体。普通卵生で、幼生を経て成熟する。再生力が強い。日本付近にはアカヒトデ、イトマキヒトデ、モミジガイ、ヤツデヒトデなど種類が多い。白・赤・淡紫などの体色がある。ときに大発生し、貝類の養殖に大害を与える。↓赤ひとで　鬼ひとで

海底の海鼠のそばに海胆居りそこに日の照る昼ふかみかも　北原　白秋

砂の上に濡れしひとでが乾きゆく仏陀もいまだ生れざりし世よ　岡部桂一郎

かぎりなく動く触手の軟らかきひとで見しよりのがれられず立つ　浜　梨花枝

ヒトデの屍しらけて乾くかたわらに灼かれおり君にへだたる幾日　馬場あき子

この寒き輪廻転生むらさきの海星に雨のふりそそぎをり　小中　英之

ひな〔雛〕

鳥の子。にわとりの子。↓ひよこ

春のめだか雛の足あと山椒の実それらのものの一つかわが子　中城ふみ子

ひばり〔雲雀〕

ヒバリ科の鳥。北海道から九州に留鳥として生息し、北のものは冬暖地に移る。冬の間は枯むぐらや藪などにいるが、春暖かくなると畑、河原、草原などにすむ。全長17センチ。枯草色の地味な体色で、緊張すると冠毛が立ち上がる。目のまわりのしわ、胸の縦斑などが特徴。地上を歩きながら昆虫、クモ、草の種子や芽などをついばみ、巣も地上の草かげに作る。雄はピーチュルピーチュルリートルリートルとさえずり、縄張宣言をして空高く舞い上がり（揚雲雀）、一直線に下りてくる（落雲雀）。地鳴きはビルルビルルと太い。四～七月頃にうすずみ色に小斑点のある卵を三～五個産み、親鳥は敵を警戒して巣から離れて舞い上がり、また戻り、擬傷も行う。告天子ともいう。

いや高くあがりゆく雲雀眼放さず君の見ればわれはその眼を見るも　川田　順

囮音とまがふはげしきこゑあげて落ち来し雲雀しばらくを鳴く　白石　昂

陽に向ひのぼりゆきたる春ひばり命といふは焼け尽きむもの　高松　秀明

落ちてくるひばりは声を収めたり風に苦しく鳴きいたりしを　田井　安曇

空中の雲雀の小さき胸郭を思ふときわが胸熱くなり　石川不二子

雲雀の血すこしにじみしわがシャツに時経てもなおさみしき凱歌　寺山　修司

ひばりひばりぴらぴら鳴いてかけのぼる青空の段直立つらしも　佐佐木幸綱

ひさかたのひかりの芯を啼き昇るひばり一点かくる無けれ　高野　公彦

告天子ひばりのこゑは大空に粒子となりて飛び散りにけり　武下奈々子

ひめぎふちょう〔姫岐阜蝶〕

鱗翅目アゲハチョウ科。秋田県以南の本州には三～五月に岐阜蝶がカタクリ、スミレなどの花によくくる。春先に現れるので春の女神とも呼ばれる。姫岐阜蝶は本州中北部と北海道に四～六月、サクラの花によくくる。両種とも日本の特産で、チョウの中でも古い起源という。岐阜蝶は開張55ミリ内外、姫岐阜蝶はひとまわり小さい。黄色の地にだんだら縞のように黒条があるので、だんだらちょうともいう。両種とも交尾のあと雄が雌の腹に蓋をつけて行ってしまうので、雌はもう他の雄と交尾できない。晴天の日だけ活動する。↓揚羽蝶

早春の風の味見をするようにヒメギフチョウの飛行は続く　　俵　万智

ひめしじみ〔姫蜆蝶〕　鱗翅目シジミチョウ科の蝶。北海道と本州、九州の山地の草原に年一回、六〜八月に現れる。翅の表面は青色で黒い縁がある。アザミ類を食べる。↓蜆蝶

姫蜆蝶のツートンカラーの触角が人の気配を確め始む　　真鍋　正男

ひめだか〔緋目高〕　メダカ科の淡水魚。観賞・実験用のメダカを改良したもので体色は淡黄赤色。↓目高

あめいろ　の　めだか　かはむ　と　みやこべ　に
いでて　もとめし　おほき　みづがめ　　会津　八一

偽のごとき星空のしたあゆみきて買ふは赤斑の目高四五ひき　　生方たつゑ

緋目高のかがやけるむくろ掌にかこひ嘆美して低し少年の声　　服部　直人

緋目高が玻璃壺にきらきらとしてそれもえらばばえらび得る死か　　塚本　邦雄

ひめます〔姫鱒〕　サケ科の魚。紅鱒の陸封種と考えられている。北海道阿寒湖とチミケップ湖原産。深くて水温の低い湖が適し、現在各地の湖沼に移植され繁殖している。全長35センチ内外。秋の産卵期には雌雄とも緑褐色に朱紅色の婚姻色を示す。塩焼、フライ、燻製などにする。↓紅鱒　陸封魚

雪水の清きにをりし姫鱒のいまだをさなきもの焼かんとす　　鹿児島寿蔵

雪解の冷たき水の底の砂揺りて姫鱒はいふことなし　　木俣　修

ひよ　ヒヨドリの俗称。↓ひよどり

三椏の長き花季終はりたり鵯ゐて今日も喈々のこゑ　　平野　宣紀

鵯は胸をかきむしる鳥　あかるき銃声にますぐに落

つる鳥　　葛原妙子

暗いね、ひよが来てゐるのはえごの木か、―ひよ、ひよ、ひよひよ　　香川　進

朝の庭におしやべり鵯が二羽来り河原の秋を見よと誘ふ　　佐佐木由幾

樹の紅実くらひ尽して鵯の来ぬ地寂けきに薄ら日の差す　　千代　国一

ふるめかしき顔合せの感じ黄楊の木をくぐりこし鵯の此方を向くは　　森岡　貞香

ひよこ〔雛〕

鳥の子、特にニワトリの子。ひな。
→にわとり　ひな

それぞれの袋してひよこ鳴かせ来る祭帰りの子等の買ひもの　　蒔田さくら子

ひよどり〔鵯〕

ヒヨドリ科の鳥。日本全土に分布し、北方のものは冬に南へ渡る。低山の林に多く、秋になると人里に現れて、木の実、昆虫を食べ、餌台の果実を好み、ジュースや砂糖水ものむ。全長27・5センチ。青灰色。尾が長いのでよく目に付く。飛び方は深い波形で、枝に垂直に近い姿勢でとまる。頭上の羽を逆立てることもある。ピィーヨ、ピィーヨとうるさく鳴く。→ひよ

群れゐつつ鵯なけりほろほろとせんだんの実のこぼれけるかも　　古泉　千樫

家前のモチの実すべて食ひゆきしヒヨドリはその後如何にすごすや　　中野　菊夫

少しずつ黒ずみそめし果実載る九谷の絵皿鵯の鳴く　　岡部桂一郎

欲望のしわがれのこゑ花喰ひのひよどりのこゑ花に行きにし　　森岡　貞香

朝明けは小さき舌の動きなど見ゆるばかりにひよどりの鳴く　　安永　蕗子

ピラニア

カラシン科（コイ科に近い）の熱帯魚。南米特産でアマゾン川、サンフランシスコ川、ラプラタ川などに分布する。全長35センチ。尾部の二本の黒い条が特徴。群をなして大形動物を襲い、強く鋭い歯でその肉を食い尽くす種類もあるが、観賞用にも飼育される。

ピラニアが豚を喰ふさまみてゐたりわれらときにはピラニアに似る　　時田　則雄

ひらめ〔平目・比目魚・鮃〕 ヒラメ科の魚。近海の砂泥底に横臥する。全長80センチ。左ヒラメの右カレイといわれ、両眼とも左側にある。体は楕円形で平たく、眼のある側は暗褐色で砂に似た斑紋が散在し、反対側は白色。春に沿岸近くで産卵する。冬季が旬で、刺身、すしなどにする高級魚。

迷い迷いて日暮まで来ぬ片側に二つ並べる平目の目玉　佐佐木幸綱

ひる〔蛭〕 環形動物ヒル綱の総称。池沼や水田、渓流などにすむ。体長3〜10センチ。細長くて、やや扁平で、34個の環節から成る。体の前後両端に吸盤があり、魚や貝、動物や人などに吸着し、血を吸う。

井堰水ながるる中に蛭のゐて伸び縮みするは遊ぶらむかも　川崎杜外

ひわ色の絹をかぎりなくひきいだす奇術師のその蛭のやうな指　真鍋美恵子

アクロバティクの踊り子たちは水の中で白い蛭になる夢ばかり見き　斎藤史

ひわ〔鶸〕 アトリ科の鳥。日本には河原ヒワ、真ヒワ、紅ヒワの三種がおり、一般にヒワというと真ヒワをさす。北海道の森林で繁殖し、多くは冬鳥として本州以南に渡ってくる。全長12・5センチ。雀よりやや小さく、背は黄緑色で暗色の縦斑がある。雄は頭上が黒色。草木の種子を主食とし、チュイン、チュインと鳴く。↓河原ひわ

柱時計の下につりたる籠のなかにま鶸はひと日囀りやまず　結城哀草果

朝ぞらの冬到りぬと高槻に啼き来し鶸　影鋭く去りぬ　前田透

斑雪に鳴く鶸ならむこの貌を緑色の線もてかたどるは　前登志夫

ふか〔鱶〕 サメ目に属する軟骨魚類。一般にサメの大形のものをフカという。↓鮫

我の白髪と子の若しらが身につきて共にふかひれのスープを好む　斎藤史

鳥たちの寄れる埠頭に脳天を割られし若き鱶のころがる　今西久穂

鱶の背に乗って日向に漂着の神様を祀る丘の鱶石

ふぐ〔河豚(ふぐ)〕

ふつうマフグ科の魚をいう。日本産約二十五種、トラフグ、マフグ、ショウサイフグ、ナシフグ、ヒガンフグなどが食用。食用の歴史は古く、各地の貝塚から骨が出土している。いずれも上下顎にそれぞれ二枚ずつの歯板があり、また胃にある袋に水や空気を入れて、体をふくらませることができる。トラフグはフグ料理の材料として最上で、冬季が旬である。卵巣や肝臓には強度の毒があり、中毒をおこして死ぬこともある。刺身、ちり鍋などに料理し、干物にもする。

河豚くうて命死なまし海棠に春うつくしく雨のふる日や　南　史郎

ひたぶるに河豚はふくれて水のうへありのままなる命(いのち)死にゐる　太田　水穂

石垣に子供七人腰掛けて河豚を釣り居り夕焼小焼　斎藤　茂吉

河豚の旬(しゆん)過ぎむとすらむなどと告る魔女(の)のかたへに寄り添ひにけり　北原　白秋

一つづつ花びら毟るごとく食ふ河豚刺灯下に女人なまめく　岡井　隆

仕分けゆく河豚が怒りてビニールのわが手袋にくいつきて鳴く　高嶋　健一

川合　雅世

ふくろう〔梟(ふくろふ)〕

フクロウ科の鳥。北海道から九州の低地、低山の林に留鳥としてすむ。昼間は梢の葉陰などで眠り、夜間おもにネズミ類を捕食し、消化されない骨や毛は吐き出す。全長50センチ。羽は黒褐色に黄白色、白色の斑が散在し、大きな頭とハート形の顔に特徴があり、やや黒色の目は大きく、暗い所で物をよく見分けられる。木菟みたいな耳羽のないものが多い。ホーホー、ゴロスケホーホーと太く鳴く。↓木菟(みみずく)

郊外の霧深みかも今鳴くはほろすけほうほう梟(ふくろふ)のこゑ　古泉　千樫

梟よ尾花の谷の月明に鳴きし昔を皆とりかへせ　与謝野晶子

わが息のみだるるまでに起きをれば夜をこめて啼くふくろふの声　佐藤佐太郎

吾がペンに夫がインクを入れてゐる静かな夜よ梟が鳴く　河野　愛子

ごろすけほう心ほほけてごろすけほうしんじついとしいごろすけほう　岡野　弘彦

煌々と星宿移る森の夜に村棄つるなと梟鳴けり　前　登志夫

夜のひきあけと思うころおい梟がもっとお金が欲しいと鳴けり　石田比呂志

夜の森にかそかに風の吹き来なりふくろふは眼をほそくあけたり　来嶋　靖生

薄暮あわあわ梟の目玉うるむとき幻を見る人を憎まん　佐佐木幸綱

泥よりもつめたくひくく眠らむに啼くふくろふがいつまでも啼く　坂井　修一

ぶた〔豚〕

偶蹄目イノシシ科。野猪を飼いならして家畜化した歴史は古く、日本では明治になって外国種が導入され、養豚が普及した。肥大して長い胴には小さい頭と四肢、尻尾がある。体色は白、茶、黒など。成熟は早く繁殖力が強いので、飼育は容易である。殆どが肉用で、皮はなめして細工物、毛はブラシなど、骨から膠やゼラチンをとる。

ひとかたまり児豚揉みあひ眼はあかず張りつむる母の八乳房の上に　北原　白秋

藁しぶに深くもぐれり豚の子の一匹にしてさびしかるらし　古泉　千樫

豚の餌を集めに妻が曳きゆけば幼子がリヤカーの後ろより押す　平野　宣紀

思ほえず柔和なるもの電車より見ゆる豚小屋に桃いろの豚　田谷　鋭

ひとむきに豚はひしめく西光にひしと小さき眼を射られつつ　河野　愛子

風薫る春の昼過ぎいずかたへ向けて屠られにゆく豚の尻　石田比呂志

豚の交尾終るまで見て帰り来し我に成人通知来ている　浜田　康敬

撫でさすり洗い清めて育てれば気品の高き豚となりたり　王　紅花

ぶっぽうそう〔仏法僧〕

ブッポウソウ科の鳥。日本には夏鳥として本州、四国、九州へ渡ってくる。低地から低山の杉林などにすみ、木の穴を巣とする。カケスよりもやや大きく、嘴と脚は赤色、体は青緑色。飛ぶときギッギッ、急降下のときゲゲゲッと鳴く。寺社の杉の巨木に巣を作ることが多いのでこの名が付けられたという。またブッポウソーと鳴くコノハズクと混同されていた。

仏法僧ここに聞きけむ人々も一人なし六十八年の過去　小市巳世司

仏法僧鳥絶えしも時の移りなれ何を願ひてつどふ我等か　小市巳世司

ぶと〔蚋・蟆子〕　双翅目ブユ科に属する昆虫の総称。ブヨともいい、山野や川原などに、夕刻や高湿時に多数発生する。体長2～7ミリ、蝿に似ているが、雌は人や動物を吸血する。知らないうちにさされて非常に痛がゆい。人により赤く大きく腫れ、痕も治りにくい。幼虫は渓流中にすみ、石や水草などに後端の吸盤で付着している。↓ぶよ

春日野にここだ生れし蟆子のむれ払ひあへなくむらがり来るも　植松　寿樹

裏山はひぐらしのこゑあはれなる池のほとりにて蟆子に螫されぬ　中島　栄一

蟆子多く流るる沢をわたり来てしづかになりぬ今のこころは　宮　柊二

限りなくまつはる蟆子か妻の眼を払ひやりなどして草の上　千代　国一

ふな〔鮒〕　コイ科の魚。山間の渓流部を除く河川や湖沼にすむ。体長20～40センチ。コイに似るが口ひげがないので区別できる。背は緑褐～灰褐色、腹は淡色。冬は水底に静止し、春産卵期を前にして餌あさりに盛んに浅い所へと移動を開始する（乗込み）。最も大きくなる琵琶湖産の源五郎ブナは膾、鮒鮓とし、関東では銀ブナ（真鮒）が釣の対象として喜ばれ、そのほか関東以北の本州に多い金ブナ（金太郎）、琵琶湖特産で鮒鮓に用いる煮頃ブナ、諏訪湖に多い長ブナ（赤鮒）などがあり、食用となる。↓寒鮒　へら鮒

一疋がさきだちぬれば一列につづきて遊ぶ鮒の子の群　若山　牧水

雨水のあふるる堰の落口に掛けし梁には鮒跳ねて居り　結城哀草果

生鮒の持ちこまれたる庭先の空気はうごく昼暗くして　鹿児島寿蔵

手賀沼の岸の葦むら揺れわたり産卵の鮒水たたく音

山本　寒太

春の水みなぎり落つる多摩川に鮒は春ごを産まむとするか　馬場あき子

ふなむし〔舟虫(ふなむし)〕　フナムシ科。北海道南部から九州の潮上げ帯の岩礁などに群生する。体長3～4.5センチ、体は楕円形、触角と尾肢が長い。体色は青黒から茶褐色。胸脚はよく発達し、岩や舟板などの上を群れをなして走る。水中生活はできず、波に打ちあげられた藻類や腐肉などを食べる。

時雨する音かとも思ふ舟虫ら群類離合やみまなき岩　生方たつゑ

舟虫の無数の足が一斉にうごきて舟虫のからだを運ぶ　奥村　晃作

砂浜につづくと信じ来しものを船虫あまた這へる火葬場　安田　純生

舟虫の鋼(はがね)の胴があゆみをりそのしづこころほろぼしがたし　坂井　修一

ふゆのちょう〔冬(ふゆ)の蝶(てふ)〕　冬、蝶の姿は殆ど見られない。わずかに日向などで弱々しくとぶ蝶や、また死んでいるかと見えて近づくと弱々しく飛ぶ蝶（凍蝶(いてちょう)）がいる。→蝶

草原の枯生につづく古畳蝶もかまきりもわが側に死す　斎藤　史

草ごもり何にときめく命とや翅たたみをり微酔の蝶は　内田　紀満

ふゆのとり〔冬(ふゆ)の鳥(とり)〕　冬の季節に山野、河川、湖沼などで生活している鳥。→鳥

冬の山あたたかくして啼きうつる小鳥の群に糧はあるらし　鹿児島寿蔵

冬鳥が若干の声おとすのみ産褥にある母なる山野　岡井　隆

ふゆのはえ〔冬(ふゆ)の蠅(はへ)〕　冬まで生き残っている蠅をいう。暖かい日溜りでじっとしていることが多い。→蠅

おとろへし蠅の一つが力なく障子に這ひて日はしづかなり　伊藤左千夫

なまぐさき塩釜港の裏小路釣道具店に冬の蠅飛ぶ　結城哀草果

ふゆのはち〔冬の蜂〕

雄蜂は冬には死ぬ。雌蜂は動作が鈍くなり、よろよろして越冬し、卵を産む。ただし蜜蜂の雄は越冬する。↓蜂

机よりはじき飛ばしし冬の蜂のろのろと又這ひて寄り来る　川田　順

いかにも死んだという感じにて冬蜂の仰向けの死三日見てゐる　青井　史

ぶよ〔蚋・蟆子〕

ブユの俗称。↓ぶと

稗草の穂向にちらふ蟆子のかげ驚きて思ふうらさびにけり　北原　白秋

執拗に蟆子まつはればわが背の幼児も小さき蟆子とたたかふ　大山　敏夫

フラミンゴ

フラミンゴ科の鳥。動物園などにはアメリカ大陸の熱帯・亜熱帯に分布する紅色のベニイロフラミンゴ、小形で薄桃色のコガタフラミンゴなどがよく飼われる。ツルに似て頸と脚が細長い鳥で、趾間にみずかきがあり、頭頸部や尾羽は紅色を帯びる。水辺に群生し、泥で円錐形の巣を作る。ベニヅルともいう。

紅鶴ながむるわれや晩年にちかづくならずすでに晩年　塚本　邦雄

いつせいに回り右せるフラミンゴ風の起点となりて輝く　長野　煒子

フラミンゴ一本の脚で佇ちてをり一本の脚は腹に埋めて　奥村　晃作

ぶり〔鰤〕

アジ科の魚。おもに沿岸の定置網、釣、巻網などで漁獲される。全長1.1メートル。体は紡錘形に近く、背は暗青色で腹は銀白色、体側に黄色の縦走帯が一本ある。春に産卵。全長10センチ位迄の幼魚（モジャコ）は流れ藻について成長する。近年モジャコを採集して養殖し、一年位のものをハマチと呼んでいる。十二月から二月ごろまでが漁期だが、寒ブリは特に美味で、刺身や塩焼、照焼などで賞味される。ブリは地方名が多く、また大きさにより名が異なり、東京でワカシ、イナダ、ワラサ、ブリ、大阪でツバス、ハマチ、メジロ、ブリと呼ぶ。↓寒鰤

鰤の揚がらぬこの幾年か網元の門徒らも寺を顧ずとふ　岡部　文夫

一ぴきの鰤を背負ひて港より舗道に出でぬ雪乱れふる　大野　誠夫

太き鰤熊野灘より送られぬかかへて赤子より重たし鰤は　宮　英子

鰤来たる能登の七尾の朝の競りわれのみ他者の貌にしぐるる　馬場あき子

群なして海の芯流にもまれつつ体に黄のすぢ鰤は帯ぶとふ　高野　公彦

ブルドッグ

イヌの一品種。古く英国で雄牛と闘争させたことからこの名がある。肩の高さ38〜41センチ。頭部が大きく、顎は角ばり、顔面に大きな皺がある。毛色は赤、白、黄褐色、虎毛、ぶち。愛犬、愛がん用。↓犬

草間来て荒く息づく面がまへブルドッグ勢り手綱張り引く　北原　白秋

ぶんちょう〔文鳥〕

カエデブンチョウ科の鳥。ジャワ原産で草原に群生する。体形はスズメに似るが、くちばしは淡紅色で大きく頑丈。背は灰青色、頭と頸および尾羽は黒色、腹は淡褐色。頬に大きな白色の紋がある。日本では飼い鳥として古くから飼育されており、野生種と同じ並文鳥、日本で作られた白文鳥、桜文鳥などがある。また籠から逃げたものが本州中部以西の太平洋岸に分布し、草原に群生して木の枝に枯草などで球形の巣を作り繁殖している。ジェージェーと鳴く。

わが家の冬の日向に箱うつし愛しきかもよぶんてうの鳥　岡本かの子

わが部屋に雛より飼ひし文鳥の春のいぶきにつがひ初めつも　岡野直七郎

人の手の文鳥を受けむと差し並めてわが手の老いを思ふもあはれ　初井しづ枝

嘴赤き手のり文鳥てのひらにぬくむはかなし海青き日に　太田　青丘

むかし逃げし文鳥があけがたの夢に来て父の行方を囁きてゐき　小沢　一恵

文鳥の爪つんつんと跳ねてくる　ダイヤモンドがこぼれるような　加藤　治郎

べにすずめ〔紅雀〕

ハタオリドリ科の鳥。南アジア原産で飼い鳥とされている。全長9センチ。雄は赤褐色、雌は褐色、嘴

は赤い。近年逃げたものが各地の芦原に野生化している。草の種子などを食べ、チーチーと鋭い声で鳴く。

紅雀皆死なせたり生けるもの飼はまくは悲し皆死なせたり　川田　順

べにます〔紅鱒〕　サケ科の魚。千島の択捉島（まれに北海道中部）が河をさかのぼる南限。紅鮭ともいい、鮭に似るがやや小さく、秋に赤色となる。肉は鮮紅色で燻製やかん詰などにされる。この陸封型が姫鱒である。↓鮭　姫鱒　鱒

紅鱒の腹剖きて投げし臓腑をば池の鱒らが競り合ひて食ふ　奥村　晃作

へび〔蛇〕　有鱗目ヘビ亜目に属する爬虫類の総称。化石は白亜紀のパレオーフィスが知られ、現在は南極を除く各大陸に二千七百種が分布し、熱帯、亜熱帯に多い。肉食性。四分の一が卵胎生で他は卵生。亜熱帯のものは冬眠する。九分の一が毒ヘビである。四肢を欠く細長い体はうろこの起伏で前進し、脊椎骨が二百～四百個あるため自由に体を曲げられる。表皮が古くなると脱皮する。舌の先端が二叉し嗅覚を敏感につかさどる。日本では有毒のマムシ、ハブなど、無毒のアオダイショウ、シマヘビ、シロマダラ、タカチホヘビ、ジムグリ、ヒバカリなどの三十二種がすむ。↓青大将　くちなわ　まむし　やまかがし

遠く行く妻を送りしかへりみち枯草なかの蛇に石打つ　川田　順

さても吾が瞳さへ魂さへたよたよとうばひて蛇はダリヤ畑をゆく　今井　邦子

しとしとと梅雨の雨降るころなれば脱皮する蛇もかなしかるらむ　前川佐美雄

戸袋に死にゐし蛇のなきがらが白くひつそりとありたる記憶　宮　柊二

すでに五月　あらき光のたばしりて生れたる蛇を打たんとぞする　岡部桂一郎

稚き蛇水の面をすべり逃げてゆく逃げゆくものはなべてかはゆし　加藤　克巳

〈己〉とふ象形文字のほぐれつつ蛇となりたりわれはいづくへ　春日真木子

をさなくていまだ黝き雨蛙呑みて幼き蛇は育たむ　石川不二子

おとうとが蛇の卵を包むためシャツ脱げり炎天の開

拓農地　春日井　建

舗装路に身をもむ蛇を街の子ら逃がさず殺さず夕べを遊ぶ　玉井　清弘

街上に轢かれし蛇の子いくたびも梵字描きて鎮まりゆけり　落合けい子

へらぶな〔箆鮒〕　コイ科の魚。フナの中で最も大形になる源五郎ブナを人工的に飼育したもの。放流用や釣堀用、溜池養殖用に種苗として用いられる。↓鮒

ヘラ鮒の子を持つ胸はうすらかに脂しみ来る生きのあはれさ　馬場あき子

ペリカン　ペリカン科の鳥の総称。大形の水鳥で、脚は短く、趾にみずかきがある。下くちばしには伸び縮みする袋があり、これで魚をすくいあげて食べる。動物園には南欧、アフリカ、南アジアに分布する全身桃色のモモイロペリカンがよく飼われている。また褐色のカッショクペリカンもあり、伽藍鳥（ハイイロペリカン）は翼の一部が黒色のほかは全身銀白色である。

ペリカンの嘴うすら赤くしてねむりけりかたはらの水光りかも　斎藤　茂吉

春あさく動物園のペリカンは赤つぶら眼をひらきたるかも　前田　夕暮

嘴垂れしペリカン鳥はわれを見る危機衝迫にをののくわれを　服部　直人

ペリカンにセーラーの少女ものいへばいっきに夏がやって来る　加藤　克巳

ペルシュロンしゅ〔ペルシュロン種〕　馬の一品種。農耕用重輓馬として、一九世紀にフランスのペルシュ地方で作出され、日本へは明治に米国から輸入し、北海道で改良用の種馬として多く用いられた。重輓馬の大形種と軽輓馬の小形種とがある。↓馬

太き脚・太き首・太々垂るる尾のペルシュロンこそ馬にして馬　大塚　陽子

ペンギン　ペンギン科の鳥の総称。南極、ニュージーランド、豪洲、南アフリカ、南米南部などに分布。六属十七種あり、大きさはコビトペンギンの40センチからコウテイペンギンの1.2メートルまで。紡錘形の体で、短い脚は体の後方にあり、殆ど

直立できる。鰭状に変化した翼を使って海中で巧みに泳ぎ魚を捕える。飛行力はなく、陸上での歩行も遅い。趾にはみずかきがある。集団で繁殖し、一～三個の卵を産み、抱卵は雌雄交代で行なう。コウテイペンギン、オウサマペンギンなどは立ったまま一卵を足にのせ、下腹の抱卵嚢を上からかぶせて抱卵する。

日本脱出したし　皇帝ペンギンも皇帝ペンギン飼育係りも　塚本　邦雄

後ろ手に餌の順を待つペンギンの冠毛(とさか)吹かれて寒き夕ぐれ　石本　隆一

ペンギンの産卵のため敷く葭を風ふく春の浜にきて刈る　中西　輝磨

ペンギンの輝く胸の手ざはりを飼育係のわれは知りをり　中西　輝磨

恥知らずそれはペンギン羽撃(はばた)けど翼とならぬ歌の数々　佐佐木幸綱

ほうしぜみ〔法師蟬(ほふしぜみ)〕

つくつく法師の別名。八月から九月ころにオーシツクツク、オーシツクツクと鳴くので、この声を聞くと暑かった夏のできごとをしみじみと味わう。↓秋蟬

蟬　つくつく法師

立秋と思ふくつろぎやつくつくと鳴く法師蟬ききて居にけり　初井しづ枝

法師蟬ひとつなき澄めり浜木綿の花咲く島の潮風のなか　木俣　修

法師蟬はじめて鳴きしわが窓のそれより二日三日の夕風　田中　順二

法師蟬多くは鳴かず折ふしのこゑありありと秋風のなか　加藤知多雄

ぼうふら〔孑孑(ぼうふら)〕

蚊の幼虫をいう。溜り水、汚水、清水にすみ、それぞれ種類が異なる。腹の端に呼吸器があり、それを水面に出して呼吸する。四回脱皮し、蛹（オニボウフラ）は胸部が大きく、胸背に呼吸器があり、自由に泳ぐ。棒を振るような格好で浮いたり沈んだりするので、棒振(ぼうふり)ともいう。↓蚊　藪蚊

ぼうふらの脱皮何回にして云々(うんぬん)と生徒は精(くは)し好むとには　植松　寿樹

浮きてまた沈む一生孑孑忌ナモアミダブツナモアミダブツ　石田比呂志

ほおじろ〔頰白〕

ホオジロ科の鳥。全国に留鳥として分布するが南部に多く、平地や山地の低木がまばらにはえる草原や、明るい林にすむ。全長16・5センチ、雄の背は赤褐色に黒褐色の縦斑があり、白色の眉斑がはっきりする。雌は全体に淡い。夏はつがいで、冬は小群で行動する。雑草の種子や小昆虫を食べる。地上または低い枝に巣を作り、雄は繁殖期に一筆啓上仕候、源平つつじ白つつじと聞こえる声でさえずるといわれるが、チッチッチチルチチルチチチ、チチッ、チチチッと鳴く。

高槻のこずゑにありて頰白のさへづる春となりにけるかな　島木　赤彦

頰白の夏さへづりのしばしばにいさぎよき言われにきかせよ　尾山篤二郎

植込みの下びをよぎる鳥の影光に出でて頰白と知る　奥平　初子

忘れてしまつたひもじさの声澄み透りほほじろが冬を運んでをりぬ　馬場あき子

葉を閉ぢてなかなか覚めぬ草合歓に首かしげゐる頰白一羽　内田　紀満

ほたてがい〔帆立貝〕

イタヤガイ科の二枚貝。石川県能登半島以北、千葉県銚子以北からオホーツク海の水深10～30メートルの砂礫底にすむ。貝の高さ長さは共に20センチ、幅5センチ。右殻は黄白色、左殻は紫褐色に小鱗状彫刻がある。幼貝は足糸で他物に付着しているが、成熟すると殻を開閉して水を噴射しながら移動する。殻を帆のように立てて走るというのは俗説。網走湖などで採苗し、陸奥湾などが産地として知られ、養殖も盛んである。夏に桁網などで採取し、特に貝柱を賞味する。

青森の野辺地の海の帆立貝海を走るときききて見にきし　馬場あき子

ほたる〔蛍〕

ホタル科の甲虫。初夏の闇夜に水辺などで青白い光を明滅する源氏蛍、平家蛍などをさしていう。甲虫類としては体が軟弱で、細長く、背は扁平。幼虫は水生で肉食。幼虫、成虫とも腹部に発光器があり、冷光を放つ。光は雌雄のディスプレイの信号で初夏の夜空に神秘的な線を描く。古来蛍狩、蛍籠により蛍火をいとおしんだ↓源氏蛍

花あやめしらしら見ゆる田の上をひとつ蛍のとびわたるかも　伊藤左千夫

其子(その)等に捕へられむと母が魂(たま)蛍と成りて夜を来たるらし　窪田空穂

硝子戸のそとにぬれたる夜(よ)の葉草(はぐさ)ほたるほのかにきてとまりけり　前田夕暮

指のあひより光は透(す)けりゆるやかなる握りこぶしに蛍を攫めば　杉浦翠子

路地の闇のたたへおもたくほそぼそし蛍ひとつをとばしめにけり　坪野哲久

三呼吸ばかり光りて流らふる蛍は遠くとぶこともなし　佐藤佐太郎

土用蛍ひとつ流れて眼に追はしむ空にさびしき風あるらしも　斎藤　史

この夜や何におどろくくらがりに人のさげたる籠の蛍火　岡部桂一郎

われに迫る何の兆(きざし)ぞ尾をひきて宵の蛍のしばしば青し　安永蕗子

わが思ふ紫式部蛍火の暗き心にもの書けといふ　馬場あき子

てのひらのくぼみにかこふ草蛍移さむとしてひかりをこぼす　高嶋　健一

沢の奥くらき真闇にひびかふは水の音のみ蛍とびかふ　大塚布見子

蛍とぶこの曳光(えいこう)を抒情せんまこと未練の武士(もののふ)ぞわれ　石田比呂志

ほたる火をひとみ絞りて見つけ出しその息の緒に息あわせけり　石本　隆一

ふと消えし蛍の行方　囲りみなつやある闇ぞと瞠きており　佐佐木幸綱

たましひはみどりなるべし蛍火の水に映りて水に入りゆく　辺見じゅん

山揺(ゆ)ると思ほゆるまでみだれとぶ万の蛍の音なき一世(ひとよ)　伊藤　一彦

葉のうらの淡き光量ほつとりと雫(しづく)のかたちに蛍ゐるなり　河野　裕子

ほたるいか〔蛍烏賊(ほたるいか)〕

軟体動物ホタルイカモドキ科。オホーツク海、北海道、本州の近畿北陸以北の深海に生息する。形はスルメイカに似て、体長5センチ位。全身に無数の発光器をもつ。五月ころの産卵期には海岸近くに来遊する。特に富山湾では夜海面に大群が発光器を光らせて遊泳し、同海域は特別天然記念物に指定されている。刺身や惣菜用。

たも網をはッと揚ぐれば蛍烏賊の燐光青し真闇の宙に　宮　英子

マンションをめぐる小闇に蛍烏賊の湧きたちていて今日も眠れぬ　佐伯　裕子

水に生れ水に死にゆくうろくずの魂のごと蛍烏賊とぶ　落合けい子

ほっけ〔𩸽(ほっけ)〕　アイナメ科の魚。北海道、東北地方に多く分布する。幼魚をアオボッケ、若魚をロウソクボッケといい、表層にすみ、体色は青みを帯びるが、成長につれて底にすみ、褐色を帯びてくる。全長40センチ。鮮魚、塩ホッケ、ちくわの材料。

北の市場売れ残りたる一皿のほっけは裸電球の下　沖　ななも

ほととぎす〔杜鵑(ほととぎす)・時鳥(ほととぎす)・不如帰(ほととぎす)〕　ホトトギス科の鳥。日本には夏鳥として渡来し、低地から山地の林に単独ですむ。全長27・5センチ、尾羽が長く13センチほどある。背は黒灰色、白い腹には暗褐色の横斑が並ぶ。渡りのときに市街地にも姿を現し、繁殖期に雄はテッペンカケタカなどと聞こえる声で昼夜くり返し鳴く。チョウやガの幼虫を食べ、自分では巣を作らず、ウグイスの巣に托卵する。古より詩歌に詠われている。

↓杜鵑(とけん)

穂にいづるくま笹原に日はてりてほととぎす一つすぐそこにきこゆ　土屋　文明

ほととぎす鳴きて過ぐれば慌しき旅も終りと思ふたまゆら　吉田　正俊

静止せるもののかたちに凄まじき浮世の外に鳴くほととぎす　岡部桂一郎

ほととぎす残夢無残と声鳴けど聴かぬ貌して野の石ぼとけ　安永　蕗子

褻(け)の日々をそのまま晴となしゆけば青嶺(あをね)を出でて鳴くほととぎす　前　登志夫

ほととぎす啼くと仰げば山深き樹立に万のみどり葉ゆらぐ　来嶋　靖生

時鳥とほくひところゑ聞きし夜の暗き頭脳の一点の火事　対島　恵子

蹠（あなうら）がわれを離れて漂ふと思ふまでたゆし夜のほとぎす　石川不二子

ほや〔海鞘（ほや）〕

ホヤ目の総称。東北、北海道に分布するアカボヤ、マボヤ、スボヤなどは、幼生はオタマジャクシ形で尾部に脊索をもち、海中を自由に泳ぐ。成熟すると球形や卵形になって海岸の石、海藻、養殖筏などに固着する。入水孔と出水孔があり、その間は消化腔で連絡され、水と共に微生物を食べる。酢の物、吸物にする。

訪ね来しみちのくの街灯の暗くおそき夕餉に海鞘を食べたり　森村　浅香

ぼら〔鯔（ぼら）・鰡（ぼら）〕

ボラ科の魚。稚魚は汽水域や淡水域に入って成長し、秋海に下る。成長につれて名が変り、ごく小さいときはオボコ、淡水に入るころはイナ、海に下り成長したものはボラ、極めて大きいものはトドなどという。全長80センチ。胃の形はそろばん玉状で、俗にボラのへそという。水面上にはね上がることが多い。釣の対象魚で、冬が美味。卵巣を塩漬にして、からすみを作る。

渚辺を歩みてくればまのあたり鯔の跳ねゐる昼海和ぎて　黒田　淑子

わが町の川に鯔の子上り来てひしめけり春そこまで来たる　藤井　治

川と川交わるところボラの群れ遊び争い海へゆく午後　天辰　芳徳

ホルスタインしゅ〔ホルスタイン種（しゅ）〕

乳牛の一品種。オランダおよびドイツのホルシュタイン地方などで古くから飼育、改良され、日本の乳牛の大半を占める。雌の体重650キロ、毛色は黒と白の斑。乳量が多くて、乳に含まれる脂肪は3.5％と少なく、飲用、チーズ原料に適している。↓牛

乳垂りてくるホルスタインよかかはりもなき倖ゆゑに明るし　生方たつゑ

黒白の乳牛千頭動くともなく移りつつ一天の晴　太田　青丘

斑牛体（まだらうしたい）ほのぼのと揺らしつつ陽あたる窪地に集ひゆく見ゆ　河野　裕子

ほろほろちょう〔ほろほろ鳥〕　ホロホロチョウ科の鳥。クジャクに近く、大きさはニワトリより大きい。頭は裸出し、頭上に赤色の角質の突起がある。頸は紫灰色、体は灰黒色で多数の小白紋がある。尾羽は短い。サハラ以南のアフリカに分布し、草原に群生する。動物園で飼われる。

背に負ひて霰小紋の両つばさほろほろ鳥は声ふくむ鶏　北原　白秋

まいまいつぶろ〔蝸牛螺・舞舞螺〕　かたつむり、でんでんむしの別名。つぶろは巻貝のこと。「舞い舞え、つぶろ」と子供がはやしてこの虫をもてあそんだ、なまりといわれる。まいまいともいう。↓蝸牛　かたつむり　ででむし

降り出でて熊野は深きつゆの雨まひまひつぶろ舞はでひそめり　馬場あき子

霊雨とは良き雨の意味つばきの葉にしみじみ濡るる春のまひまひ　伊藤　一彦

夏終る今日いちにちを子にかまけ葉の上に遊ばすまいまいつぶろ　飯田　高子

まがも〔真鴨〕　ガンカモ科の水鳥。多くはシベリアから冬鳥として渡って来る。全長59センチ。雄は頭頸部が光沢のある緑色で、胸から背が暗褐色、白色の首輪があり、黄色い嘴をもつ。雌は黄褐色に黒褐色の斑がある。湖沼、海上に群生し、夜間、水田などで草の種子や穀類を食べる。アヒルの原種。↓鴨

遠つあふみ浜名の湖冬ちかし真鴨翔れり北の昏きに　北原　白秋

山蔭に水を分ちてカルガモとマガモの群の浮かびたむろす　大悟法　進

まくなぎ〔蠛〕　夏の野道などで、目の前を飛び交い、つきまとう虫。水辺などにも群れて飛ぶ。ユスリカなどの体長5ミリ以下のもので吸血しない。特に夕刻に多く現れる。目纏いともいう。

父母なしの独り歩みのまへうしろ何にもつれて飛ぶ蠛ぞ　安永　蕗子

葦の間にをりふししづむ蠛は秋の没日に透きてみだ

るる　　　　　　　　　　　　　　　　川島喜代詩

まぐろ〔鮪（まぐろ）〕　サバ科の魚。クロマグロ、メバチ、キハダ、インドマグロ、ビンナガなどをマグロというが、普通はクロマグロをさすことが多い。クロマグロはホンマグロともいわれ、体長3メートル、体重400キロにも達する。紡錘形の体は肥満し、背は青黒色、第一背鰭は灰色で第二背鰭は灰黄色。関東では30～60センチの幼魚をメジという。日本近海や世界中の温帯と熱帯に広く分布する。大謀網、釣、延縄、巻網などで漁獲され、冬季が旬。暗赤色の肉は刺身、すしにして美味。↓きはだ　しび

餌まけば深きより出でて尾鰭うち鮪は群れてうちどよむとふ　　　　　　　　　　若山　牧水

良きまぐろ背板に乗せて板舟の上に並べてうれしかりけり　　　　　　　　　　中島治太郎

倅たしかに　おれより逞しい　まぐろを割るハンマアを　高々と打上げる　　　　　　小倉　三郎

冷凍の鮪を截りゐる作業場のするどき電気鋸の音　　　　　　　　　　由谷　一郎

うけ口を半ば開きて無表情に遊泳す大航海者クロマグロの群　　　　　　　　　　滝沢　博夫

ましこ〔猿子（ましこ）〕　アトリ科の鳥の総称。北海道と青森県の草原で繁殖し、冬に南下して高原や低地の林にすむ紅（べに）猿子が一般的に見られる。大きさ・形とも雀に似て、尾が長い。雄の夏羽は紅色で美しく、冬羽は背の赤味が薄い。ピッポ、ピッポとやさしくさえずる。

駒鳥は大きくまし子は小さく飛ぶ数もて来る尾長やかまし　　　　　　　　　　土屋　文明

紅梅は散りて二、三を残すのみ花の精めく紅猿子（ましこ）来てゐる　　　　　　　　　　石川不二子

ましら〔猿（ましら）〕　サルの古名。ニホンザルのこと。猿（まし）。猿子（ましこ）。↓猿

みなかみに筏を組めよましらども藤蔓をもて故郷をくくれ　　　　　　　　　　前　登志夫

ます〔鱒（ます）〕　サケ科の魚。サクラマス（ホンマスともいう）のこと。太平洋側の神奈川以北、日本海および熊本県などにも分布する。全長60センチ、鮭によく似る。孵化後一～二年半で海に下り、約一年を海で過ごして晩春から初夏に、産卵のため川

をさかのぼる。富山県の鱒鮨は美味である。なお第二次大戦前に安価な惣菜の塩マスとして食べたカラフトマスを、東京などでマスと俗称した。他にもマスの名のつくサケ科の魚を単にマスと呼ぶ。↓虹鱒　紅鱒　姫鱒

鱒の腹裂くかたはらに桶ひとつ湖よりあげし鱒の子を飼ふ　松村　英一

春の雪とけて流れ入る造り池およげる鱒の渦もり上る　五味　保義

堰堤に魚道あり早瀬光りつつ鱒の遡らむ夏は来にけり　吉野　秀雄

五十万尾の鱒あそぶ池見をり秋晩き今日を紅葉散る下に　前川佐美雄

はらごもつ鱒とこそ聞け常ならぬその紅をわれはかなしむ　佐藤佐太郎

つるしおく塩鱒ありて暑きひる黄のしづくまれに滴るあはれ　佐藤佐太郎

俺を歪めた女よさても琵琶鱒の朱点に箸をずぶりとさしぬ　坂井　修一

まだい〔真鯛〕

タイ科の魚。腐っても鯛といわれるが、鯛の肉はしまって美味い。養殖では餌も異なり、運動も不足し、刺身にして天然のようにはぷりぷりしない。↓桜鯛　鯛

割かれつつなほ力あるくれなゐの真鯛の肉は壟断したり　岡井　隆

まだら〔真鱈〕

鱈の別名。なお地方名をホンダラ、アカハダなどいう。↓寒鱈　鱈

顎より縄を通してさげしかばその尾は長し能登の真鱈の　岡部　文夫

わが能登の大き真鱈のあたらしき粕汁すする冬を思ふに　岡部　文夫

まつくいむし〔松食虫〕

マツ類の樹皮下や材部を食い荒らし枯死させる害虫の総称。太平洋戦争後、主として西日本に大発生した。大部分は甲虫類で、マツ類が大気汚染やマツケムシなどにより勢いが弱ると、これらの害虫が急激に加害し枯死させる。

先祖代々の家系をほこる塋域の松は松食虫に終れり　斎藤　史

まっこうくじら〔抹香鯨〕　歯クジラの一種。体長20メートル内外。頭部は大きく、体長の三分の一を占める。体色は灰色。肺呼吸をするため一時間も水中に潜る。一雄多雌。二、三百頭の大群を作ることもある。頭部に脳油と呼ばれる特殊な油があり、良質の機械油にされる（抹香鯨油）。また腸内に竜涎香という一種の香料を分泌する。↓鯨

さらば象さらば抹香鯨たち酔いて歌えど日は高きかも　　佐佐木幸綱

まつぜみ〔松蟬〕　セミ科の昆虫。四〜五月の新緑のころに現れる春蟬をいう。気だるい声で鳴く。松林が好きなのでこの名がある。↓春蟬

古近江こもる霞のいづこにか今日松蟬のこゑ沈みゐる　　加藤知多雄

まつばがに〔松葉蟹〕　甲殻類クモガニ科のズワイガニのことをいう。日本海の深い所で漁獲され、富山、石川、福井、鳥取などが主産地。越前蟹ともいい、とくに島根・鳥取地方で松葉蟹と呼ぶ。甲は丸みのある三角形で、あまり堅くない。雄は甲長12センチ、甲幅13センチほど。雌は小形で雄の半分以下。体色は薄い赤銅色。十一月に解禁され冬季が旬。茹でて酢じょう油で食べたり、鍋物にして賞味する。↓蟹

松葉蟹ひさぐべくなりて鳥取の街にしぐれは今日も降りけり　　前川佐美雄

まつむし〔松虫〕　コオロギ科の昆虫。関東地方以西の暖地に分布。年一回八月下旬から十月上旬に現れ、草むらの根ぎわにすみ、チンチロリンと鳴く。体長24ミリ内外。体は淡褐色、後肢が長い。↓ちんちろりん

草に棄てし西瓜の種が隠りなく松虫きこゆ海の鳴る夜に　　長塚　節

ともしび　に　には　の　まつむし　のぼり　きて
ほとほと　なく　か　さよ　ふくる　まで　　会津　八一

まなづる〔真鶴〕　ツル科の鳥。現在は鹿児島県出水市に鍋鶴とともに数百羽が渡来するのみで、特別天然記念物に指定されている。

全長125センチで鍋鶴より大きく、灰色と黒のコントラストの鮮やかな体で、顔は赤く縁どられている。給餌場の大麦よりも水田などの湿った所でドジョウ、タニシ、草の根などを好んで食べる。渡りや移動のときには大きな群れを作って飛ぶ。ときどき優美なディスプレー（鶴の舞い）を行なう。クルルルと大きな声で鳴く。↓鶴

うちわたす干潟のくまの岩のうへに真鶴たてり波あがる岩に　若山　牧水

まむし〔蝮〕

爬虫類クサリヘビ科。湿度の高い竹林、水田のあぜ、渓流近くに多くすむ毒ヘビ。体長70センチ以下、体は太く、頭は大きく三角形。背面は灰褐色に暗褐色の輪状紋が並ぶ。毒は出血毒で、毒性は強いが量は少なく、致命的ではない。夜行性で、カエル、小形ネズミを捕食する。卵胎生で夏から秋に五〜十二匹産む。まむし酒や黒焼などにして民間薬に利用する。↓蛇

近付けば前方後円分けがたく墳のおどろに蝮棲み成す　蒔田さくら子

下草を刈る鎌の先のろのろと逃げゆくあわれ蝮身籠る　米山　敏雄

目の合えば逃げるともせぬ性猛き蝮としばし対き合いてたつ　米山　敏雄

まゆ〔繭〕

とくにカイコの繭をいう。一個の繭は約2千メートルの絹糸からできるという。蛹を保護し、ひょうたんのような形をして純白で美しい。↓秋蚕　蚕　蚕　夏蚕　山蚕

繭煮つつゐまふいもうとまへがみのうづゆるやかにわれを殺めよ　塚本　邦雄

テーブルに繭ひとつ置き室内は祭のごとく諸声に満つ　前　登志夫

真綿なす繭のうちらのあかるさや熟れし蛹は身じろぎにけり　生田　友也

まんぼう〔翻車魚〕

マンボウ科の魚。熱帯・温帯に分布し、海面上に背鰭を出してゆうゆうと泳ぐ。全長3〜4メートル。体は卵円形で縦扁し、尾鰭がない。皮膚はなめし皮状。背は暗灰色、腹は銀白色。卵の数は非常に多く、一度に二億〜三億産むといわれる。肉は白く、食用にされるが水っぽい。

翻車魚などたたきに並びゐる市場寂しき鬐(せり)のさまを見て立つ　由谷　一郎

まんばうのうるむ眼(まなこ)のわが母に似るとおもへや耐へがたきかも　岡野　弘彦

水のごとく淡くはかなきまんばうの身を啖ひゐてやがてかなしき　岡野　弘彦

月の下びに立てば思へりマンボウの生み落すとふ卵三億　益永　典子

水族はみな銀色のまぶたもつわれとマンボウのあいだの億年　井辻　朱美

みずごいどり〔**水恋鳥**(みづごひどり)〕カワセミ科のアカショウビンの別名。北海道、本州に夏鳥として渡り、低山帯の沢に沿った林の中にすむ。全長27・5センチ。全身燃えるような赤色、大きな嘴は透き通るように美しい。地上のカエルなどを食べ、浅瀬ですくいとるように魚も捕える。朽ち木にキツツキのように止まって穴をあけ巣を作る。夕暮れにキョロロロと尻下がりの甘い声で鳴く。雨の日には日中でも鳴くので雨乞鳥または水恋(乞)鳥の名があるという。近年姿を消している。→赤しょうびん

水乞鳥湍(たぎ)の水照(みでり)に眼(め)は据ゑて時移るなし青葉ひる凪(なぎ)　穂積　忠

みずすまし〔**水澄**(みづす)**まし・鼓虫**(みづすまし)〕甲虫(こうちゅう)目ミズスマシ科の昆虫。池沼、小川などにすみ、水面を急速に旋回するが、驚くと水中に潜入する。体長六ミリ内外の紡錘形、黒色の鋼鉄光沢がある。触角は短く、複眼は上下に分かれて水面と水中を同時に見ることができる。中・後肢は扁平。渦(うず)虫、舞舞(まいまい)虫ともいう。なお、「水(みず)馬(すまし)」と書くと、あめんぼのことをいう。→あめんぼ

樹洩(こもれ)日ににじむ野川(のがは)の鼓虫すいとまはればゆらぐ藻(も)の花　佐佐木信綱

鼓虫春の水面に蝟集して旋回す故郷の母は死んだか　石田比呂志

おのづから清きを好むみづすましいにしへの水ひた恋ふるかも　黒崎善四郎

水すまし右より左によぎりたるあさきゆめみて午睡さめたり　松坂　弘

みずとり〔**水鳥**(みづとり)〕水辺に生息する鳥。カモ、カモメ、ガン、白鳥など、秋に

渡り冬に去る冬鳥が多い。水禽（すいきん）　遊禽（ゆうきん）

雨ながら夜は明けきつつ元朝の川波を飛ぶ水鳥の白　　春日井政子

水鳥の胸におされてひそやかにもり上がるとき光は輝ふ（かがよふ）　　斎藤　史

水鳥のとびたつ音のあかときのいのちのふるえ草径（こみち）ゆく　　加藤　克巳

午（ひる）近く風荒れてゐる水辺よりけぶれるままに水禽たてり　　松坂　弘

をはることなき自問自答（モノローグ）　水鳥がみづもに描く水脈の円　　小島ゆかり

みそさざい〔鷦鷯（みそさざい）〕

ミソサザイ科の鳥。山地の谷川沿いのやぶ、苔むす岩のある暗い林で繁殖し、冬に山麓に下る。全長11センチ、日本で最小の鳥。体は丸く、尾が短く、嘴は細い。全身褐色で小黒斑が散在する。崖や岩の下に苔で球形の巣を作り、昆虫類を食べる。雄は小さな体に似合わず、声量のある声でチチ、チョッ、チョッ、またヒンカラヒンカラヒンヒンヒンなどと長くさえずる。

葉は落ちてこずゑさびしき冬枯のとかげの谷にみそさざい鳴く　　太田　水穂

あまづたふ日の照りかへす雪のべはみそさざい啼くあひ呼ぶらしも　　斎藤　茂吉

をさな児の手をとり歩む道のへにみそさざい飛び日は暮れむとす　　古泉　千樫

みつばち〔蜜蜂（みつばち）〕

ミツバチ科の昆虫の総称。在来種のニホンミツバチは野生種として山地の木の洞に細々と残っている。ヨウシュミツバチは蜂蜜と蜜蠟をとる目的でヨーロッパから輸入されたもの。養蜂業者は巣箱をもち花をもとめて各地を歩く。産卵を受けもつ女王蜂と無数の働き蜂、繁殖期にはこれに雄蜂が加わって仕事を分担し、集団で社会生活を営む。働き蜂は羽化後約二週間は巣の中で育児、営巣、巣房の掃除をし、やがて蜜や花粉を集める外勤蜂となる。その際に先ず斥候が野外へ飛び出て、花粉を後足につけてもどり、体と翅を震わせる収穫ダンスをして、仲間に花のある方向と距離を知らせるという。↓蜂

みだれとぶ花粉まみれの蜜蜂のゆくへを追ひて暫しありけり　　若山喜志子

過労死するハウスのなかの蜜蜂を話せども子は興味示さず　　宮地　伸一
顔を近々寄せても恐るることもなく花をつたひて蜜蜂多忙　　吉野　昌夫
くしけづる髪より出づる蜜蜂を夜明くる村に翔ばしむる妻　　前　登志夫
たしかなる輪郭をもてば肉体は自ずから光る金の蜜蜂　　早川　志織

みどりがめ〔緑亀（みどりがめ）〕　カメ科。米国南東部からメキシコにかけて、河川や池にすむ甲長20センチ位のカメ。幼いものは背がオリーブ色がかった緑色で腹が淡黄色。日本でも美しいのでペットとして飼育されている。デパートなどで容器より這い上がって売られている。↓亀

みどり亀甲羅がへしに遇（あ）ひてゐる無惨みつめよ昼顔の花　　馬場あき子

みのむし〔蓑虫（みのむし）〕　ミノガ科の蛾の幼虫。幼虫は枯葉や小枝をつづりあわせて、蓑のような巣の中に潜んで越冬する。雄は初夏には蛾となるが、翅がなく蛆（うじ）状の雌は蓑の中で一生を終える。巣は木の枝にぶら下がっている。

蓑虫は己（おの）を守ると枝に垂り垂りも垂りけり地につくまでに　　島木　赤彦
檜葉垣（ひばがき）をみつむるのみのあけくれに蓑虫みたりかれ動くゆゑ　　坪野　哲久
美しき光柿の葉にふりそそぎ蓑虫は蓑をいでて垂りくる　　岡部　文夫
蓑虫は糸に縋りて吹かれおり大和島根に大乱の無し　　石田比呂志
みのむしが秋のさくらに垂れさがりならうならうともの申すなり　　永井　陽子
風中に待つとき樹より淋しくて蓑虫にでもなつてしまはう　　小島ゆかり

みみず〔蚯蚓（みみず）〕　環形動物貧毛類の総称。日本ではシマミミズが代表的。体長6～18センチ、淡紅色の体に紫褐色の縞が多数あり、堆肥の近くや台所の流し台付近の湿った場所にすむ。土中を這って土の通気性をよくし、また下方の土を体内に入れて糞として上部へ運ぶ。雌雄同体で秋に産卵する。

うは温む水泥がなかに縞赤き蚯蚓の仔らの生れてうごめく　明石　海人

乾涸びし蚯蚓は百舌鳥の贄ならん椛の低き枝に刺したり　平野　宣紀

草ひきて思はず触れし蚯蚓なり瞬間するどき動きみせたり　長沢　美津

鋼色の身をくねりゆく大みみずわが前の世の思ほゆるなり　岡野　弘彦

みみずく〔木菟〕

フクロウ科の鳥のうち、丸い頭に耳のように見える羽をもつ種類をいう。おもに大木葉木菟が留鳥として低山、平地の森林、社寺の森などに最も普通に見られる。全長24センチ。羽は赤褐色で黒褐色の不明瞭な斑が樹皮に似た模様を作っている。目は橙色で、足指が羽毛におおわれている。昼間は木の洞や茂みで眠り、夜間活動して昆虫などを捕える。ホッホッホッと低い声で鳴く。→青葉木菟　木葉木菟

繊き月眸に宿りわが飼へる木菟は高貴なる計算をせり　葛原　妙子

病む子寝て星暗む夜の窓のそと木菟は鳴く遠き声にて　島田　修二

みずからの耳見みみずく緑満つる森にみるみる溢るる涙　佐佐木幸綱

痛きまで月光充てりみみづくの少量の肉ともるがに見ゆ　永田　和宏

ああ声はわが肉体を染めながら地に還るらし森のみみづく　武下奈々子

みみずなく〔蚯蚓鳴く〕

夏から秋に土中から聞こえるジーッ、ジーッという声を蚯蚓の鳴き声としたもの。実際は螻蛄の声。→螻蛄　地虫

蚯蚓鳴く土の曇りや深けぬらし一人ごころの歩みに耽る　島木　赤彦

酒のなきさびしき夜を嗞々と鳴く蚯蚓のこゑにしたしみにけり　吉井　勇

夜半さめて蚯蚓の鳴くを聞きおれば蚯蚓が鳴くと夫が言えり　落合けい子

みやこどり〔都鳥〕

在原業平が「名にし負はばいざ言問はむ都鳥わが思ふ人はありやなしや」と京に残した恋人をしのんで

詠んでより、都鳥の名は隅田川とともに和歌、歌謡、俳句に詠われている。この都鳥はカモメ科の鳥、ゆりかもめの雅称である。ミヤコドリ科の旅鳥がシベリアなどから渡来するが、まれである。↓ゆりかもめ

みやこ鳥、みやこのことは、見て知らむ。我には告げよ。国の行するゑ　与謝野鉄幹

都鳥といふ名もやさし巫女に似てひらひらとわれに近づくことも　生方たつゑ

みやこどり慣れぬ流れに迷ひ来て低くし翔べばわれの追ひゆく　玉光　久子

ありやなし問へばあふみの都鳥ありと応へて嘘鳥やのそれ　紀野　恵

みんみんぜみ〔みんみん蟬〕

セミ科の昆虫。日本特産種で、北海道南部から九州に七月上旬から九月下旬ころまで現れるが、寒冷地に多く、九州では山地に見られる。体長33～36ミリ。黒地に緑色の斑紋がある。幼虫は約七年間土中で過ごす。ミーンミンミンという明快な鳴き声を聞き、近づくとすぐに逃げてしまう。北海道弟子屈町和琴の発生地は天然記念物に指定。↓蟬

あかつきにみんみん蟬の競ふこゑ今日は今日する仕事をぞ思ふ　土屋　文明

草よ木よ人も従へ黙れよとみんみんいよいよ力入れて啼けり　前川佐美雄

みんみんの「み」までを鳴いてなきやみし蟬がこの木のてっぺんに居る　井川　京子

むかで〔蜈蚣・百足〕

節足動物唇脚綱の総称。ゲジゲジもこの仲間になる。日本には体長4センチのアカムカデ、体長2.5センチのイッスンムカデ、体長7.5センチのアオズムカデなどがよく見られる。体は細長く、多くの環節からなり、各環節は一対の脚をもつ。頭部の先端には一対の触角と大顎があり、大顎から毒液を注射して小昆虫を捕食する。昼間は石や枯葉などの下に潜み、夜活動する。環節の多いものでは170節以上のもの、大きいものでは体長30センチに達するものもある。

この夏は百足を友としてあらむ虫はいとはし人はけうとし　吉井　勇

恋ひ恋ひてここには来つれくだつ夜の障子に這へる蜈蚣をおそる　鈴鹿　俊子

秋の庭異形となりしもの多し大むかですみやかに畳に上る　馬場あき子

むく〔椋鳥〕　ムクドリの略。→椋鳥

桜どき過ぎつる庭の若芝に椋鳥の来慣れて虫あさりすも　吉野　秀雄

芝枯れてもの乏しきにあさる椋鳥影のいくつか寒げに移る　千代　国一

病む夫の遅き歩みに合はせゐて紅梅揺らす椋鳥を見てをり　川合千鶴子

むくどり〔椋鳥〕　ムクドリ科の鳥。全国に分布繁殖するが、積雪の多い地方のものは冬は暖地に移る。体長24センチ。灰褐色で頭上と頸は黒く、嘴と脚は黄橙色。平地から低山の林にすみ、木の穴、人家の屋根や戸袋のすき間、巣箱を巣とし、青い卵を産む。繁殖期以外は群れを作り、ねぐらに向かう数千羽が黒雲のように見えることもある。昆虫、木の実、果実を食べる。ジャージャー、ギュルギュルなど色々な声を出し、春先には複雑な声で鳴く。

群れ群れて空飛びめぐる椋鳥は向変ふる時かがやきにけり　半田　良平

今年また荒れたる軒にむくどりの巣を営むと来鳴ける声す　柴生田　稔

桜桃の赤みそむる可愛くて醜のむくどり食はずに居れぬ　斎藤　史

宿りたる楠の樹の実を食み尽くし今日よりはゐず旅の椋鳥　北沢　郁子

椋鳥の夕べあまたの群がりて大木は渦なす声にふくらむ　久泉　迪雄

あなどられやすきおのれか椋鳥が戸袋に巣を懸けはじめたる　杜沢光一郎

むささび〔鼯鼠〕　齧歯目リス科。本州、四国、九州に分布。体長35―48センチ。前・後肢の間にある飛膜が特徴。体色は灰褐～赤褐色など変化が多い。平地から低山の森林にすみ、昼は大木のほら穴などに眠り、夜出て飛膜を広げ木から木へ滑走し、果実や若枝、樹皮、昆虫などを食べる。一腹二子前後。猫に似た気味悪い低い声で鳴く。

むささびが啼きて出で来るたそがれの時刻は決まれり必ず啼くも　川田　順

この岡の木々の茂みをむささびの飛びて木づたふ道は決まれる　川田　順

ゆふ闇は谷より上るごとくきて雉子につづくむささびのこゑ　土屋　文明

ムササビが夜の樹にゐてそのまなこ光らするとき人間は撃つ　持田　勝穂

廃屋にむささびが来て棲むといふむささびは仔を産み育てむか　斎藤　史

夜のさくら咲きしづまれる谷ふかく尾をひきて飛ぶ雌雄のむささび　岡野　弘彦

むし〔虫〕　昆虫などの小動物をいう。臭木虫は臭木の根を食う虫で疳の薬にする。↓昆虫

唐辛子の中に繭こもる微かなる虫とりいだし見てゐる吾は　斎藤　茂吉

何の虫か生きてさびしう樫の木の秋の嫩葉に喰ひ下りたる　川田　順

菊切れば葉裏にひそむ虫のありうごきもやらぬこの哀れさよ　木下　利玄

桜の花ほろほろと散る山陰に臭木虫さがす弱き児がため　土屋　文明

あを草あを草いのちすべなくやるせなくとび立つ虫はみな青き虫　中村　三郎

春はやく生れし虫のをさなきを籠にいたはりて死なしめにけり　岡本かの子

手の甲を這ひゐる虫のまたしても血脈にひそみゆくと悲しむ　前川佐美雄

わがながき凝視の域を出づるべく虫は屈伸をくりかへし居り　斎藤　史

あいまいに冬となりつつ草がくりいのち乾びてゆく虫のあり　草市　潤

むじな〔狢・貉〕　アナグマの異称。またタヌキの方言でもある。アナグマは食肉目イタチ科で、体長40～50センチ、尾12～20センチ。夜行性で、果実やネズミなど食べる。長大なトンネルを掘ってすみ、そこで冬眠する。肉は美味。毛はかたく、筆やブラシに利用される。メガロポリスは巨大都市群。↓狸

メガロポリス山川草木うづめむをぶらぶらとわれ毛のなきむじな　坂井　修一

むしのね〔虫の音〕 秋に草むらなどですだく虫の声。虫が音、虫の声。

夜もすがら鳴く虫がねをしづかなる焔のごとくおもひつつをり　結城哀草果

家一つ大きうねりにあるごとし夜更けていよよ澄む虫の声　太田　青丘

渾身のわざすることもなきわれが身をふるひ鳴く虫をやしなふ　斎藤　史

町なかのわが家の窓は世の音の絶えねど夜ふけし頃の虫の音　田中　順二

一つのみきよくつづける虫が音はくらやみの中にひびきわたりぬ　玉城　徹

むつごろう〔鯥五郎〕 ハゼ科の魚。有明海北部の干潟の上をはい回り、また全身ではねて移動する。全長19センチ。体色は青みがかった灰色に白点が散在する。第一背鰭のとげは比較的長く、腹鰭は左右合わさり吸盤を形成して這う。晩春に活動を開始する。肉はやわらかいが脂肪が多く蒲焼などにして美味である。佐賀県の名物。

うらうらと陽照る干潟に穴いでてむつごらうの子遊ぶを見てをり　岡野　弘彦

むらさきうに〔紫海胆〕 棘皮動物ナガウニ科。本州の関東以西から九州、小笠原と中国沿岸の浅海の岩礁に多くすむ。殻は直径5センチ、高さ2.5センチ。やや扁平な球状で、厚くて堅固。暗紫色のとげを密生する。春から夏に採取し、卵巣を雲丹にして食べる。→赤海胆　海胆

神々に憂愁ありしか太古にてむらさきの海胆磯に満ちけむ　葛原　妙子

めざし〔目刺〕 マイワシやシコイワシに塩をふり、五、六尾ぐらいずつ竹串や藁で目の所を刺し連ねて乾したもの。えらから口を藁で刺して乾したのは、ほおざしという。冬から早春が美味。

その反りのかかるすがしさきさらぎの氷見の目刺の藍藍として　岡部　文夫

めじか〔牝鹿〕 雌の鹿は秋の交尾後、翌年の二～三月頃には孕んでいるのが目につく。春が深まるにつれ動作が鈍くなり、見るからに大儀そうになる。毛も脱けて醜くなる。四～六月

一子を産む。女鹿（めじか）、雌鹿（めじか）、女鹿（めか）ともいう。↓牝鹿　鹿

群（むれ）をはなれものにおぢたるひたぶる目　かなしもかれは母となりし鹿　五島美代子

斑なる日光の中藁のごと女鹿は繊きおもてをあぐる　葛原　妙子

女鹿（めか）いずこ牝鹿はいずこ小牡鹿（さおしか）のなく声かなしうちふるえなく　加藤　克巳

秋に会はむと来し飛火野に歩みつつしなやかなれば哀しき雌鹿　西村　尚

めじろ〔目白（めじろ）〕

メジロ科の鳥。全国に分布繁殖するが北海道には少なく、北のものは冬南へ渡る。全長11・5センチ、スズメよりもずっと小さい。背はウグイス色、目のまわりに白環があり、喉は黄色く、他は汚白色で脇が栗色。西南日本の常緑広葉樹林にもっとも多くすむ。細い枝にクモの糸でつづりあわせた巣をつり下げる。繁殖期以外は群れをなし、昆虫、クモを主食とし、ツバキやウメなどの花の蜜、熟柿なども食べる。チュチュと鳴く。

咲くだけの桜にあらず遊ばすは妻をともなふつがひの目白　穎田島一二郎

相連れて目白の来れば声に呼ぶ妻にやさしき人の生（よ）はあれ　近藤　芳美

しづかなる楽のごとくに移りくる目白の群を庭に待ちをり　岡野　弘彦

椿より馬酔木の蜜が好きな目白ひねもす小さき花吸ひ飽かず　石川不二子

めじろの瞳祖父に飼われて湿りやすくつねに映せり戦後の家を　岸上　大作

めだか〔目高（めだか）〕

メダカ科の魚。北海道を除く野川、水田、池などの浅い所にすみ、群れをなして水面近くを泳ぐ。全長4センチ。暖かい季節に産卵し、雌は受精した卵塊を肛門につけたまま泳いでいるが、やがて水草などに付着させる。孵化後約二カ月で成熟する。子供に最も人気のある魚。ヒメダカ、シロメダカ、アオメダカなどがあり、遺伝学などの実験用、観賞用にされる。↓緋目高

腹太（はらぶと）の身重（みおも）の目高は今日明日に目高の母とならむとすらし　窪田　空穂

草わけて水とろとろと落ちあへる田溝の目高やや太りたり　松田　常憲

水湛へ瀬戸の火鉢に目高飼ふ子の代も亦繰り返すらし　平野　宣紀

骨透きて一匹の目高泳ぎをりかすかに気泡ふきたるあはれ　岡山たづ子

宇宙にてメダカ産卵めでたくも地球の四国は雨乞う祈禱す　信夫　澄子

子供らはひらたくしやがみ脊柱のゆがむ目高にさざめきいたり　秋元千恵子

夕風に漣立てばメダカ子の透きて小さき身は流さるる　安藤　泰子

めんどり〔雌鶏・牝鶏〕　ニワトリの雌をいう。雌鶏ともいう。雄は雄鶏、雄鶏という。→鶏 にわとり

めん鶏ら砂あび居たれひつそりと剃刀研人は過ぎ行きにけり　斎藤　茂吉

うつくしく換羽了へたる牝鶏の一羽を指しぬ縊らむがため　滝沢　亘

めんよう〔緬羊〕　毛用品種のヒツジ。おもに豪州で飼育されているメリノが有名。羊毛は細美なので高級毛織物の原料とされる。→羊

吾が前をつらなり移る緬羊の閑なる足音聞えくるかも　宇都野　研

屯ろする緬羊の一つ丘の上の地平を移り綿雲に入る　宇都野　研

夕日あかき丘の斜面を帰りゆく緬羊の群のなきごゑ　村野　次郎

一木一木木影をひろぐる石だたみ緬羊迷いて立ちどまる　岡井　隆

もぐら〔土竜〕　食虫目モグラ科。ニホンモグラともいう。東日本ではアズマモグラ（体長10～17センチ、尾1.2～2.4センチ）、西日本ではそれよりやや大きいコウベモグラが分布する。吻は長くとがり、前肢が大きくシャベル状。体色は暗褐色。眼は退化している。地中にトンネルを掘ってすみ、ミミズ、昆虫、クモなどを食べ、昼夜の別なく活動する。春に一腹二～四子を産む。土を隆起させ、田畑やゴルフ場を荒らす。

いくたびか土竜が穴をつぶせるも土竜が子をし生む夏となる　前川佐美雄

西の空赤く染まりてゐたる時もぐらの穴に水そそぎゐる　柴生田　稔

土手草の根を覆（くつがえ）しゆく土竜春のおもてのまず動くなり　石本　隆一

風の夜を猫が大事に見せに来しもぐらは小（ち）さき影のなかに死す　永田　和宏

もず〔百舌（もず）・鵙（もず）〕　モズ科の鳥。全国で繁殖し、北のものは冬暖地へ移る。全長20センチ。頭頂と後頸は赤褐色で、背は青灰色。雄は顔に太く黒い過眼線と淡色の眉斑がある。低地から山地のやぶに巣を作り、一年中群れは作らない。昆虫、ミミズ、ネズミなどを食べ、捕えた獲物をとがった枝に刺す習性があり、モズのはやにえとして知られる。秋が近づくとキーッ、キィキィと高く鋭く鳴く。

竹群に朝の百舌鳴きいのち深し厨にしろく冬の塩　宮　柊二

悲しみのかたわれとしもよろこびのひそかにありぬ朝の鵙鳴く　安立スハル

咲きみちて濡るる桜にゐる鵙の花こぼしをりその花あかり　上田三四二

とどこほる思ひのゆくへ知るごとく冬鵙は来てともに黙せる　馬場あき子

遥かにも鵙の高鳴く世に旧（ふ）りてわれは日向（ひなた）のやうに笑みしか　雨宮　雅子

梅雨の百舌しきりに鳴きてもやもやと恥にしづめる心を搾る　石川不二子

わが撃ちし鵙に心は奪はれて背後の空を見失ひしか　寺山　修司

鵙なけばたちかへりくるははそはの死後硬直の白きてのひら　杜沢光一郎

もろこ〔諸子（もろこ）〕　コイ科の魚。琵琶湖周辺ではホンモロコをいい、東京では釣人の間でタモロコをいう。ホンモロコは全長13センチ。琵琶湖・淀川水系の特産で、現在は諏訪湖、山中湖、関東地方の川に移植され繁殖している。冬がきわめて美味で、琵琶湖の名物。タモロコは全長8センチ。静岡・新潟県以西の本州と、四国の一部、九州北部に分布、関東地方にも移植されて繁殖している。ともに背は暗灰色、腹は白色、体側に淡い鉛青色の一縦帯がある。

店先に売らるる諸子の澄みし眸とわれの眼が合ふ雪の街にて　小西久二郎

もんしろちょう〔紋白蝶〕

鱗翅目シロチョウ科。三〜十一月まで年三〜六回発生し、キャベツ、大根、菜の花に乱舞する。発生は暖い気候に多く、盛夏には衰える。開張55ミリ内外。白地に黒紋のあるおなじみの蝶である。幼虫は青虫で、アブラナ科の栽培植物とともにやってきた外国のチョウともいう。↓蝶　春の蝶

うす青きキャベツの畑のひろがりに白き蝶あまた群れつつぞとぶ　高安　国世

自動扉ひらきし時に紋白蝶まぎれ入りしがわが連れならず　市来　勉

やぎ〔山羊〕

偶蹄目ウシ科。エーゲ海の諸島、カフカス、イラン、西パキスタンなどに分布する野性のノヤギを飼いならしたもので、紀元前三千五百年ころから家畜として飼われたといわれる。ヒツジに似るが、首が長く、雄はあごひげをもち、尾の下面に悪臭を出す腺をもつ点などが異なる。粗食に耐え、荒地でも飼育できる。乳用、毛用、肉用（子ヤギ）の各種がある。

山羊の小屋わづかにひらき雪つもる女性のごとく山羊はをりたり　葛原　妙子

かすかなるこころ愁ひや正月の山ふところに山羊ひとり遊ぶ　宮　柊二

夕ぐれて草の葉白くかへる道犬に追はるる山羊やさしけれ　河野　愛子

つながれし縄の限りの草を喰む一日の山羊をどこに帰さむ　前　登志夫

穂の光るくさむらの中山羊の仔は角もてば緬羊の仔を退けつ　石川不二子

交配を終へにし山羊がひとつらに春の岸べを曳かれゆきたり　角宮　悦子

ゆつくりと石臼まはすやうにして齝む山羊のあごを見あかず　河野　裕子

やこうちゅう〔夜光虫〕

原生動物植物性鞭毛虫類。日本近海に最も普通に見られるプランクトンの一種。体は直径1ミリ内外の球形の袋状。一本の太い鞭毛をもち、色素体はないが、夜間波にゆられるとその刺激で青白い

燐光を放つ。ときに異常増殖し赤潮の原因となる。

人我は考へて立ち足もとの波打際に光る夜光虫　葛原　繁

やどかり〔寄居蟹（やどかり）・寄居虫（やどかり）〕　ヤドカリ科とオオヤドカリ科の総称。ほとんどが海生で、甲長1センチのホンヤドカリは海岸でよく見られる。陸生は甲長3.8センチのオオヤドカリが八丈島や奄美諸島以南にすむ。ふつう巻貝の空殻に入って生活し、成長して大きくなると貝殻を取り替える。このため腹部の外骨格が退化して柔軟になり、肢も貝殻の巻きに応じて左右不相応となっているが、第一胸脚は大きなはさみになっている。産卵期には陸生も海水に入る。

愚直なるおのれあざむき或る時は寄生蟹（やどかり）の習性を愛してゐたる　杜沢光一郎

やどかりといへど生きとし生くるもの夜夜這ふ音を母はかなしむ　飯田　高子

やぶか〔藪蚊（やぶか）〕　カ科の昆虫。日陰の草むらに多く、昼間、たそがれどきに人畜の血を吸う。シマカは幼虫（ぼうふら）が竹の切口や墓場の溜り水にすむが、水田や肥溜めに発生する種類もある。→蚊　ぼうふら

藪道の坦庵の墓碑たづね来て藪蚊の多きに驚きにけり　佐佐木治綱

やまかがし〔赤棟蛇（やまかがし）・山棟蛇（やまかがし）〕　爬虫類ヘビ科。本州、四国、九州に分布する。体長1～1.2メートル。ふつう緑褐～暗褐色に黒斑の散在するものが多い。水田近くに多くすみ、カエル類を捕食する。頸には有毒の腺があり、敵に攻撃されると頸をきわだたせて威嚇し、毒液を射出する。これが眼や粘膜につくと強く刺激する。→蛇

土のうへに赤棟蛇遊ばずなりにけり入る日あかあかと草はらに見ゆ　斎藤　茂吉

出あひ頭に投げたる石が殺戮を犯して山棟蛇血をあびのたうつ　若山喜志子

やまがら〔山雀（やまがら）〕　シジュウカラ科の鳥。殆ど全国の低山の森林に留鳥としてすむ。全長14センチ。シジュウカラより少し大きく、よく似ているが、腹が褐色で、頭上にクリーム色の縦斑がある。キツツキの古巣などや巣箱もよく利用し、

コケなどで営巣する。昆虫、クモのほか、かたい木の実をこつこつとつついて食べる。ツッピー、ツッピーとゆっくりさえずる。敏捷・怜悧で、なれやすく、芸を仕込み、昔神社などでおみくじを引いて親しまれた。

むら立ちの異木に行かず山雀は松の梢にひもすがら啼く　若山　牧水

山雀が胡桃を抱きに来るといふ説話もいつか霧に濡れたり　馬場あき子

やまこ〔山蚕〕　ヤママユガ科の幼虫。緑色の体で、クヌギ、ナラ、カシワ、クリなどの葉を食べ、大きな緑色の繭を作る。成虫の蛾は年一回七～九月に発生、夜行性で灯火にくる。繭からは天蚕糸という丈夫で光沢のある糸がとれる。↓繭

ゴオガンの自画像みればみちのくに山蚕殺ししその日おもほゆ　斎藤　茂吉

青々たる満州楊野放図に伸びて山蚕を養ひにけり　斎藤　史

さみどりの山蚕は怖ろしき虫にして吐きし糸染料に染まるを拒否す　斎藤　史

やませみ〔山翡翠〕　カワセミ科の鳥。各地の山の渓流、湖などに留鳥としてすみ、冬に凍る水域では暖地へ移る。全長38センチ。背は黒と白の鹿の子模様で、腹と頸は白色。頭部に羽冠をもつ。崖などに穴を掘って巣とし、水辺の樹木から魚を狙い、水中に頭をつっこんでイワナ、ヤマメ、ウグイを捕る。一年中つがいで広いテトリーを設けているので、一日かけて川沿いの道を歩いても数羽しか見られない。キャラッ、キャラッと鳴きながら流れに沿って飛ぶ。

川かみを山翡翠高く舞いのぼり白もつれあう朝をはるけし　池田　純義

やまどり〔山鳥〕　キジ科の鳥。日本特産種で本州以南に分布する。全長雄125センチ、雌50センチ。雄の尾は非常に長い。頸と背はふつう赤銅色。四季を通しキジよりも標高の高い山地の森林中にすみ、ひらけた所へ出ることはない。一雄多雌で草むらの窪みに営巣する。地上で植物の種子、昆虫などをあさる。ククックと鳴くが、繁殖期に雄は翼をふるわせてドドドドという音を出して雌を呼ぶ。

山鳥の尾ろの秀尾の十節羽は翳してゆかな旅のしるしに　吉野　秀雄

山どりの紺の風切羽きみなくばやすらけく風の夜を寝みだれむ　塚本　邦雄

やまねこ〔山猫〕 食肉目ネコ科。アジアの中南部に分布し、日本では対島にツシマヤマネコ、西表島にイリオモテヤマネコが見られる。ベンガルヤマネコはインドから東はウスリー、朝鮮、南はバリ、ボルネオ、パラワン、台湾まで広く分布し、地理的変異により、多くの亜種がある。森林に単独ですみ、ウサギ、ネズミ、鳥などを食べる。体長40～60センチ、尾はその半分程。家畜の家ネコに似るが頭は細長く、尾は太く、耳は丸みを帯びて裏面に一個の白斑がある。地域により毛色斑紋に変化がある。

無声なるベンガルヤマネコ背すじから尻へかけての稜線の起伏　沖　ななも

やまばと〔山鳩〕 ハト科のキジバトのことをいう。↓雉鳩　鳩

ツチヤクンクウフクと鳴きし山鳩はこぞのこと今は声遠し　土屋　文明

死は一つけんめいの死をぞこいねがうわが地獄胸山鳩鳴けり　山田　あき

きのふかも裂きて食へる山鳩の青き羽根もて机をはらふ　前川佐美雄

暑くして日中は鳴かぬ山鳩か夜の明け方を遠く声する　平野　宣紀

終章を結ぶことばを思ひゐる午前四時すでに山鳩の鳴く　木俣　修

山鳩を思へば声ぞきこえくる遥かなる日の門の槻の木　窪田章一郎

音またく無くなりし夜を山鳩は何故寂しげに啼き出すのか　宮　柊二

わが父よ汝が子はかくも疲れたり雪降るむこう山鳩の鳴く　岡部桂一郎

言葉すくなくわれらの冬も終りぬ斑雪の山に山鳩を待つ　前　登志夫

存在を問ひやまざりし若き日のごとく山鳩はこゑくぐもらす　雨宮　雅子

朝々のしづかなる声ク・ク・ル・ク・ク・パロマをうたふ僕の山鳩　高野　公彦

やまめ〔山女(やまめ)〕　サケ科の魚。北海道、本州の太平洋側では神奈川県酒匂川以北と日本海側ではほぼ全域、九州の瀬戸内海に注ぐ川を除く河川の上流に分布し、夏季の最高水温が20℃以下の渓流にすむ。サクラマスの河川型で、全長30センチ。体色は緑褐色～青黒色、体側に楕円形の黒斑が並ぶ。北日本の河川では雌の殆どが降海型のサクラマスだが、河川型（陸封魚）の雌雄は産卵後も生き残り、数年間産卵をくり返す。渓流釣の対象として人気があり、塩焼にして美味。似たものに体側に小朱点の現れる甘子がある。→鱒　陸封魚

雨の音谷をおろして来るときに夕がれひにて山女の魚を嚙む　斎藤　茂吉

上つ毛の雄川の山女魚ゆふべ食ひけさ食ひて頭も鰭も余さず　吉野　秀雄

少年の胸ときめきやまずいつまでも山女魚はをどる魚籠の底にて　岡野　弘彦

釣りあげし山女魚のまなこ母の眼に似てうるめるをかなしと思ひき　岡野　弘彦

やもり〔守宮(やもり)〕　爬虫類ヤモリ科。本州、四国、九州、琉球列島に分布する。体長11センチ。トカゲに似て、全体暗灰色で多数の褐色斑が不規則に散在する。四肢は発達し、各指の下面がひだ状となり吸盤の役目をする。尾は自切する。人家付近に多く、夜間灯火に集まる昆虫類を捕食する。壁のすみなどに産卵する。毒がなく、全く無害。

おとうとがアルコール詰にしてゐるは身もちの守宮愛しき眼をせり　前川佐美雄

色あはき守宮も居りて茫々とおもふことなしわが墳墓など　香川　進

凶兆の月のあかきに守宮といるわれの所在もあきらかならむ　只野　綾子

この秋は仔守宮いたく殖えたるよ門の鉄扉のかげにうごめく　宮　英子

やりいか〔槍烏賊(やりいか)〕　胴長30センチのスルメイカよりも10センチも長い胴は非常に細く、腕は短い。このためサヤナガとかシャクハチの地方名がある。北海道から九州沿岸に広く分布。普通、暗褐色で環境により体色を変化させる。生食が

主で、するめは竹葉(ちくよう)、笹するめと呼ぶ。↓烏賊

吊し干すヤリイカに乏しき漁を思ふ幾浜かありて南にくだる　吉田　正俊

やんばるくいな〔山原水鶏(やんばるくひな)〕　クイナ科の鳥。沖縄県本島北部の山原の丘陵地帯に生息、一九八一年に新種として発表された。全長30センチ。顔から咽喉が黒色。飛翔力はほとんどなく、照葉樹の原生林内や沢沿いの藪の中を歩いたり走ったりする。特別天然記念物。↓水鶏

相見たることのなけれど恋ほしもよ飛べざる鳥のヤンバルクイナ　小野興二郎

やんま〔蜻蜓(やんま)〕　トンボ目ヤンマ科とオニヤンマ科に属する大形ばかりのトンボ。複眼は著しく大きく、左右相接する。静止するときは小枝などに下垂する。水辺や林間を往復するもの、薄暮に活動するものなどがある。ヤゴは成虫になるまで数年かかる。↓鬼やんま　銀やんま

やんまひとつ泉(いづみ)のすゑに飛ぶみればむらがるよりもあはれなりけり　斎藤　茂吉

病(や)み臥(こや)るわが枕べをとびめぐりやんまは雨降る庭にそれたり　結城哀草果

青萱が短き影を土に置く静寂の中やんま来て飛ぶ　葛原　繁

産卵を終へたるやんま光り去り八月十日の池の沈黙　高野　公彦

捕へつるやんま右の眼へこみたりわが笑み顔のいかに見ゆらむ　安田　純生

ゆきむし〔雪虫(ゆきむし)〕　半翅目ワタアブラムシ科の昆虫のうち、晩秋から初冬に飛ぶ有翅虫をいう。ワタムシともいい、主として体長2ミリ内外のリンゴワタムシが多い。風もない静かな日に雪片が舞うように飛ぶのでこの名がある。白く見えるのは分泌物である。子供たちは雪の前触れと喜ぶ。なお早春、積雪上に群れ現れる、セッケイカワゲラ、ユキガガンボなどの昆虫類とは別である。

かぎりなく雪虫の舞う空の下祈る形に土打つ妻は　宮岡　昇

雪虫のとぶころとなりかんばんの赤一文字(ひともんじ)「灸」ぞ目に沁む　小池　光

ゆりかもめ〔百合鷗〕

カモメ科の鳥。ユーラシアの北部で繁殖し、日本には冬鳥として各地の港湾、海岸に渡って来る。全長40センチ。冬羽は背と翼が淡青灰色のほかは光り輝く白さで、脚とくちばしの赤色との対照が美しい。群れをなして生活し、川をさかのぼり、内陸部の湖にも入り、魚、エビ、昆虫などを食べる。キャアーキャアーと鳴く。名は白百合のように美しいカモメという説がある。↓都鳥

輪をなして飛ぶに必ず先導の一羽のゆりかもめ変ることなし　顥田島一二郎

霜の朝川浪の上を低く飛べるユリカモメを見つつ心あそばす　持田　勝穂

餌を撒くわが掌と知りて集ひくるいづれ破天の野のゆりかもめ　安永　蕗子

ゆりかもめ群れつつあそぶ曇日の川いくところ水光りせり　杉本　清子

ユリカモメねぐらに去りて静かなり鴨のうき寝は月光のもと　大島　史洋

しばらくを一羽飛びゐしゆりかもめ呼ばれたるごと群へと下る　香川　ヒサ

よしがも〔葭鴨・葦鴨〕

ガンカモ科の鳥。冬鳥として本州中部以南に渡ってくる。北海道では繁殖する。全長40センチ。中形の美しいカモで、雄の頭上は紫褐色、背は細かい白黒の斑、翼鏡は光沢のある緑色。静かな内湾、湖沼に群生し、雄はピリーピリー、雌はグェッグェッと鳴く。↓鴨

ヨシガモの鳴きて時間の揺らぎをり北山しぐれ去りし紺の夜　中埜由季子

よしきり〔葭切・葦切〕

ヒタキ科の鳥。夏鳥としてオオヨシキリが本州中部以南に、コヨシキリがそれよりやや北に、低地から山地のヨシ原や草原にすみ、椀形の巣を作る。オオヨシキリは繁殖期にヨシなどにとまり、ギョッ、ギョッ、ギョッなどとさえずるので行々子の名があり、カッコウの仮親としても知られる。↓行々子

葦切のきよろろと響く近きこゑ蓄へ置かむ器しほしも　伊藤左千夫

芽ぶき柳ひと夜にのびて水辺にはせつなきまでの葭

切鳥の声　若山喜志子

若葉騒ぐ葦の向ふに晩春の朝の空気によしきりが鳴く　板宮　清治

よたか〔夜鷹〕　ヨタカ科の鳥。夏鳥として渡来し、北海道、本州、四国の低地から山地の林で繁殖する。全長29センチ。全体黒褐色で黒・褐・灰・黄褐色の不規則な斑紋がある。巣は作らず、卵は草などの地上に二卵産む。夕方から夜間、飛びながらコガネムシ、ガなどを捕食、日中休むときに木の枝に平行にとまる。キョキョキョキョ……とつづけて鳴く。

夜の庭の木斛の木に啼くよだか闇深くして私見えず　前　登志夫

よとうむし〔夜盗虫〕　夜盗蛾の幼虫。昼間は土の中の根元に潜み、夜出てきてキャベツ、白菜などを食いあらす。中形の暗褐色の芋虫で、成虫は年二回四～五月と九～十月に発生する。やとうむしともいう。↓芋虫

草を養ふ老のすさびも易からず宵々出でて夜盗虫を殺す　松村　英一

よぶこどり〔呼子鳥〕　人を呼ぶような鳴き声をする鳥。カッコウ、ホトトギスなどを指すという。

呼子鳥啼くころきこゆ楢櫟枯葉を残す春の山辺に　若山　牧水

呼子鳥山に鳴くころ都市住みのみづつぽき身も帰宅の車中　影山　一男

ライオン　食肉目ネコ科。シシともいう。インド西部のガー森林とアフリカに分布。ネコ科中最大で、雄は体長2.1メートル、尾0.9メートル、肩高1メートル、雌は小さい。黄褐色の体毛は短く、雄はたてがみをもつ。広い草原に五～六頭ですみ、夜行性でシマウマ、レイヨウ、スイギュウなどを食べる。繁殖期は一定せず、一腹四子前後。利口で比較的温和だが老いるとときに人喰いとなるものがある。百獣の王といわれる。↓獅子

獅子舞の獅子頭の如き頭をば岩に委ねて眠るライオン　奥村　晃作

らいぎょ〔雷魚〕　タイワンドジョウ科の魚。北はアムール川から南は揚子江

までにすむタイワンドジョウと、台湾・華南・ベトナムにすむカムルチーがある。いずれも体長50センチ。体は円筒形で長く、口が大きく眼が鼻先近くにある。体色は黄灰色に暗褐色の紋が散在する。平野部の浅い池沼や溜池にいるが、空気呼吸して水の外でも長時間生きられる。他の魚を食うのできらわれるが、食用できる。

一尺の雷魚を裂きて冷冷と夜のくりやに水流すなり　馬場あき子

らいちょう〔雷鳥(らいてう)〕 ライチョウ科の鳥。世界の極北部に広く分布、日本が繁殖地の南限である。全長37センチ。冬羽は全体白色。夏羽は黄褐・暗褐・白色などの斑。本州中部の高山帯（標高二千四百メートル以上のハイマツ帯）に留鳥としてすみ、富士山にも移植されている。昼間は主にハイマツのやぶに潜み、朝夕あるいは霧の深いときに草原に出る。高山植物の実や葉、昆虫など食べる。一雄一雌。残雪期に雄はガーッと激しく鳴いて縄張りを主張する。特別天然記念物。

雷鳥が二羽あひつれて遠ざかる石庭(いしば)のさきに霧ぞ動ける　半田　良平

雷鳥は色まぎらはし指さして教ふる方にさ霧の動く　植松　寿樹

朝日さす山上の霧に声かなし仔をつれ歩む雷鳥のこゑ　藤沢　古実

霧こむる尾根道にみる四つの影砂浴びてをる雷鳥一家　来嶋　靖生

大雪の中のしろたへ雷鳥をしばし想ひて眠りに入らむ　春日井　建

らくだ〔駱駝(らくだ)〕 偶蹄目ラクダ科。こぶが一個のヒトコブラクダはアフリカ、北西インドなどに飼われ、こぶが二個あるフタコブラクダはモンゴル原産で、アフガニスタンから中国に飼われる。まぶたは二重、鼻孔が自由に開閉でき、砂塵を防いで砂漠生活に耐えられる。胃は三室、反芻する。背のこぶは脂肪の貯蔵所で、食物をとらないと縮少する。数日間水を飲まずに過ごすことができ、トゲのある食物も食べる。

ゆらゆらと瘤揺る駱駝をりをりに細きひとりの目をあげてをり　初井しづ枝

砂の上に死ぬる駱駝の心をも今夜(こよひ)悲しみ夜ふけむとす　柴生田　稔

冬日射はや傾くとさむき影雙峰(ふたこぶ)駱駝むかう向きをる　野村　清

知己を探さむと獣園にきたりけり秋の駱駝のさびしき笑ひ　塚本　邦雄

絵本に示す駱駝の瘤(こぶ)を子が問へば母はかなしむその瘤のこと　中城ふみ子

ふた瘤を揺りていとけなく立ち上る駱駝を午後のくもりに見をり　玉城　徹

砂原に日は照りみちて音もなし駱駝のむれの二つあひ寄る　岡野　弘彦

たとふれば瘤もつ駱駝夜半に思ふ父としてあるこのかなしみは　影山　一男

まだ若きふたこぶ駱駝の前の瘤ぷりぷり揺れて近づきて来る　落合けい子

らば〔騾馬(らば)〕

雌ウマと雄ロバとの交配による一代雑種。北米、アジア特に中国に多く、スペイン、アルゼンチンでも飼育する。肩高1メートルほど。ロバほどではないが耳は長く、頸は短く、たてがみは粗い。体色は灰褐色。強健で粗食に耐え、役力が強いが、繁殖力はない。騾(ら)。

馬(うま)と驢(ろ)と騾(ら)との別(わかち)を聞き知りて驢来(ろきた)り騾来(らきた)り馬来(きた)り騾と驢と来(きた)る　土屋　文明

首たれてポプラの林こし騾馬の水路におのが影崩し飲む　久保田フミエ

らま〔羊駝(らま)〕

偶蹄目ラクダ科。ボリビアとペルーの高山地帯で役用に飼われている。肩高1.2メートル。耳介はとがり、頸や脚は長い。羊毛状の毛は長く、赤褐色、黄褐色、白、黒、ぶちなど。こぶは無い。原種はエクアドルからパタゴニアの山岳や原野に群生するグアナコ。

羊駝の眼の澄みて大きく優しけれ空を映して黙々食めり　加藤　勝三

らん〔卵(らん)〕

鳥、魚、虫などの雌の卵細胞をいう。卵巣。精子に対する卵子。→魚卵　卵(たまご)

鯖の腸(わた)ひきいだすとき卵袋(たい)のあかさよ緻密なるかなしみいづる　生方たつゑ

処女にて身に深く持つ清き卵秋の日吾の心熱くす　富小路禎子

らんちゅう〔蘭鋳〕　金魚の一品種。体が丸く、腹部がふくらむ。体色は黄橙、赤白など。背鰭がない。頭部に多数の肉瘤があり、この形により獅子頭、兜巾などの名がある。→金魚

らんちうの硝子の鉢を人置きぬ影はおよげり甲板のうへを　橋本　徳寿

おそろしきもののはじめと誰か言ひ月光の桶にゆらぐ蘭鋳　苑　翠子

りくふうぎょ〔陸封魚〕　一生のうちに海水と陸水にすむ時期をもつ魚が、地形その他の環境の変化により、陸水中に閉じこめられ、終生そこに生活することになった魚。一般に小形化する。ヒメマスはベニサケ、ヤマメはサクラマス、コアユはアユの陸封種。→岩魚　オショロコマ　姫鱒　山女

くれなゐの鮭の子海に行かずして姫鱒となるふかしぎありき　葛原　妙子

水面よりたまゆら跳ねて陸封魚海の匂ひを恋ふる日あらむ　寺井　淳

りす〔栗鼠〕　齧歯目リス科。ニホンリス、ホンドリスともいい、北海道を除く各地の平地から亜高山の森林の樹上にすむ。体長19～28センチ、尾長11～24センチ。冬毛は背が灰褐色で耳の端毛は長い。夏毛は赤褐色で四肢や体側は赤みが強い。朝夕に活動し、マツ類の種子、どんぐり、栗などを食べ、秋にはこれらを穴に貯える。冬眠しない。北海道にはやや大形のキタリス（エゾリス）と、背に黒縞が五本あるシマリスがすむ。

偃松の下這ひいでし山の栗鼠首ねぢ向けて我を見あげぬ　窪田　空穂

栗鼠ふたつ渓あひの岩に遊べればかささぎも来て戯れむとす　若山　牧水

この庭の落葉に転ぶどんぐりは冬越す栗鼠のために残さむ　林　光雄

洩るる灯にリスを見てゐる。はな枝を、走りてあまたの　はなを散らせり　中井　昌一

ひとつずつ食器を紙でくるみゆく作業は秋の仔リスにも似て　早川　志織

るり〔瑠璃〕 ヒタキ科の鳥。大瑠璃、小瑠璃、瑠璃鶲などある。大瑠璃、小瑠璃は日本へ夏鳥として渡って来る。瑠璃鶲は国内で季節移動する漂鳥で、全長14センチ位。本州中部以北の亜高山帯で繁殖し、冬には本州以南の山地から平地に移動する。都会の公園でも姿を見ることがある。ヒョロヒョロヒョルリと鳴く。↓大瑠璃　小瑠璃

松が枝にるりが窃かに来て鳴くと庭しめやかに春雨はふり　長塚　節

瑠璃鳥の青き卵を握りしめ呆れぼれとして山くだりきつ　岡野　弘彦

レグホン ニワトリの一品種。イタリア北部原産で、五カ月ぐらいで産卵をはじめ、年間二百個から三百個の卵を産む。日本では白色レグホンが卵用鶏の殆んどを占める。体重は雌で二キロ位。↓にわとり

白色レグホン土踏みて悠然と歩むとき賢者のごとき量感示す　富小路禎子

れんじゃく〔連雀〕 レンジャク科の鳥。冬鳥として日本に渡来する。全長18センチほど。頭にかんむり羽があり、体色は赤みがかった灰褐色。尾の先が黄色のキレンジャクと、緋色のヒレンジャクとがある。低地から山地の林にすみ、木の実を食べる。両種ともヒーヒー、チリチリチリなどと鳴く。

冬の日の丘わたり棲む連雀は慓悍の雄いまも率たりや　岡井　隆

ろば〔驢馬〕 奇蹄目ウマ科の家畜。ウサギウマともいう。紀元前四千年ごろから飼われていたという。小形で肩高1メートル位。ウマよりも耳が長大で蹄は小さい。尾の先端に長い毛の房をもつ。毛色は灰色か褐色。粗食に耐え、力が強いので乗用、役用にされる。↓兎馬

流木に吹き出でし塩を舐めている真夏浜辺の一匹の驢馬　三井　修

つながれてロバの自由は誰が握る？　ただおとなしきもののあはれよ　勝部　祐子

わかあゆ〔若鮎〕 鮎の子をいう。早春、川を遡ってくる四、五センチくらいの子鮎の群はいかにも繊細で、しかも快活である。稚

鮎、上り鮎ともいう。この時季は禁漁。↓鮎　落鮎

山がはの岸の浅処に鮎の子か群れつつをるはしばし安けし　斎藤　茂吉

柵のここにはげしきいくつとも稚鮎はありてかなしきものを　岡部　文夫

たちまちに放ちし鮎の影はしり気色だちたり川の面は　林田　恒利

川底の透りて見ゆる岩群に身の影伴れてのぼる若鮎　西川喜代水

簗にひしめく若鮎数百かつて「わがおほきみに召されたる」は誰か　塚本　邦雄

愛し、万の稚鮎のさかのぼる早瀬をわたり静脈の透く　前　登志夫

わかさぎ〔公魚・鰙〕

キュウリウオ科の魚。千葉県と島根県以北の本州と北海道の原産だが、現在人工受精卵の移植により、多くの湖沼、人工湖にふえている。全長15センチ。背鰭の後方に脂鰭があり、背は黄褐色、腹は銀白色、体側に淡黒色の縦帯がある。汽水域、淡水域でとれ、結氷湖の穴釣で有名。てんぷら、フライ、塩焼とし、佃煮も美味。

水いろに生れてわかさぎ湖の渚に近くむれつつ遊ぶ　村野　次郎

北潟の鰙ここに白じろとこの春のときすずしかりけり　岡部　文夫

浄らなる湖のわかさぎ傷みやすくはらわた破れて届けられたる　斎藤　史

卵抱く公魚釣れば氷の上にいのちうすらに透きて跳ねるも　山名　康郎

一皿のわかさぎの眼と向きあへばすでにうつつの春の夕ぐれ　百々登美子

わし〔鷲〕

ワシタカ科のうち大形種の総称。鷲と鷹との区別は大きさにより区別される。ふつう体色は暗褐色、くちばしは強く鋭く曲がり、脚には鉤爪をもつ。巣は岩や大木の上に作り、昼間行動して魚や鳥獣を捕食する。日本には大鷲、尾白鷲、犬鷲、などがすむ。川田順の「大鷲」は種別ではなく、大きな鷲をいう。　↓犬鷲　大鷲　尾白鷲

立山に棲むとは聞きし大鷲の目交にして跳びたつを見き　川田　順

山空(やまぞら)をひとすぢに行く大鷲の翼の張りの澄みも澄みたる　川田　順
立山の外山が空の蒼(あを)深み一つの鷲の飛びて久しき　川田　順
鷲ひとつ山間を飛びゆける見つ飛ぶことの孤独知りて間もなし　佐佐木幸綱

わたりどり〔渡(わた)り鳥(どり)〕

秋になると北国からガン、カモ、ツグミ、ハクチョウ、ツルが日本に渡ってきて越冬し、春に北国へ繁殖のために帰る。これらを冬鳥という。また春になると越冬地からツバメ、ホトトギス、カッコウ、オオルリ、ブッポウソウなどが日本に渡ってきて繁殖し、秋に去る。これらを夏鳥という。さらにシギ、チドリなどは秋の渡りの途中に日本を通過するがこれらを旅鳥という。なお渡り鳥に比べて小規模の季節移動をする鳥を漂鳥(ひょうちょう)といい、ウグイス、ムクドリ、ヒヨドリなど夏に山地で繁殖して冬に平地で越冬するもの、北海道、東北などで繁殖して南日本へ漂行するものがある。↓候鳥

たはやすく雲にあつまる秋ぞらをみなみに渡る群鳥のこゑ　半田　良平
渡り鳥の何かは知らず団塊の地を殴るごと殴るごとゆく　頴田島一二郎
恋しきはいづれの国ぞ白羽を伸べゆきかへる一生のごと　斎藤　史
わたり鳥が今朝も胡桃にきてゐればしきりに胡桃の枝ゆれ合へり　中野　菊夫
島山をよぎり今朝ゆく鳥の列日に浮かび出で相つぎて渡る　葛原　繁
一列(つら)に鳥が翔びたち上昇の角度いかなる野のこころざし　安永　蕗子
風わたる野に見送れりうち列ね遥かの鳥となりつつゆくを　伊藤　雅子
ひそやかにあきらかに空渡りゆく鳥の羽音の地には落ちこず　伊藤　一彦
鳥の名は知らず知らねど天(そら)さしていやおうのなき影なれば追ふ　今野　寿美

わに〔鰐(わに)〕

爬虫類ワニ目の総称。欧亜、アフリカ、アメリカ、豪州の熱帯、亜熱帯の淡水、および入江付近に分布する。体はかたい鱗板でおおわ

れ、大きな頭には顎が発達し、大きな鋭い歯が並ぶ。外鼻孔は吻の先端に開き、鼻孔、眼、耳のみを水面上に出すことができる。また外鼻孔は弁を備え水中では閉じられる。眼に瞬膜がある。卵生。

眼にちかく子鰐よちよち匍ひのぼり鰐はしづかにまぶたを閉ぢぬ　橋本　徳寿

しびれ蔦河に流して鰐を狩る女らの上に月食の月　前田　透

春きざす夜の檻の中身じろがぬ鰐はまばたく合図のごとく　松田みさ子

大正某年日本に来る(きた)大鰐のゐて人生をわらふがごとし　小野興二郎

わらじむし〔草鞋虫(わらぢむし)〕　甲殻類等脚目ワラジムシ科。石下、床下、穴倉などの陰湿な所に多くすむ。体長約1センチ。小判形で灰褐色。ダンゴムシに似るが扁平。

わらじ虫ふかく眠らせ楢の木の葉の暖かさ土に降り積む　石本　隆一

索引

1、索引項目は現代かなづかいで五十音順に配列した。
2、長音は無視してある。

―あ―

索引

— さ —

— し —

—す—

—せ—

―に―

―ぬ―

―ね―

―の―

―は―

― ひ ―

短歌表現辞典 鳥獣虫魚編 (たんかひょうげんじてん ちょうじゅうちゅうぎょへん)

2021年5月10日　第1刷発行

編　著　飯塚書店編集部
発行者　飯塚 行男
装　幀　飯塚書店装幀室
印刷・製本　モリモト印刷株式会社

株式会社 飯塚書店

http://izbooks.co.jp
〒112-0002 東京都文京区小石川5-16-4
TEL03-3815-3805 FAX03-3815-3810
郵便振替00130-6-13014

ISBN978-4-7522-1046-7　Printed in Japan

※本書は1997年小社より初版発行の書籍を復刻して刊行したものです。